고등
국어

HIGH SCHOOL

실전기출 문제은행

2A
2학기중간

창비 | 최원식

KB087435

이 책의 **단원 구성**

실전기출 / 문제은행

1A

1. 독서는 나의 힘
1 확신이 없어도 괜찮아 2 세상에 단 한 권뿐인 시집

2. 문학의 갈래
1 비 2 삼포 가는 길
3 세상에서 가장 아름다운 이별 4 보지 못한 폭포

1B

3. 국어와 우리 생활
1 음운의 변동 2 한글 맞춤법의 원리
3 존중하고 배려하는 대화

2A

4. 소통하는 말과 글
1 공간이 달라지면 사는 풍경도 달라질까
2 열려라, 소통하는 글쓰기 3 세상을 바꾸는 토론

5. 문학의 수용과 생산
1 정읍사 / 십년을 경영하여
2 춘향전 3 눈

2B

6. 국어의 변화와 의사 소통
1 국어의 어제와 오늘 2 상황과 대상에 맞는 표현
3 바람직한 국어 생활

7. 문제를 해결하는 말과 글
1 바닷속 미세 플라스틱의 위협
2 펼쳐라, 설득하는 글쓰기 3 서로 만족하는 협상

이 책의 구성 및 특징

교과서 확인학습

- 교과서 핵심내용 해설 및 확인 문제
- 교과서 지문의 핵심내용 파악, 어휘 및 구문 풀이
- O,X 문제 및 서답형 문제 학습

객관식 기본문제

- 기초단계 기출문제 제시 및 풀이능력 체크
- 각 단원의 핵심문제 제시
- 교과서 기반의 기본적인 학습능력 제공

객관식 심화문제

- 중상급 난이도 기출문제 제시 및 오답풀이
- 전국 고등학교 중요 기출문제 엄선 및 풀이
- 변별력 있는 문제 중심으로 기출유형 분석
- 교과서 밖 연계지문 활용 고난도 문제풀이

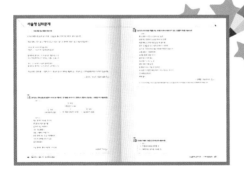

서술형 심화문제

- 서술형 기출문제 제시 및 풀이능력 향상
- 배점 높은 서술형 문제의 적중도를 높임

단원별 종합평가

- 단원별 학습 후 모의시험을 통한 수준평가
- 각 단원의 최종 점검 및 학습 마무리

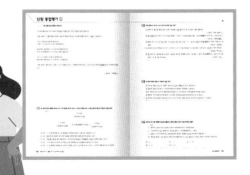

《Contents

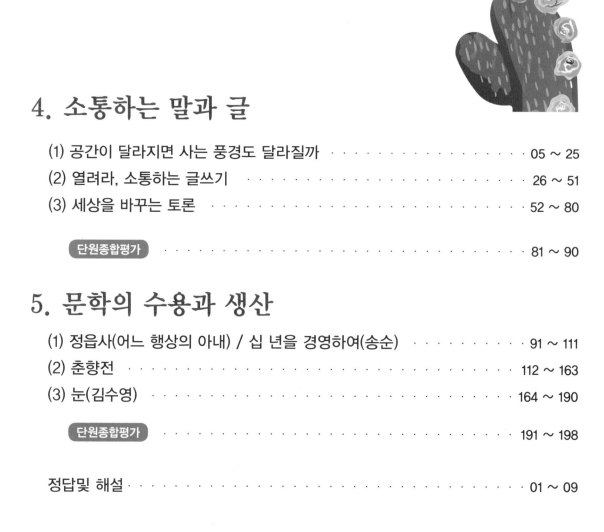

4. 소통하는 말과 글

(1) 공간이 달라지면 사는 풍경도 달라질까 · 05 ～ 25
(2) 열려라, 소통하는 글쓰기 · · · · · · · · · · · · · · · · · · 26 ～ 51
(3) 세상을 바꾸는 토론 · 52 ～ 80

단원종합평가 · 81 ～ 90

5. 문학의 수용과 생산

(1) 정읍사(어느 행상의 아내) / 십 년을 경영하여(송순) · · · · · · · 91 ～ 111
(2) 춘향전 · 112 ～ 163
(3) 눈(김수영) · 164 ～ 190

단원종합평가 · · · · · · · · · · · · · · · · · · 191 ～ 198

정답및 해설 · 01 ～ 09

4

소통하는 말과 글

(1) 공간이 달라지면 사는 풍경도 달라질까

(2) 열려라, 소통하는 글쓰기

(3) 세상을 바꾸는 토론

공간이 달라지면 사는 풍경도 달라질까

– 전남일 –

마을의 변화

'마을'은 '여러 집이 이웃하여 살아가는 동네', 곧 공동체의 촌락을 뜻한다. 과거의 살림집은 마당과 텃밭까지 포함
〔마을의 의미〕 〔과거의 살림집의 공간 영역〕

하는 공간이었기에 생활의 영역은 마을까지 확장되었다. 이러한 구조는 농경 생활에 필수적인 이웃 간의 정보, 노동
〔생활 영역이 마을까지 확장된 구조의 장점〕

력, 생산품의 교환을 쉽게 해 주었다.

과거의 집과 달리 현대 도시 사회의 집은 개개인의 개별적인 공간으로 존재한다. 오늘날 우리는 개인 공간인 집을
〔현대 도시 사회의 집의 특징〕

나와 복도, 현관, 주차장 등의 공간을 빠르게 지나쳐 직장이나 학교에 가고, 또 어디론가 볼일을 보러 간다. 마을을
〔이웃과 공유되는 공간이지만, 빠르게 지나치는 공간임〕 〔과거 마을의 특징〕

중심으로 여러 사람이 공간을 공유하던 과거와 달리 현대의 도시에는 이웃과 공유하는 공간이 매우 적고, 있더라도
〔현대 도시 공간의 특징〕

비어 있는 때가 많다. 무엇이 달라졌기에 이렇게 변화한 것일까?

모여 사는 마을

마을은 두 가지 속성을 내포하고 있다. 우선 지역 사회를 기반으로 사람들 사이의 관계가 형성되어 있어야 하고,
〔마을에 내포된 속성 ①〕

물리적으로는 개인의 공간과 공공의 공간 사이에 중간적 성격의 공간이 있어야 한다. 이러한 공간을 '사이 공간'이라
〔마을에 내포된 속성 ②〕 〔개인의 공간과 공공의 공간 사이에 있는 중간적 성격의 공간〕

하는데, 이는 통행을 목적으로 하는 공간이라기보다 주민들 사이에 사적 관계를 형성하는 공동의 영역이라 할 수 있
〔사이 공간의 역할〕

다. 이 두 가지가 오랫동안 지속될 때 한 장소에 오래 머물러 사는 '정주성'이 형성된다. 이것은 집을 짓고 선택하는

과정과 밀접한 관계가 있다.

과거에는 개인이 자기가 살 집의 입지를 선정하고, 목수와 상호 합의하여 집을 지었다. 오랜 시간에 걸쳐 집들이
〔과거의 집 짓는 과정〕 〔마을과 길이 형성되는 과정〕

하나하나 들어차면서 마을이 생겨나고 그 사이사이를 따라 길이 저절로 만들어졌다. 개인의 주거 공간을 한정하는
〔담의 기능〕

담과 담 사이에는 길과 공터가 있었다. 전통 주거지의 길은 큰길에서 안길이 뻗어 나가고 또 그 길에서 샛길이 뻗어
〔개인의 주거 공간들 사이의 공동 영역〕

나가는 식이었다. 사람들은 길이 곧게 뻗은 것을 흉하게 여겼는데, 특히 집으로 들어오는 길은 곧바로 보이지 않도
〔주거지 길에 대한 과거의 인식 ①〕 〔흉한 형태의 길〕

록 구부러진 형태로 되어 있어야 길하다고 여겼다. 또한 집이 큰길 옆에 있는 것 역시 꺼린 탓에 전통 마을의 집
〔주거지 길에 대한 과거의 인식 ②〕

은 실핏줄처럼 얽힌 불규칙한 길을 따라 자연스레 자리하였다. 이런 까닭에 근대 이전의 전통 마을에는 항상 구부
〔집이 큰 길 옆에 있는 것을 꺼린 결과〕 〔길이 곧게 뻗은 것을 흉하게 여긴 결과〕

러지거나 꺾인 불규칙한 형태의 골목길이 존재했고, 도시를 포함한 전통 주거지의 가로 체계는 격자형(十자형)이
〔시가지의 넓은 도로〕

아닌 가지형(丁자형)으로 나타났다.
〔집이 큰 길 옆에 있는 것을 꺼리면서 만들어진 전통 주거지의 가로 체계〕

거에는 개인이 생활을 하는 집과 일을 하는 장소가 멀리 떨어져 있지 않았다. 그렇기 때문에 사람들은 매일 두 공
〔집과 일터로 오가는 이동 시간이 적게 걸림〕 〔집과 일터가 가깝게 위치함으로써 얻게 된 결과〕

간 사이를 오가며 그곳에서 다양한 일을 경험했다. 개인의 집과 집 사이의 거리도 가까워서 이웃과 친밀한 사회적 관
〔개인과 집과 집 사이가 가깝게 위치함으로써 얻게 된 결과〕

계를 형성할 수 있었다. 자신의 생활 반경인 집 주변과 그 사이사이에서 사람들과 마주치도록 구성된 공간을 '마을'이
<small>과거 마을의 개념</small>

라 불렸던 것이다.

방에서 나오면 마당이 있고, 대문을 열면 골목길을 만나며, 길을 돌고 돌다 보면 그 동네의 중심부로 나갈 수 있었
<small>이웃을 만나는 경로: 방 → 마당 → 대문 밖 → 골목길 → 동네 중심부</small>

기 때문에 마을 안을 이동하다 보면 여러 경로를 자연스럽게 거칠 수밖에 없었다. 굳이 의도하지 않더라도 사람들의
<small>과거 마을의 커뮤니티 형성 과정</small>

만남과 모임이 곳곳에서 발생하였고, 그들 사이에서는 요즘 흔히 말하는 '커뮤니티'가 형성되었다. 집의 형태는 따로

따로였지만 집 안팎을 살펴보면 모여 살 수 있는 구조였다.

동질성과 사생활

오늘날의 대표적인 주거 형태인 아파트는 전통의 주거 형태인 주택과는 다른 특징을 보인다. 아파트는 (한 단위 세
<small>( ): 현대 한국식 공동 주택의 특징 ①</small>

대를 층층이 쌓아서 배치하는 적층(積層)을 기본으로 한다.) 하나의 건물 내에 수평적, 혹은 수직적으로 균일한 주거
<small>층층이 쌓임</small>   <small>현대 한국식 공동 주택의 특징 ②</small>

공간이 밀집해 있고, 거기에 동질성을 지닌 거주자가 모여 사는 것이 현대의 한국식 공동 주택이 지닌 특징이라 할
<small>현대 한국식 공동 주택의 특징 ③</small>

수 있다.

이러한 공동 주택의 등장은 공동체적 관계를 변화시키는 중요한 원인을 제공했다. 공동 주택, 즉 아파트에는 '사이
<small>공동체적 관계를 변화시킨 주요 원인</small>   <small>공동체적 관계를 변화시킨 아파트의 특징</small>

공간'이 없다. 아파트에 사는 사람들은 공동의 현관을 통과한 후 승강기 홀이나 복도를 거쳐 각자의 개인 공간으로 들

어간다. 그곳은 사생활을 최대한 보장하는 공간이다. 주택의 형태나 외관만 보면 모두 같은 공간에 사는 유사한 집단
<small>공동체와 분리된, 개인적 삶이 영위되는 공간</small>   <small>외형적으로 공동체적인 유사성이 있는 것처럼 보이지만 실제로는 그렇지 않음</small>

으로 보이지만, 그 안에서의 생활 모습은 공유할 만한 것이 거의 없다.
<small>공동체적 관계를 맺기 어려움</small>

사이 공간이 없기 때문에 그곳에 사는 사람들은 아파트 단지라는 인위적 마을에서 상징적인 결속성만을 확보하
<small>실질적인 결속성이 없음</small>

고 있을 뿐 단지 내외의 사람들과 충분히 소통하지 못한다. 단지 내에는 단지를 구획하는 울타리, 보안과 감시를
<small>사이 공간이 없음으로 인해 나타난 결과</small>   <small>토지 따위를 경계를 지어 가르는. '구분하다, 분리하다'로 순화</small>

위해 설치한 시시 티브이(CCTV), 외부인을 통제하는 차단기, 비밀번호를 눌러야만 열 수 있는 견고한 출입문이 있
<small>사람과 사람 사이의 소통을 어렵게 만드는 장치들</small>

을 뿐이다.

과주거지의 울타리는 우리의 범주를 규정하는 '영역 만들기'의 역할을 한다. 단지 내부에 동질성을 지닌 사회 계층
<small>아파트 단지와 단지 사이를 구획하는 울타리의 기능</small>   <small>현대 주거지의 특징</small>

이 거주하는 것이 현대 주거지의 특징인데, 외부와 차별성을 갖는 고급 단지일수록 그 울타리가 견고하다. 그러나 외

부와의 단절뿐만 아니라 단지 내부에서도 이웃과 만나기 위한 공간과 행위들은 찾아보기 어렵다. 좁은 공간에 수많
<small>단지 외부와의 단절뿐만 아니라 내부에서도 이웃과 단절된 모습을 보임</small>

은 세대가 다닥다닥 붙어 있어 겉으로는 삭막해 보이지만 일단 현관문만 열면 아늑한 주거 환경이 펼쳐진다. 반대

로 현관문 하나만 잠그면 집 전체가 바깥세상과 완전히 격리된다. 가족만의 성역에는 누구라도 예고 없이 방문할 수

없고, 이웃이나 친척이라도 안에서 문을 열어 주었을 때에만 집 안으로 들어올 수 있다. 이러한 특징은 현대인의 개
<small>집 안과 바깥세상이 격리된 아파트의 특징</small>

인주의적 성향과 잘 맞아떨어진다.

(사생활 보호에는 이렇듯 철저하지만, 같은 단지 내에서 공동의 목표를 추구할 때에는 집단의 힘을 발휘하기도 한

( ): 이해관계에 따라 집단의 힘이 발휘됨. 집단 이기주의와 관련됨   집단의 힘이 발휘될 때

다. 특히 그것이 단지의 이익과 관련한 것이라면 입주자회나 부녀회 같은 커뮤니티를 구성하여 주저하지 않고 의사

공동의 목표

를 표현한다.) 이러한 아파트 단지의 결속성과 질서는 이해관계의 일치에서 비롯된다. 개별 단위 세대들은 자신들이

전제 조건 : 이해관계의 일치   집단의 힘을 발휘하는 이유

집에 들인 비용을 지키기 위해 집단의 힘을 발휘한다.

전통 사회에서는 이웃의 손을 빌려 개별적으로 집을 지었고, 그것이 자연스럽게 마을의 한 요소가 되었다. 하지만

전통 사회의 집 짓기 특징   오랜 세월에 걸쳐 마을이 형성됨

아파트는 불특정 다수를 위해 전문 건설업자들이 완성한 것이어서 개별 거주자들의 취향과 요구 사항이 반영되기 어

현대 사회의 집 짓기 특징

렵다. 수천 세대, 심지어는 수만 호가 일시에 건설되어 수많은 사람이 하루아침에 한동네 사람이 되기도 한다.

마을이 급조됨

이러한 변화에 따라 요즘에는 '단지'가 과거의 '마을'을 대신하는 공간 단위가 되었다. 오랜 시간에 걸쳐 만들어진

전통 마을과 달리 이러한 현대의 주거지는 급조된 마을이다.

전문 건설업자들에 의해 일시에 건설되어 일시에 사람들이 입주하여 만들어진 마을

공간과 사는 풍경

한 사람, 하나의 주거 공간이 차지하는 면적이 계속 증가해 왔음에도 불구하고, 사람들은 자신이 사는 공간이 과거

보다 매우 좁고 답답하다고 느낀다. 사람들 사이의 소통이 활발했던 과거의 마을과 달리, 오늘날의 주거지에서는 사

자신이 사는 공간이 과거보다 좁고 답답하다고 느끼는 이유

람과 사람 사이의 만남과 교류가 어렵기 때문이다.

많은 사람이 살고 있는 아파트 단지에는 개별 단위 세대 외에도 놀이터, 조경 시설, 주차장, 조그만 정자 등의 공

소통 가능한 공간이 존재함

간이 조성되어 있다. 하지만 단지 내에 보이는 사람들은 나이 지긋한 어르신들, 어린아이들을 데리고 나온 젊은 부모

한정된 사람들만이 사이 공간을 이용하므로 다양한 만남과 교류가 어려움

들, 잠시 짬을 내어 놀러 나온 아이들뿐이다. 요즘 사람들에게 이와 같은 외부 공간은 이동을 위해 지나가는 통행로

에 불과하다. 이것이 담과 담 사이, 건물과 건물 사이를 지나며 서로를 자연스레 알아 갈 수 있었던 전통 마을과의 차

소통의 공간으로써 사이 공간이 존재함

이점이다.

주거 공간의 변화가 사람들이 사는 풍경에 미친 영향은 앞으로 만들어 갈 공간을 고민해야 하는 까닭이 된다. 공간

공간을 만들 때 고민해야 할 중요한 요소

의 모습을 고민하는 것은 어떤 삶을 살 것인가를 고민하는 것과 결코 다르지 않기 때문이다.

⊙ 어휘풀이

▪ **안길** 안쪽으로 난 길. 흔히 동네 안쪽으로 이어져 동네 안의 구역을 연결하는 길을 이름.

▪ **격자** 바둑판처럼 가로세로를 일정한 간격으로 직각이 되게 짠 구조나 물건. 또는 그런 형식.

▪ **동질성** 사람이나 사물의 바탕이 같은 성질이나 특성.

▪ **승강기 홀** 승강기 앞에 있는 넓은 장소.

⊙ 핵심정리

갈래	설명문	성격	비판적, 성찰적
주제	삶과 공간의 관계 성찰의 필요성		
특징	• 과거의 주거 공간과 현대의 주거 공간을 비교하여 설명함.		
	• 현대의 주거 문화를 비판적 시각으로 바라보고 있음.		

확인학습 ··

01 이 글은 과거의 집이 지닌 순기능을 구체적으로 기술하고 있다. O☐ ×☐

02 이 글은 과거의 집에서 지양해야 할 요소와 현대에 계승해야 할 요소가 무엇인지 비판적으로 검토하고 있다. O☐ ×☐

03 이 글은 과거의 집이 지닌 과학적 측면을 강조하여 설명하고 있다. O☐ ×☐

04 이 글은 과거의 집이 지닌 비효율성을 다각도로 지적하고 있다. O☐ ×☐

05 이 글은 과거의 집과 현대의 집이 공유하는 특성이 무엇인지를 설명하고 있다. O☐ ×☐

06 이 글은 과거의 집이 구성원들로 하여금 원활한 소통을 하는 데 기여했음을 일관되게 기술하고 있다. O☐ ×☐

07 이 글은 직유법을 사용하여 대상의 속성을 구체화하고 있다. O☐ ×☐

08 이 글은 대상의 문제점에 대한 해결 방안을 분석적으로 제시하고 있다. O☐ ×☐

09 이 글은 개념을 정의하는 방식을 통해 독자의 이해를 돕고 있다. O☐ ×☐

10 이 글은 의문형의 진술로 문제를 제기하여 화제를 제시하고 있다. O☐ ×☐

11 이 글은 대조의 방식으로 설명 대상의 차이점을 부각하고 있다. O☐ ×☐

12 이 글은 현대의 집과 대비되는 과거 집의 특성을 설명하는 글이다. O☐ ×☐

13 이 글은 과거의 마을에 존재한 골목길을 '실핏줄처럼 얽힌' 불규칙한 길이라고 표현하며 대상의 속성을 구체화하였다.

　O☐ ×☐

14 이 글에서 '사이 공간'은 사적 관계를 형성하는 공동의 영역이라고 정의하고 있다. O☐ ×☐

15 이 글은 시간의 흐름과 사람의 인식에 따라 길이 형성된 과정을 기술하고 있다. O☐ ×☐

16 이 글은 예상되는 반론을 반박하면서 길의 의미를 주관적으로 해석하고 있다. O☐ ×☐

17 이 글은 핵심 개념을 정의하면서 길이 마을에 미친 영향을 기술하고 있다. O☐ ×☐

18 이 글은 자문자답의 방식으로 논지를 확대하면서 길의 의미를 구체화하고 있다. O☐ ×☐

19 이 글은 일반적인 통념에 대해서 문제를 제기하면서 길에 대해 설명하고 있다. O☐ ×☐

20 이 글에서 '마을'은 구성원들이 친밀한 인간관계를 맺을 수 있도록 돕는 역할을 한다고 설명하고 있다. O☐ ×☐

21 이 글에서 '마을'은 주거지에 대한 사생활 보호를 철저하게 한다고 설명하고 있다. O☐ ×☐

학습 활동

■ 이해 활동

1. 이 글의 주요 내용과 글쓴이의 생각을 알아보자.

(1) 이 글의 주요 내용을 소제목별로 써 보자.

| 예시 답안 |

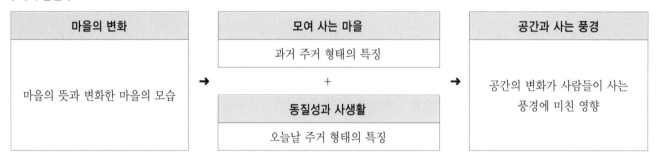

마을의 변화		모여 사는 마을		공간과 사는 풍경
마을의 뜻과 변화한 마을의 모습	→	과거 주거 형태의 특징 + **동질성과 사생활** 오늘날 주거 형태의 특징	→	공간의 변화가 사람들이 사는 풍경에 미친 영향

(2) 다음 항목에 따라 과거와 오늘날의 마을이 지닌 특성을 정리해 보자.

| 예시 답안 |

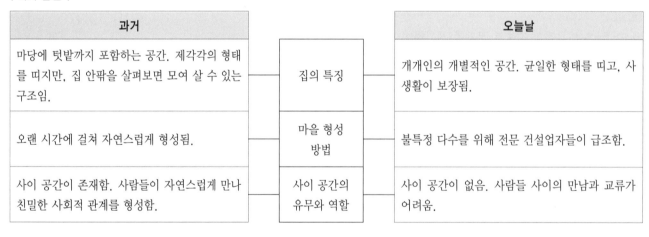

과거		오늘날
마당에 텃밭까지 포함하는 공간. 제각각의 형태를 띠지만, 집 안팎을 살펴보면 모여 살 수 있는 구조임.	집의 특징	개개인의 개별적인 공간. 균일한 형태를 띠고, 사생활이 보장됨.
오랜 시간에 걸쳐 자연스럽게 형성됨.	마을 형성 방법	불특정 다수를 위해 전문 건설업자들이 급조함.
사이 공간이 존재함. 사람들이 자연스럽게 만나 친밀한 사회적 관계를 형성함.	사이 공간의 유무와 역할	사이 공간이 없음. 사람들 사이의 만남과 교류가 어려움.

(3) 이 글에서 글쓴이가 말하고자 하는 바가 무엇인지 파악해 보자.

| 예시 답안 |

공간의 배치가 사람들 사이의 관계나 삶의 모습에 영향을 미친다는 것을 말하고자 함.

■ **목표 활동**

2. 이 글의 특성을 떠올리며 읽기 과정을 점검해 보자.

(1) 읽기 전 · 중 · 후 과정에서 가졌던 질문이나 생각을 정리해 보자.

| 예시 답안 |

읽기 전	• 예 공간이 변화한 원인을 파악하며 글을 읽어야겠어. • 글의 소제목들을 훑어보며 마을과 같은 공간의 특징에 관한 글이 아닐까 예측해 보았어. • 지금까지 살았던 곳을 떠올리며 마을이란 어떤 곳을 의미하는지 생각해 보았어.

읽기 중	• 예 글쓴이는 왜 공간의 변화와 사람들 간의 소통 문제에 관심이 생긴 걸까? • 글쓴이가 말하는 '사는 풍경'이란 사람들 사이의 관계와 연관이 있는 것 같아. • 은 공간에 살지만 서로 공유할 만한 것이 적은 공동 주택의 특징이 오늘날 사람들 간 소통의 부재를 가져왔군. • 글쓴이는 사는 공간이 변해서 사람들 사이의 관계도 달라졌다고 생각하는군.

읽기 후	• 예 서로를 이해할 수 있는 사이 공간이 부족하기 때문에 현대 사회에서 이웃 간의 갈등이 자주 발생하는 것인지도 모르겠군. • 이 글은 과거와 현대를 비교하여, 사이 공간의 유무가 사람들에게 미치는 영향을 설명하고 있군. • 내가 지금 살고 있는 공간은 사람들 사이의 소통이 잘 이루어지고 있을까? • 이 글과 다른 관점을 가지고 있는 글은 없을까?

도움

읽기 전 · 중 · 후 과정에 따라 글을 읽을 때에는 다음과 같은 활동을 할 수 있다.

읽기 전	• 읽기 목적 확인하기 • 내용 예측하기
읽기 중	• 글쓴이의 의도 추론하기 • 중심 내용 파악하기
읽기 후	• 요약 · 정리하기 • 새로 알게 된 내용의 활용 방안 생각하기

(2) 읽기 과정을 되돌아보고, 읽기 전 · 중 · 후 활동을 하며 글을 읽었을 때의 장점을 이야기해 보자.

| 예시 답안 |

• 읽기 과정을 점검하고 조정하며 글을 읽음으로써 글의 내용을 좀 더 정확하게 파악할 수 있다.
• 글의 내용을 예측하거나 질문 만들기, 질문에 대한 답 찾으며 읽기, 글쓴이의 의도를 추론하며 읽기 등의 과정을 통해 글을 자세하게 읽을 수 있고, 읽기 목적에 맞게 글을 읽을 수 있다.

3. 이 글을 읽은 후 나눈 학생들의 대화를 보고, 다음 활동을 해 보자.

오늘 국어 시간에 「공간이 달라지면 사는 풍경도 달라질까」를 읽고 어떤 생각을 했어?

나는 오늘날 사람들이 이웃에게 무관심해진 까닭이 공간과 관련이 있다는 내용에 매우 공감했어.

나도 공간과 삶의 관계를 생각해 볼 수 있는 기회가 되어 좋았어. 하지만 현대의 주거지에 사이 공간이 사라졌다는 말에는 동의할 수 없어. 놀이터나 주차장처럼 사람들이 만나는 공간은 여전히 있잖아?

그렇게 생각할 수도 있겠네. 그런데 정말 공간이 달라졌기 때문에 사람들의 사는 모습이 달라진 것일까? 혹시 그 반대는 아닐까? 네 생각은 어때?

(1) 글쓴이와 남학생의 의견을 고려하여 '사이 공간'의 기능과 가치를 생각해 보자.

| 예시 답안 |

남학생의 말처럼 현대의 주거지에 사이 공간이 없는 것은 아니다. 그러나 사이 공간은 만남과 교류가 이루어지는 장소로 이웃 간에 친밀한 사회적 관계를 형성하게 한다는 데 가치가 있다. 그런데 놀이터나 단지 안의 조경 시설 등에서 이루어지는 만남과 모임은 그 대상이 한정적이라는 한계가 있으며, 엘리베이터나 주차장 같은 공간 역시 지나가는 공간이지 머무르는 공간은 아니기 때문에 사이 공간으로서의 기능을 다하고 있다고 하기 어렵다.

(2) 여학생의 마지막 질문에 답해 보자.

| 예시 답안 |

나는 공간의 변화가 사람들의 삶에 영향을 미쳤다고 생각해. 현대의 사람들은 생활하는 공간이 모두 막혀 있다 보니, 점점 다른 사람들의 생활에 관심을 가지는 것이 어색하고 부담스러운 일이 되어 가고 있어. 또한 아파트 단지 안의 길은 대체로 좁거나 짧고 대부분의 사람들은 자신의 집에 이르는 일정한 길만을 다니기 때문에 다양한 사람들을 만나 이야기를 나누기도 어려워. 이런 공간 구조가 사람들이 서로의 삶에 관심을 가지는 것을 더욱 어렵게 만들고 있다고 생각해.

■ 적용 활동

4. 다음 신문 기사를 읽고 제시된 활동을 해 보자.

> ### 학교 내 빈 공간, 마을 공동체로 활용
>
> ○○도 내 학교의 빈 공간이 주민들에게 개방된다. ○○도 교육청은 학교 내 빈 공간을 활용해 학부모를 포함한 주민들의 쉼터인 '어울림' 복합 문화 공간 사업을 추진한다고 밝혔다. '어울림' 복합 문화 공간은 학부모를 포함한 인근 주민들이 학교와 마을 공동체를 형성하고 학생들의 다양한 교육 활동에 참여해 학생들이 올바르게 성장할 수 있도록 지원하는 것이 목적이다. 주민 이용 시 접근성과 편의성을 고려해 교문에서 가까운 곳을 독립적으로 이용할 수 있도록 조성하고, 공간 내에 판매 시설과 북 카페, 모임터 등을 구성할 예정이다.
>
> － 『시민 일보』, 2016년 5월 30일 기사 －

(1) 이 신문 기사에서 '사이 공간'과 비슷한 역할을 하는 공간을 찾아보자.

| 예시 답안 |
'어울림' 복합 문화 공간

(2) 이 신문 기사를 참고하여 모둠별로 '사이 공간 있는 학교 만들기' 계획을 세워 보자.

| 예시 답안 |

사이 공간이 있는 학교 만들기	
우리 학교 공간의 문제점	• 예 친구들과 자연스럽게 만날 수 있는 공간이 부족하다. • 옥상이 위험하다는 이유로 잠겨 있고, 방치되어 있다.
구체적인 해결 방안	• 예 1층 현관의 빈 공간에 학생 작품을 전시하고 의자와 탁자를 둔다. • 옥상에 텃밭을 꾸미면서 희망하는 반별로 텃밭을 운영해 본다.
필요성 및 기대 효과	• 예 친구 또는 선생님들과 자연스러운 분위기에서 이야기할 수 있으므로 좀 더 친해질 수 있다. • 학생들이 함께 텃밭을 가꾸면서 새로운 경험을 할 수 있고, 책임감과 협동심도 기를 수 있다.

객관식 기본문제

01 다음 중 읽기 과정에 관한 설명으로 적절하지 <u>않은</u> 것은?

① 읽기 전 : 읽기 목적 확인하기, 배경지식 활성화하기
② 읽기 중 : 생략된 내용이나 글쓴이의 의도 추론하기
③ 읽기 후 : 요약하기, 내용 구조도 그리기
④ 읽기 전 : 요약·정리하기, 중심 내용과 주제 파악하기
⑤ 읽기 중 : 집필 의도를 추론하며 읽기

02 다음 중 읽기 방법에 대한 설명으로 적절하지 <u>않은</u> 것은?

① 읽기의 방법은 전, 중, 후 각 과정에 맞게 고정되어 있다.
② 읽기 전, 중, 후에서 활용할 수 있는 방법은 여러 가지가 있다.
③ 일기 중 활동을 통해 독자는 글의 핵심을 놓치지 않고 꼼꼼히 읽을 수 있다.
④ 읽기 후 활동을 통해 독자는 글의 내용을 깊이 있게 이해하고 확장할 수 있다.
⑤ 읽기의 전, 중, 후에서 어떤 읽기 방법을 선택했는지에 따라 읽기의 결과가 달라질 수 있다.

03 다음 중 '읽기 중' 과정의 읽기 방법으로 적절하지 <u>않은</u> 것은?

① 질문하고 답하며 읽기
② 새로운 생각이나 궁금증 갖기
③ 주요 내용과 관련 정보 적어 두기
④ 생략된 내용이나 글쓴이의 의도 추론하기
⑤ 글의 중심 내용을 정리하고, 읽기 전에 예측했던 것과 비교하기

04 다음 중 읽기 과정의 점검과 조정에 관한 설명으로 적절하지 <u>않은</u> 것은?

① 글을 읽다가 예상했던 내용과 다른 점이 있다면 읽기 목적을 다시 확인해야 한다.
② 글을 읽는 사람은 점검과 조정의 과정을 통해 글을 좀 더 깊게 이해할 수 있다.
③ 글을 읽기 전에는 배경지식을 활성화하고 내용 예측하기를 해야 한다.
④ 글을 읽는 도중에 모르는 낱말이 있을 때 사전을 찾아보거나 앞뒤 문맥을 통해 의미를 짐작해 본다.
⑤ 잘 이해되지 않는 부분이 있으면 다시 꼼꼼히 읽어 보거나 글과 관련된 다른 자료를 찾아본다.

[05~11] 다음 글을 읽고 물음에 답하시오.

마을의 변화

'Ⓐ 마을'은 '여러 집이 이웃하여 살아가는 동네', 곧 공동체의 촌락을 뜻한다. 과거의 살림집은 마당과 텃밭까지 포함하는 공간이었기에 생활의 영역은 마을까지 확장되었다. 이러한 구조는 농경 생활에 필수적인 이웃 간의 정보, 노동력, 생산품의 교환을 쉽게 해 주었다.

과거의 집과 달리 현대 도시 사회의 집은 개개인의 개별적인 공간으로 존재한다. 오늘날 우리는 개인 공간인 집을 나와 복도, 현관, 주차장 등의 공간을 빠르게 지나쳐 직장이나 학교에 가고, 또 어디론가 볼일을 보러 간다. 마을을 중심으로 여러 사람이 공간을 공유하던 과거와 달리 현대의 도시에는 이웃과 공유하는 공간이 매우 적고, 있더라도 비어 있는 때가 많다. 무엇이 달라졌기에 이렇게 변화한 것일까?

모여 사는 마을

마을은 두 가지 속성을 ⓐ 내포하고 있다. 우선 지역 사회를 기반으로 사람들 사이의 관계가 형성되어 있어야 하고, 물리적으로는 개인의 공간과 공공의 공간 사이에 중간적 성격의 공간이 있어야 한다. 이러한 공간을 '사이 공간'이라 하는데, 이는 통행을 목적으로 하는 공간이라기보다 주민들 사이에 사적 관계를 형성하는 공동의 영역이라 할 수 있다. 이 두 가지가 오랫동안 지속될 때 한 장소에 오래 머물러 사는 '정주성'이 형성된다. 이것은 집을 짓고 선택하는 과정과 밀접한 관계가 있다.

과거에는 개인이 자기가 살 집의 입지를 선정하고, 목수와 상호 합의하여 집을 지었다. 오랜 시간에 걸쳐 집들이 하나하나 들어차면서 마을이 생겨나고 그 사이사이를 따라 길이 저절로 만들어졌다. 개인의 주거 공간을 한정하는 담과 담 사이에는 길과 공터가 있었다. 전통 주거지의 길은 큰길에서 ⓑ 안길이 뻗어 나가고 또 그 길에서 샛길이 뻗어 나가는 식이었다. 사람들은 길이 곧게 뻗은 것을 흉하게 여겼는데, 특히 집으로 들어오는 길은 곧바로 보이지 않도록 구부러진 형태로 되어 있어야 길하다고 여겼다. 또한 집이 큰길 옆에 있는 것 역시 꺼린 탓에 전통 마을의 집은 실핏줄처럼 얽힌 불규칙한 길을 따라 자연스레 자리하였다. 이런 까닭에 근대 이전의 전통 마을에는 항상 구부러지거나 꺾인 불규칙한 형태의 골목길이 존재했고, 도시를 포함한 전통 주거지의 가로 체계는 격자형(十자형)이 아닌 가지형(丁자형)으로 나타났다.

과거에는 개인이 생활을 하는 집과 일을 하는 장소가 멀리 떨어져 있지 않았다. (㉮) 사람들은 매일 두 공간 사이를 오가며 그곳에서 다양한 일을 경험했다. 개인의 집과 집 사이의 거리도 가까워서 이웃과 친밀한 사회적 관계를 형성할 수 있었다. 자신의 생활 반경인 집 주변과 그 사이사이에서 사람들과 마주치도록 구성된 공간을 '마을'이라 불렀던 것이다.

방에서 나오면 마당이 있고, 대문을 열면 골목길을 만나며, 길을 돌고 돌다 보면 그 동네의 중심부로 나갈 수 있었기 때문에 마을 안을 이동하다 보면 여러 경로를 자연스럽게 거칠 수밖에 없었다. 굳이 의도하지 않더라도 사람들의 만남과 모임이 곳곳에서 발생하였고, 그들 사이에서는 요즘 흔히 말하는 '커뮤니티'가 형성되었다. 집의 형태는 따로따로였지만 집 안팎을 살펴보면 모여 살 수 있는 구조였다.

Ⓑ _____

오늘날의 대표적인 주거 형태인 ⓒ 아파트는 전통의 주거 형태인 주택과는 다른 특징을 보인다. 아파트는 한 단위 세대를 층층이 쌓아서 배치하는 ⓒ 적층(積層)을 기본으로 한다. 하나의 건물 내에 수평적, 혹은 수직적으로 균일한 주거 공간이 밀집해 있고, 거기에 동질성을 지닌 거주자가 모여 사는 것이 현대의 한국식 공동 주택이 지닌 특징이라 할 수 있다.

이러한 공동 주택의 등장은 공동체적 관계를 변화시키는 중요한 원인을 제공했다. 공동 주택, 즉 아파트에는 '사이 공간'이 없다. 아파트에 사는 사람들은 공동의 현관을 통과한 후 승강기 홀이나 복도를 거쳐 각자의 개인 공간으로 들어간다. 그곳은 사생활을 최대한 보장하는 공간이다. 주택의 형태나 외관만 보면 모두 같은 공간에 사는 유사한 집단으로 보이지만, 그 안에서의 생활 모습은 공유할 만한 것이 거의 없다.

사이 공간이 없기 때문에 그곳에 사는 사람들은 아파트 단지라는 인위적 마을에서 상징적인 결속성만을 확보하고 있을 뿐 단지 내외의 사람들과 충분히 소통하지 못한다. 단지 내에는 단지를 구획하는 울타리, 보안과 감시를 위해 설치한 시시 티브이(CCTV), 외부인을 통제하는 차단기, 비밀번호를 눌러야만 열 수 있는 견고한 출입문이 있을 뿐이다.

주거지의 울타리는 우리의 범주를 규정하는 '영역 만들기'의 역할을 한다. 단지 내부에 동질성을 지닌 사회 계층이 거주하는 것이 현대 주거지의 특징인데, 외부와 차별성을 갖는 고급 단지일수록 그 울타리가 ⓓ 견고하다. 그러나 외부와의 단절뿐만 아니라 단지 내부에서도 이웃과 만나기 위한 공간과 행위들은 찾아보기 어렵다. 좁은 공간에 수많은 세대가 다닥다닥 붙어 있어 겉으로는 삭막해 보이지만 일단 현관문만 열면 아늑한 주거 환경이 펼쳐진다. 반대로 현관문 하나만 잠그면 집 전체가 바깥세상과 완전히 ⓔ격리된다. 가족만의 성역에는 누구라도 예고 없이 방문할 수 없고, 이웃이나 친척이라도 안에서 문을 열어 주었을 때에만 집 안으로 들어올 수 있다. 이러한 특징은 현대인의 개인주의적 성향과 잘 맞아떨어진다.

사생활 보호에는 이렇듯 철저하지만, 같은 단지 내에서 공동의 목표를 추구할 때에는 집단의 힘을 발휘하기도 한다. 특히 그것이 단지의 이익과 관련한 것이라면 입주자회나 부녀회 같은 커뮤니티를 구성하여 주저하지 않고 의사를 표현한다. 이러한 아파트 단지의 결속성과 질서는 이해관계의 일치에서 비롯된다. 개별 단위 세대들은 자신들이 집에 들인 비용을 지키기 위해 집단의 힘을 발휘한다.

전통 사회에서는 이웃의 손을 빌려 개별적으로 집을 지었고, 그것이 자연스럽게 마을의 한 요소가 되었다. 하지만 아파트는 불특정 다수를 위해 전문 건설업자들이 완성한 것이어서 개별 거주자들의 취향과 요구 사항이 반영되기 어렵다. 수천 세대, 심지어는 수만 호가 일시에 건설되어 수많은 사람이 하루아침에 한동네 사람이 되기도 한다.

이러한 변화에 따라 요즘에는 '단지'가 과거의 '마을'을 대신하는 공간 단위가 되었다. 오랜 시간에 걸쳐 만들어진 전통 마을과 달리 이러한 현대의 주거지는 급조된 마을이다.

공간과 사는 풍경

한 사람, 하나의 주거 공간이 차지하는 면적이 계속 증가해 왔음에도 불구하고, 사람들은 자신이 사는 공간이 과거보다 매우 좁고 답답하다고 느낀다. 사람들 사이의 소통이 활발했던 과거의 마을과 달리, 오늘날의 주거지에서는 사람과 사람 사이의 만남과 교류가 어렵기 때문이다.

많은 사람이 살고 있는 아파트 단지에는 개별 단위 세대 외에도 놀이터, 조경 시설, 주차장, 조그만 정자 등의 공간이 조성되어 있다. 하지만 단지 내에 보이는 사람들은 나이 지긋한 어르신들, 어린아이들을 데리고 나온 젊은 부모들, 잠시 짬을 내어 놀러 나온 아이들뿐이다. 요즘 사람들에게 이와 같은 외부 공간은 이동을 위해 지나가는 통행로에 불과하다. 이것이 담과 담 사이, 건물과 건물 사이를 지나며 서로를 자연스레 알아 갈 수 있었던 전통 마을과의 차이점이다.

주거 공간의 변화가 사람들이 사는 풍경에 미친 영향은 앞으로 만들어 갈 공간을 고민해야 하는 까닭이 된다. 공간의 모습을 고민하는 것은 어떤 삶을 살 것인가를 고민하는 것과 결코 다르지 않기 때문이다.

---

05 Ⓐ에 대한 설명으로 적절한 것은?

① 심리적으로 개인의 공간과 공공의 공간 사이에 중간적 성격의 공간이 있어야 한다.
② 지역 사회를 기반으로 사람들 사이의 관계가 형성되어 있어야 한다.
③ 여러 집이 구분되어 살아가는 동네를 의미한다.
④ 수직적으로 균일한 공간을 통해 통행을 하는 구조를 지녔다.
⑤ 한 곳에 오래 머무르지 않고 지나치는 '정주성'을 형성한다.

06 이 글에서 설명한 '과거의 집'과 '현대의 집'을 올바르게 설명한 것은?

① 과거의 집은 개개인의 개별적인 공간이다.
② 현대의 집은 마당과 텃밭은 포함한 공간이다.
③ 과거의 집은 생활영역이 마을까지 확장되었다.
④ 과거의 집은 이웃과 공유하는 공간이 매우 적거나 비어 있다.
⑤ 과거의 집은 '사이 공간'이 존재한다.

07 글의 전개상 흐름을 바탕으로 ®에 들어갈 알맞은 내용은?

① 동질성과 사이 공간　　　② 독립성과 사생활　　　③ 효율성과 실용성
④ 동질성과 사생활　　　　　⑤ 경제성과 실용성

08 ©에 관한 설명으로 적절하지 <u>않은</u> 것은?

① 하나의 건물 내에 수평적, 혹은 수직적으로 균일한 주거 공간이 밀집해 있고 적층을 기본으로 한다.
② 한 건물 내의 수평적 또는 수직적으로 균일한 주거 공간이 밀집된다.
③ 밀집 공간에 동질성을 지닌 거주자가 모여 산다.
④ '사이 공간'이 부재하기 때문에 단지 내외의 사람들과 충분히 소통하지 못한다.
⑤ 외형적, 실재적으로 공동체적 유사성이 많이 존재한다.

09 ⓐ~ⓔ의 사전적 의미로 적절하지 <u>않은</u> 것은?

① ⓐ : 어떤 현상이나 사물을 직접 설명하지 아니하고 다른 비슷한 현상이나 사물에 빗댐
② ⓑ : 안쪽으로 난 길, 흔히 동네의 안쪽으로 이어져 동네 안의 구역을 연결하는 길을 이름
③ ⓒ : 층층이 쌓임
④ ⓓ : 굳고 단단함
⑤ ⓔ : 다른 것과 통하지 못하게 사이가 막히거나 분리된다.

10 이 글의 내용과 일치하지 <u>않는</u> 것은?

① 주거 공간의 변화는 사람들이 사는 풍경에 많은 영향을 끼쳤다.
② 현대 사회에서 외부 공간은 이동을 위해 지나가는 통행로에 불과하다.
③ 과거의 살림집은 마당과 텃밭까지 포함하는 공간이었다.
④ 현대 사회의 주거 형태는 과거와 달리 수평적 형태가 아닌 수직적 형태를 지녔다.
⑤ 과거에 생활 영역이 마을가지 확장된 구조로 인해 농경 생활에 이점이 존재했다.

11 ㉮에 들어갈 적절한 접속어는?

① 그러므로　　② 그러나　　③ 예컨대　　④ 한편　　⑤ 요컨대

객관식 심화문제

[01~04] 다음 글을 읽고, 물음에 답하시오.

오늘날의 대표적인 주거 형태인 아파트는 전통의 주거 형태인 주택과는 다른 특징을 보인다. 아파트는 한 단위 세대를 층층이 쌓아서 배치하는 적층(積層)을 기본으로 한다. 하나의 건물 내에 수평적, 혹은 수직적으로 균일한 주거 공간이 밀집해 있고, 거기에 동질성을 지닌 거주자가 모여 사는 것이 현대의 한국식 공동 주택이 지닌 특징이라 할 수 있다.

이러한 공동 주택의 등장은 공동체적 관계를 변화시키는 중요한 원인을 제공했다. 공동 주택, 즉 아파트에는 '사이 공간'이 없다. 아파트에 사는 사람들은 공동의 현관을 통과한 후 승강기 홀이나 복도를 거쳐 각자의 개인 공간으로 들어간다. 그곳은 사생활을 최대한 보장하는 공간이다. 주택의 형태나 외관만 보면 모두 같은 공간에 사는 유사한 집단으로 보이지만, 그 안에서의 생활 모습은 공유할 만한 것이 거의 없다. 사이 공간이 없기 때문에 그곳에 사는 사람들은 아파트 단지라는 인위적 마을에서 상징적인 결속성만을 확보하고 있을 뿐 단지 내외의 사람들과 충분히 소통하지 못한다. 단지 내에는 단지를 구획하는 울타리, 보안과 감시를 위해 설치한 시시 티브이(CCTV), 외부인을 통제하는 차단기, 비밀번호를 눌러야만 열 수 있는 견고한 출입문이 있을 뿐이다.

전통 사회에서는 이웃의 손을 빌려 개별적으로 집을 지었고, 그것이 자연스럽게 마을의 한 요소가 되었다. 하지만 아파트는 불특정 다수를 위해 전문 건설업자들이 완성한 것이어서 개별 거주자들의 취향과 요구 사항이 반영되기 어렵다. 수천 세대, 심지어는 수만 호가 일시에 건설되어 수많은 사람이 하루아침에 한동네 사람이 되기도 한다.

이러한 변화에 따라 요즘에는 ⓐ'단지'가 과거의 '마을'을 대신하는 공간 단위가 되었다. 오랜 시간에 걸쳐 만들어진 전통 마을과 달리 이러한 현대의 주거지는 급조된 마을이다.

한 사람, 하나의 주거 공간이 차지하는 면적이 계속 증가해 왔음에도 불구하고, 사람들은 자신이 사는 공간이 과거보다 매우 좁고 답답하다고 느낀다. 사람들 사이의 소통이 활발했던 과거의 마을과 달리, 오늘날의 주거지에서는 사람과 사람 사이의 만남과 교류가 어렵기 때문이다.

01 이 글의 주된 설명 방식을 활용하고 있는 것은?

① 시계는 손목시계, 탁상시계, 벽시계 등으로 나눌 수 있다.
② 정의란 이성적 존재인 인간이 언제 어디서나 추구하고자 하는 바르고 곧은 것이다.
③ 태극기는 흰색 바탕을 기본으로 하면서, 네 개의 큰 괘와 태극 문양이 있다.
④ 사람은 대개 기온으로 사계절을 구별하지만, 식물은 밤낮의 길이로 사계절을 구분한다.
⑤ 인생은 마라톤과 같습니다. 자기 페이스에 맞추어서 꾸준하게 뛰는 것이 마라톤에서 중요하듯이, 인생에 있어서도 자기 한계를 알고 꾸준히 노력하는 것이 중요하다.

02 글쓴이가 아파트에 대해 취하는 관점과 상통하는 진술로 적절한 것은?

① 아파트는 기존 주택이 지닌 생활적 불편함을 해소하고 효율을 극대화한 근대 건축의 대표이다.
② 아파트는 동질적인 사람들이 한 공간에서 거리낌 없이 교류할 수 있는 공간을 형성했다.
③ 아파트는 바깥의 세계에 대해서 아무런 관심도 기울이지 않는다는 의미에서 밀폐의 공간이라고 할 수 있다.
④ 아파트는 현대인의 인구 증가로 인한 주거문제를 해결해주는 중요한 공간이다.
⑤ 전통 주택으로 구성된 옛 마을은 정겹다. 하지만 그 안에는 개인의 사생활이 무시되는 문화가 있었다. 아파트는 이러한 옛 마을에 대한 대안으로 나타났다.

03 〈보기〉는 재건축으로 사라지는 아파트에 대한 인터뷰 내용이다. 〈B〉의 입장에서 이 글에 대해 말할 수 있는 진술은?

> **┤ 보기 ├**
>
> A : 안녕하십니까? 오늘은 '**아파트' 주민 한 분을 모시고 아파트 재건축에 대한 의견을 들어보겠습니다.
>
> B : 안녕하세요. 보통 미디어에서는 아파트를 이야기할 때 비인간적인 주거 형태 등 좋지 않은 수식을 붙입니다. 하지만 저는 '우리 동네는 자연이 푸르고 좋은 곳인데.'라는 생각을 했습니다. 제가 사는 아파트가 성냥갑 아파트라고 비난받고 재건축으로 사라지면 억울할 것 같습니다. 이렇게 좋은 곳인데 기록으로 남지 않으면 몇 사람의 단편적인 기억을 제하고는 아무도 모르는 역사가 될 수 있다고 생각합니다.
>
> A : 그렇군요. 그렇다면 **아파트는 어떠한 곳인가요?
>
> B : ** 아파트는 푸른 나무만 많던 곳이 아니라 실제로 사람들이 어울려서 사는 좋은 동네였습니다. ** 아파트는 경비 아저씨를 무시하거나 층간 소음으로 싸우는 등의 일이 없어서 아파트에 관한 선입견을 완화할 수 있다고 생각합니다.

① 아파트가 자연과 어우러질 수 있다는 측면을 무시하고 있습니다.

② 아파트의 부정적인 측면을 지나치게 일반화하고 있습니다.

③ 아파트가 전통 주택에 비해 편리함을 준다는 측면을 간과하고 있습니다.

④ 재건축으로 사라질 위기에 처한 아파트를 어떻게 살릴 수 있을지에 대한 고민이 없습니다.

⑤ 아파트는 주변 환경과 조화롭게 어울릴 수 있는 공간이 아님을 간과하고 있습니다.

04 ⓐ'단지'의 특성으로 볼 수 있는 것은?

① 전통 사회에 존재했던 '사이공간'이다.

② 단지를 구획하는 울타리, 보안과 감시를 위해 설치한 CCTV 등이 존재한다.

③ 이웃의 손을 빌려 개별적으로 지은 집을 말한다.

④ 개별 거주자들의 취향과 요구 사항을 반영할 수 있다.

⑤ 사람들 사이의 소통이 활발한 공간이다.

[05~07] 다음 글을 읽고, 물음에 답하시오.

　과거에는 개인이 생활을 하는 집과 일을 하는 장소가 멀리 떨어져 있지 않았다. 그렇기 때문에 사람들은 매일 두 공간 사이를 오가며 그곳에서 다양한 일을 경험했다. 개인의 집과 집 사이의 거리도 가까워서 이웃과 친밀한 사회적 관계를 형성할 수 있었다. 자신의 생활 반경인 집 주변과 그 사이사이에서 사람들과 마주치도록 구성된 공간을 '마을'이라 불렀던 것이다.

　방에서 나오면 마당이 있고, 대문을 열면 골목길을 만나며, 길을 돌고 돌다 보면 그 동네의 중심부로 나갈 수 있었기 때문에 마을 안을 이동하다 보면 여러 경로를 자연스럽게 거칠 수밖에 없었다. 굳이 의도하지 않더라도 사람들의 만남과 모임이 곳곳에서 발생하였고, 그들 사이에서는 요즘 흔히 말하는 ⓐ'커뮤니티'가 형성되었다. 집의 형태는 따로따로였지만 집 안팎을 살펴보면 모여 살 수 있는 구조였다.

　오늘날의 대표적인 주거 형태인 아파트는 전통의 주거 형태인 주택과는 다른 특징을 보인다. 아파트는 한 단위 세대를 층층이 쌓아서 배치하는 적층(積層)을 기본으로 한다. 하나의 건물 내에 수평적, 혹은 수직적으로 균일한 주거 공간이 밀집해 있고, 거기에 동질성을 지닌 거주자가 모여 사는 것이 ⓑ현대의 한국식 공동 주택이 지닌 특징이라 할 수 있다.

　이러한 공동 주택의 등장은 공동체적 관계를 변화시키는 중요한 원인을 제공했다. 공동 주택, 즉 아파트에는 '사이 공간'이 없다. 아파트에 사는 사람들은 공동의 현관을 통과한 후 승강기 홀이나 복도를 거쳐 각자의 개인 공간으로 들어간다. 그곳은 사생활을 최대한 보장하는 공간이다. 주택의 형태나 외관만 보면 모두 같은 공간에 사는 유사한 집단으로 보이지만, 그 안에서의 생활 모습은 공유할 만한 것이 거의 없다.

05 이 글에 대해 이해한 진술로 적절한 것은?

① 과거의 마을은 의도하지 않은 모임을 유발하지 못했다.
② 주거지와 직장이 가까운 것을 긍정적으로 보고 있다.
③ 공동 공간에서 인간관계를 맺는 것에 대해 경계하고 있다.
④ 아파트는 구조적으로 이질성을 지닌 거주자들을 모이게 한다.
⑤ 아파트는 외관상 유사한 집들의 집합이지만, 각각의 생활 모습은 동일화되어 있다.

06 ⓐ의 사례로 가장 적절한 것은?

① 마을 옆을 지나가는 산업 도로 건설의 문제점에 대해서 민원을 제기하기 위해 대책 위원회를 구성하였다.
② 마을 사람들이 벚꽃놀이를 위해 관광버스를 대절하여 여의도로 떠났다.
③ 마을 사람들이 모여 집값 안정을 위한 정부 대책을 요구하는 온라인 서명 운동을 진행했다.
④ 마을 한가운데 있는 마을 회관에서 정기 총회를 열어 마을 이장을 뽑는 선거를 실시했다.
⑤ 일을 마치고 돌아오는 길에 우연히 만난 마을 사람들이 정자나무 아래에서 막걸리를 나눠 마시며 이웃에 대한 이야기를 했다.

07 ⓑ에 어울리는 한자 성어로 가장 적절한 것은?

① 일거양득(一擧兩得)　　② 유유상종(類類相從)　　③ 장삼이사(張三李四)

④ 가렴주구(苛斂誅求)　　⑤ 상전벽해(桑田碧海)

[08~10] 다음 글을 읽고 물음에 답하시오.

(가) 오늘날의 대표적인 주거 형태인 아파트는 전통의 주거 형태인 주택과는 다른 특징을 보인다. 아파트는 한 단위 세대를 층층이 쌓아서 배치하는 적층(積層)을 기본으로 한다. 하나의 건물 내에 수평적, 혹은 수직적으로 균일한 주거 공간이 밀집해 있고, 거기에 동질성을 지닌 거주자가 모여 사는 것이 현대의 한국식 공동 주택이 지닌 특징이라 할 수 있다.

주거지의 울타리는 우리의 범주를 규정하는 '영역 만들기'의 역할을 한다. 단지 내부에 동질성을 지닌 사회 계층이 거주하는 것이 현대 주거지의 특징인데, 외부와 차별성을 갖는 고급 단지일수록 그 울타리가 견고하다. 그러나 외부와의 단절뿐만 아니라 단지 내부에서도 이웃과 만나기 위한 공간과 행위들은 찾아보기 어렵다. 좁은 공간에 수많은 세대가 다닥다닥 붙어 있어 겉으로는 삭막해 보이지만 일단 현관문만 열면 아늑한 주거 환경이 펼쳐진다. 반대로 현관문 하나만 잠그면 집 전체가 바깥세상과 완전히 격리된다. 가족만의 성역에는 누구라도 예고 없이 방문할 수 없고, 이웃이나 친척이라도 안에서 문을 열어 주었을 때에만 집 안으로 들어올 수 있다. 이러한 특징은 현대인의 개인주의적 성향과 잘 맞아떨어진다.

사생활 보호에는 이렇듯 철저하지만, 같은 단지 내에서 공동의 목표를 추구할 때에는 집단의 힘을 발휘하기도 한다. 특히 그것이 단지의 이익과 관련한 것이라면 입주자회나 부녀회 같은 커뮤니티를 구성하여 주저하지 않고 의사를 표현한다. 이러한 아파트 단지의 결속성과 질서는 ⓑ〈　　　　　〉 비롯된다. ⓐ개별 단위 세대들은 자신들이 집에 들인 비용을 지키기 위해 집단의 힘을 발휘한다.

전통 사회에서는 이웃의 손을 빌려 개별적으로 집을 지었고, 그것이 자연스럽게 마을의 한 요소가 되었다. 하지만 아파트는 불특정 다수를 위해 전문 건설업자들이 완성한 것이어서 개별 거주자들의 취향과 요구 사항이 반영되기 어렵다. 수천 세대, 심지어는 수만 호가 일시에 건설되어 수많은 사람이 하루아침에 한동네 사람이 되기도 한다.

이러한 변화에 따라 요즘에는 '단지'가 과거의 '마을'을 대신하는 공간 단위가 되었다. 오랜 시간에 걸쳐 만들어진 전통 마을과 달리 이러한 현대의 주거지는 급조된 마을이다.

(나) 한 사람, 하나의 주거 공간이 차지하는 면적이 계속 증가해 왔음에도 불구하고, 사람들은 자신이 사는 공간이 과거보다 매우 좁고 답답하다고 느낀다. 사람들 사이의 소통이 활발했던 과거의 마을과 달리, 오늘날의 주거지에서는 사람과 사람 사이의 만남과 교류가 어렵기 때문이다.

많은 사람이 살고 있는 아파트 단지에는 개별 단위 세대 외에도 놀이터, 조경 시설, 주차장, 조그만 정자 등의 공간이 조성되어 있다. 하지만 단지 내에 보이는 사람들은 나이 지긋한 어르신들, 어린아이들을 데리고 나온 젊은 부모들, 잠시 짬을 내어 놀러 나온 아이들뿐이다. 요즘 사람들에게 이와 같은 외부 공간은 이동을 위해 지나가는 통행로에 불과하다. 이것이 담과 담 사이, 건물과 건물 사이를 지나며 서로를 자연스레 알아 갈 수 있었던 전통 마을과의 차이점이다.

주거 공간의 변화가 사람들이 사는 풍경에 미친 영향은 앞으로 만들어 갈 공간을 고민해야 하는 까닭이 된다. 공간의 모습을 고민하는 것은 어떤 삶을 살 것인가를 고민하는 것과 결코 다르지 않기 때문이다.

08 〈보기〉에서 ⓐ의 사례로 볼 수 있는 것을 묶은 것은?

> **보기**
> (1) 대형 공원이 단지 근처에 들어서도록 입주민들의 의견을 모아 관계 부처에 전달했다.
> (2) 단지 근처에 화장터가 들어오는 것을 막기 위해 집단적으로 시위를 한다.
> (3) 전 세계적인 전염병 사태를 위해 단지 주민들이 모여 성금을 모아 기부했다.
> (4) 부녀회를 중심으로 중고 판매 장터를 열어 그 수익금을 고아원에 기부했다.

① (1) (2)　　② (2) (3) (4)　　③ (1) (2) (4)　　④ (3) (4)　　⑤ (1) (3) (4)

09 글의 논지 전개상, ⓑ에 들어갈 가장 적절한 말은?

① 이타주의적 관계에서
② 정부의 효율적 조율에서
③ 이해관계의 일치에서
④ 인간적인 소통에서
⑤ 권위주의적 성향에서

10 (나)를 비판할 수 있는 사례로 가장 적절한 것은?

① 아파트 지하 주차장에서 낯선 사람과 마주치는 것만으로도 두려움을 느낀다.
② 아파트 단지 내에 양로원이 있어 늙으신 부모님들을 봉양하는 사람들에게 인기이다.
③ 아파트 주변으로 지하철이 들어서서 많은 주민들이 편리하게 이용한다.
④ 아파트 가운데 바닥 분수가 있어서 많은 주민들이 나와 더위를 식히고 집으로 돌아간다.
⑤ 단지 내 화단에서 작물들을 기르는 아파트 주민들이 친분을 나누고, 서로의 집에 초대하여 음식을 나눠 먹는다.

서술형 심화문제

[01~05] 다음을 읽고 물음에 답하시오.

마을의 변화

'마을'은 '여러 집이 이웃하여 살아가는 동네', 곧 공동체의 촌락을 뜻한다. 과거의 살림집은 마당과 텃밭까지 포함하는 공간이었기에 생활의 영역은 마을까지 확장되었다. 이러한 구조는 농경 생활에 필수적인 이웃 간의 정보, 노동력, 생산품의 교환을 쉽게 해 주었다.

과거의 집과 달리 현대 도시 사회의 집은 개개인의 개별적인 공간으로 존재한다. 오늘날 우리는 개인 공간인 집을 나와 복도, 현관, 주차장 등의 공간을 빠르게 지나쳐 직장이나 학교에 가고, 또 어디론가 볼일을 보러 간다. 마을을 중심으로 여러 사람이 공간을 공유하던 과거와 달리 현대의 도시에는 이웃과 공유하는 공간이 매우 적고, 있더라도 비어 있는 때가 많다. 무엇이 달라졌기에 이렇게 변화한 것일까?

모여 사는 마을

마을은 두 가지 속성을 내포하고 있다. 우선 지역 사회를 기반으로 사람들 사이의 관계가 형성되어 있어야 하고, 물리적으로는 개인의 공간과 공공의 공간 사이에 중간적 성격의 공간이 있어야 한다. 이러한 공간을 '사이 공간'이라 하는데, 이는 통행을 목적으로 하는 공간이라기보다 주민들 사이에 사적 관계를 형성하는 공동의 영역이라 할 수 있다. 이 두 가지가 오랫동안 지속될 때 한 장소에 오래 머물러 사는 '정주성'이 형성된다. 이것은 집을 짓고 선택하는 과정과 밀접한 관계가 있다.

과거에는 개인이 자기가 살 집의 입지를 선정하고, 목수와 상호 합의하여 집을 지었다. 오랜 시간에 걸쳐 집들이 하나하나 들어차면서 마을이 생겨나고 그 사이사이를 따라 길이 저절로 만들어졌다. 개인의 주거 공간을 한정하는 담과 담 사이에는 길과 공터가 있었다. 전통 주거지의 길은 큰길에서 안길이 뻗어 나가고 또 그 길에서 샛길이 뻗어 나가는 식이었다. 사람들은 길이 곧게 뻗은 것을 흉하게 여겼는데, 특히 집으로 들어오는 길은 곧바로 보이지 않도록 구부러진 형태로 되어 있어야 길하다고 여겼다. 또한 집이 큰길 옆에 있는 것 역시 꺼린 탓에 전통 마을의 집은 실핏줄처럼 얽힌 불규칙한 길을 따라 자연스레 자리하였다. 이런 까닭에 근대 이전의 전통 마을에는 항상 구부러지거나 꺾인 불규칙한 형태의 골목길이 존재했고, 도시를 포함한 전통 주거지의 가로 체계는 격자형(十자형)이 아닌 가지형(丁자형)으로 나타났다.

과거에는 개인이 생활을 하는 집과 일을 하는 장소가 멀리 떨어져 있지 않았다. 그렇기 때문에 사람들은 매일 두 공간 사이를 오가며 그곳에서 다양한 일을 경험했다. 개인의 집과 집 사이의 거리도 가까워서 이웃과 친밀한 사회적 관계를 형성할 수 있었다. 자신의 생활 반경인 집 주변과 그 사이사이에서 사람들과 마주치도록 구성된 공간을 '마을'이라 불렀던 것이다.

방에서 나오면 마당이 있고, 대문을 열면 골목길을 만나며, 길을 돌고 돌다 보면 그 동네의 중심부로 나갈 수 있었기 때문에 마을 안을 이동하다 보면 여러 경로를 자연스럽게 거칠 수밖에 없었다. 굳이 의도하지 않더라도 사람들의 만남과 모임이 곳곳에서 발생하였고, 그들 사이에서는 요즘 흔히 말하는 '커뮤니티'가 형성되었다. 집의 형태는 따로따로였지만 집 안팎을 살펴보면 모여 살 수 있는 구조였다.

동질성과 사생활

오늘날의 대표적인 주거 형태인 아파트는 전통의 주거 형태인 주택과는 다른 특징을 보인다. 아파트는 한 단위 세대를 층층이 쌓아서 배치하는 적층(積層)을 기본으로 한다. 하나의 건물 내에 수평적, 혹은 수직적으로 균일한 주거 공간이 밀집해 있고, 거기에 동질성을 지닌 거주자가 모여 사는 것이 현대의 한국식 공동 주택이 지닌 특징이라 할 수 있다.

이러한 공동 주택의 등장은 공동체적 관계를 변화시키는 중요한 원인을 제공했다. 공동 주택, 즉 아파트에는 '사이 공간'이 없다. 아파트에 사는 사람들은 공동의 현관을 통과한 후 승강기 홀이나 복도를 거쳐 각자의 개인 공간으로 들어간다. 그곳은 사생활을 최대한 보장하는 공간이다. 주택의 형태나 외관만 보면 모두 같은 공간에 사는 유사한 집단으로 보이지만, 그 안에서의 생활 모습은 공유할 만한 것이 거의 없다.

사이 공간이 없기 때문에 그곳에 사는 사람들은 아파트 단지라는 인위적 마을에서 상징적인 결속성만을 확보하고 있을 뿐 단지 내외의 사람들과 충분히 소통하지 못한다. 단지 내에는 단지를 구획하는 울타리, 보안과 감시를 위해 설치한 시시 티브이(CCTV), 외부인을 통제하는 차단기, 비밀번호를 눌러야만 열 수 있는 견고한 출입문이 있을 뿐이다.

주거지의 울타리는 우리의 범주를 규정하는 '영역 만들기'의 역할을 한다. 단지 내부에 동질성을 지닌 사회 계층이 거주하는 것이 현대 주거지의 특징인데, 외부와 차별성을 갖는 고급 단지일수록 그 울타리가 견고하다. 그러나 외부와의 단절뿐만 아니라 단지 내부에서도 이웃과 만나기 위한 공간과 행위들은 찾아보기 어렵다. 좁은 공간에 수많은 세대가 다닥다닥 붙어 있어 겉으로는 삭막해 보이지만 일단 현관문만 열면 아늑한 주거 환경이 펼쳐진다. 반대로 현관문 하나만 잠그면 집 전체가 바깥세상과 완전히 격리된다. 가족만의 성역에는 누구라도 예고 없이 방문할 수 없고, 이웃이나 친척이라도 안에서 문을 열어 주었을 때에만 집 안으로 들어올 수 있다. 이러한 특징은 현대인의 개인주의적 성향과 잘 맞아떨어진다.

사생활 보호에는 이렇듯 철저하지만, 같은 단지 내에서 공동의 목표를 추구할 때에는 집단의 힘을 발휘하기도 한다. 특히 그것이 단지의 이익과 관련한 것이라면 입주자회나 부녀회 같은 커뮤니티를 구성하여 주저하지 않고 의사를 표현한다. 이러한 아파트 단지의 결속성과 질서는 이해관계의 일치에서 비롯된다. 개별 단위 세대들은 자신들이 집에 들인 비용을 지키기 위해 집단의 힘을 발휘한다.

전통 사회에서는 이웃의 손을 빌려 개별적으로 집을 지었고, 그것이 자연스럽게 마을의 한 요소가 되었다. 하지만 아파트는 불특정 다수를 위해 전문 건설업자들이 완성한 것이어서 개별 거주자들의 취향과 요구 사항이 반영되기 어렵다. 수천 세대, 심지어는 수만 호가 일시에 건설되어 수많은 사람이 하루아침에 한동네 사람이 되기도 한다.

이러한 변화에 따라 요즘에는 '단지'가 과거의 '마을'을 대신하는 공간 단위가 되었다. 오랜 시간에 걸쳐 만들어진 전통 마을과 달리 이러한 현대의 주거지는 급조된 마을이다.

공간과 사는 풍경

한 사람, 하나의 주거 공간이 차지하는 면적이 계속 증가해 왔음에도 불구하고, 사람들은 자신이 사는 공간이 과거보다 매우 좁고 답답하다고 느낀다. 사람들 사이의 소통이 활발했던 과거의 마을과 달리, 오늘날의 주거지에서는 사람과 사람 사이의 만남과 교류가 어렵기 때문이다.

많은 사람이 살고 있는 아파트 단지에는 개별 단위 세대 외에도 놀이터, 조경 시설, 주차장, 조그만 정자 등의 공간이 조성되어 있다. 하지만 단지 내에 보이는 사람들은 나이 지긋한 어르신들, 어린아이들을 데리고 나온 젊은 부모들, 잠시 짬을 내어 놀러 나온 아이들뿐이다. 요즘 사람들에게 이와 같은 외부 공간은 이동을 위해 지나가는 통행로에 불과하다. 이것이 담과 담 사이, 건물과 건물 사이를 지나며 서로를 자연스레 알아 갈 수 있었던 전통 마을과의 차이점이다.

주거 공간의 변화가 사람들이 사는 풍경에 미친 영향은 앞으로 만들어 갈 공간을 고민해야 하는 까닭이 된다. 공간의 모습을 고민하는 것은 어떤 삶을 살 것인가를 고민하는 것과 결코 다르지 않기 때문이다.

01 이 글의 내용을 통해 전통 마을의 사람들이 이웃을 만나는 경로를 순서대로 작성하시오.

02 이 글의 내용을 바탕으로 '집의 특징'에 대해 과거와 오늘날의 차이점을 설명하시오.

03 이 글의 내용을 바탕으로 '마을 형성 방법'에 대해 과거와 오늘날의 차이점을 설명하시오.

04 이 글의 내용을 바탕으로 '사이 공간의 유무와 역할'에 대해 과거와 오늘날의 차이점을 설명하시오.

05 현대 공동 주택에서 단지 내외 사람들과 소통이 어려운 이유를 조건에 따라 작성하시오.

┤ 조건 ├

1. 한 문장으로 작성할 것
2. '~ 때문이다'의 형태로 작성할 것
3. 이 글의 핵심 용어를 포함하여 작성할 것

열려라, 소통하는 글쓰기

—— 글쓰기의 이해

1. 다음 글을 읽고 글쓴이가 글을 구성하는 과정을 알아보자.

라면이 국수나 우동과 다른 점은 면을 한 번 튀겨서 익혔다는 것이다. 그래서 끓이지 않고도 먹을 수 있고, 끓여서
_{라면의 특징}   _{이유 : 면을 한 번 튀겨서 익혔기 때문에}
먹더라도 금방 익혀 먹을 수 있다. 심지어 컵라면은 지속적으로 끓일 필요도 없고 단지 끓는 물을 붓기만 해도 먹을
                                                                                    _{컵라면의 특징}
수 있다. 그런데 왜 하필 3분을 기다려야 하는 걸까? 1분 만에, 아니 끓는 물을 붓자마자 먹을 수 있으면 좀 좋아? 컵
라면을 먹을 때마다 3분이 얼마나 긴 시간인지를 새삼 깨닫는다.
_{글쓴이의 경험 제시}

컵라면의 면발은 봉지 라면에 비해 더 가늘거나 납작하다. 면발의 표면적을 넓혀 뜨거운 물에 더 많이 닿게 하기
_{컵라면과 봉지 라면의 차이}   _{컵라면의 면박이 가늘거나 납작한 이유}
위해서다. 그리고 컵라면의 면을 꺼내 보면 위쪽은 면이 꽉 짜여 빽빽하지만, 아래쪽은 면이 성글게 엉켜 있다. 이는
            _{컵라면 면발의 특징}
중량을 줄이기 위해서가 아니고 따뜻한 물은 위로, 차가운 물은 아래로 내려가는 대류 현상 때문이다. 컵라면 용기에
_{컵라면 면의 형태와 대류 현상과의 관련성}
물을 부으면 위쪽보다는 아래쪽이 덜 식는다. 따라서 뜨거운 물이 위로 올라가려고 하는데 이때 면이 아래쪽부터 빽
빽하게 들어차 있으면 물의 대류 현상에 방해가 된다. 위아래의 밀집도가 다른 컵라면의 면발 형태는 뜨거운 물의 대
                                                                        _{컵라면 면발의 위아래 밀집도를 다르게 만든 이유}
류 현상을 원활하게 하여 물을 계속 끓이지 않아도 면이 고르게 익도록 하는 과학의 산물이다.

컵라면 면발에는 화학적 비밀도 있다. 봉지 라면과 비교했을 때 컵라면 면발에는 밀가루 그 자체보다 정제된 전분
이 더 많이 들어가 있다. 라면은 밀가루로 만든 면을 기름에 튀겨 전분을 알파화한 것이다. 하지만 밀가루에는 전분
외에 단백질을 포함한 다른 성분도 들어 있다. 면에 이런 성분을 빼고 순수한 전분의 비율을 높이면 그만큼 알파화가
많이 일어나므로, 뜨거운 물을 부었을 때 복원되는 시간도 빨라진다. 전분을 많이 넣을수록 면이 불어나는 시간이 빨
            _{순수한 진분의 비율이 높은 면의 특징}   _{전분의 비율과 면이 불어나는 시간의 관계}
라져 더 빨리 먹을 수 있게 되는 것이다. 3분이 아니라 1분 만에 익는 컵라면도 만들 수 있다는 말이다. 하지만 전분
이 너무 많이 들어가면 면발이 익는 시간이 빨라지는 만큼 불어 터지는 속도도 빨라져 컵라면을 다 먹기도 전에 곤죽
_{컵라면이 끓는 물에 3분을 기다리도록 제조된 이유}
이 되고 만다. 시중에 나와 있는 컵라면들이 대부분 '끓는 물에 3분'을 기다리도록 제조된 까닭이 바로 이 때문이다.
컵라면의 '3분'은 절묘한 균형 감각 하에 탄생한 마법의 시간인 셈이다.

– 이은희, 「라면의 과학」에서 –

⊙ 어휘풀이
- **알파화** 전분의 구조가 물과 열의 존재에
  따라 변화하는 현상의 하나로, 전분을 익
  혀 먹기 쉬운 상태로 만드는 과정이나 상
  태를 뜻함.

⊙ 핵심정리

갈래	설명문	성격	객관적
주제	컵라면에 숨어 있는 과학적 원리		
특징	• 컵라면의 면에 숨겨 있는 과학적 원리를 병렬적으로 설명함 • 컵라면과 봉지 라면을 대조하여 컵라면의 특징을 부각함		

(1) 글쓴이가 계획하기 과정에서 고려했을 내용을 생각하며 다음 질문에 답해 보자.

| 예시 답안 |

이 글의 주요 내용은 무엇인가?	컵라면의 공정과 조리에 숨어 있는 과학적 원리
이 글에 관심을 가질 만한 사람은 누구인가?	컵라면에 숨어 있는 과학적 원리가 궁금한 사람
이 글을 쓴 목적은 무엇인가?	컵라면에 숨어 있는 과학적 원리를 알기 쉽게 설명하기 위하여

(2) 다음은 글쓴이가 글쓰기 과정에서 떠올린 생각이다. 글쓴이의 생각이 이 글에 어떻게 표현되었는지 찾아 밑줄을 그어 보자.

| 예시 답안 |
- 컵라면과 관련된 경험이나 배경지식을 활용해야지.
  → 컵라면을 먹을 때마다 3분이 얼마나 긴 시간인지를 새삼 깨닫는다.
- 전문 지식이 없는 독자들도 쉽게 이해하도록 설명해야겠어.
  → 이는 중량을 줄이기 위해서가 아니고 따뜻한 물은 위로, 차가운 물은 아래로 내려가는 대류 현상 때문이다.
- 과학적 사실을 알리고 있으니 정확한 용어나 개념을 사용해야지.
  → 라면은 밀가루로 만든 면을 기름에 튀겨 전분을 알파화한 것이다. 하지만 밀가루에는 전분 외에 단백질을 포함한 다른 성분들도 들어 있다.

(3) 이 글의 내용 이해를 돕기 위해 어떤 사진이나 그림이 들어가면 좋을지 생각해 보자.

| 예시 답안 |
- 사진이나 그림의 위치: 2문단(컵라면의 면발에 대해 설명한 부분) 옆
- 사진이나 그림의 내용: 컵라면 용기 안에서 대류 현상이 일어나는 모습을 그린 그림

확인학습 ··

01 이 글의 내용을 보면 라면이 국수와 우동과 다른 점은 면을 두 번 튀겼다는 것을 알 수 있다.　O☐ X☐

02 이 글의 내용을 보면 전분을 많이 넣을수록 면이 불어나는 시간이 빨라져 더 빨리 먹을 수 있다는 것을 알 수 있다.
　O☐ X☐

03 이 글의 내용을 보면 컵라면의 면은 위쪽은 빽빽하지만 아래쪽은 성글게 엉켜 있다는 것을 알 수 있다.　O☐ X☐

04 이 글의 내용을 보면 컵라면보다 봉지 라면의 면발에 밀가루보다 정제된 전분이 더 많이 들어가 있다는 것을 알 수 있다.　O☐ X☐

05 이 글은 과학적 사실이나 어려운 용어가 포함되어 있기 때문에 정확하게 개념과 용어를 설명하여 독자의 이해를 돕는다.　O☐ X☐

06 이 글의 글쓴이는 자신이 경험했던 내용을 활용하여 글을 전개해나가고 있다.　O☐ X☐

2. 다음 블로그 글을 읽고, 인터넷상에서 쓰기가 이루어지는 과정과 그 과정에서 주의할 점을 알아보자.

블로그 | 독서 | 여행 | 정보

스마트폰족을 위한 교통 표지판 등장

제가 사는 ○○시에 <u>보행 중 스마트폰 사용의 위험을 알리는 교통안전 표지 및 보도 부착물이 설치되었습니다.</u> 보
_{교통 안전 표지 및 보도 부착물의 설치 목적}
<u>행 중 스마트폰을 사용하는 사람이 자동차와 맞닥뜨리는 위험한 상황을 한눈에 알아볼 수 있도록</u> 다음과 같이 형상화
_{안전 표지 및 도로 부작용의 형상화 방식}
했습니다.

▶ 인터넷 글쓰기의 특징 ① : 그림이나 사진 등 시각 자료 제
시가 쉬움

이와 같은 표지판이 설치된 곳은 <u>스마트폰 주 사용층인 10~30대 보행자가 많고</u> <u>교통사고가 잦은</u> △△역 등 다섯
_{표지판이 설치된 곳의 특징 ①}　　　　　　　_{표지판이 설치된 곳의 특징 ②}
곳입니다.

스마트폰 보급률 상위 10국
세계 평균 14.8 　　단위: 퍼센트

국가	순위	값
한국	1	67.6
노르웨이	2	55.0
홍콩	3	54.9
싱가포르	4	53.1
호주	5	50.2
스웨덴	6	46.9
영국	7	46.6
룩셈부르크	8	45.3
덴마크	9	43.4
핀란드	10	43.0

수많은 사람이 사용하는 스마트폰, 이제는 생활필수품이 된 지 오래죠. 특히 우
리나라는 <u>스마트폰 보급률이 67.6퍼센트로 세계 1위입니다.</u> 스마트폰 하나로 인터
_{구체적 수치 제시 → 신뢰를 줌}
넷 검색은 물론 에스엔에스(SNS) 이용, 은행 업무까지 거의 모든 것이 가능한 세
상입니다. <u>스마트폰을 제3의 손이라고 해도 과언이 아니겠죠?</u> 사정이 이렇다 보니
_{질문 형식을 통해 글쓴이의 의견 강조}
<u>요즘은 스마트폰을 사용하며 걷는 사람들을 어렵지 않게 볼 수 있습니다.</u>
_{문제 상황}

하지만 이러한 잘못된 보행 습관은 자칫 교통사고로 이어질 수 있습니다. <u>교통안</u>
<u>전 공단에서 2013년에 실시한 설문 조사에 따르면 조사 대상 1,616명 중 95.7퍼센</u>
_{객관적 자료를 제시하여 신뢰성을 높임}
<u>트가 보행 중 스마트폰을 1회 이상 사용한다고 답했고, 5명 중 한 명은 보행 중에</u>
<u>스마트폰을 사용하다가 사고가 날 뻔한 경험이 있는 것으로 나타났습니다.</u> '보행자
<u>가 휴대 전화 통화를 하느라 빨간 신호등을 못 본 채 횡단보도를 건너다 교통사고를 당했다면 100퍼센트 보행자 책</u>
_{스마트폰을 사용하며 걷는 문제에 대한 경각심을 주는 사례}
<u>임</u>'이라는 법원의 판결도 있었습니다. 통상 횡단보도 사고는 운전자의 과실 책임을 인정해 왔었는데요, 이례적으로
보행자에게 100퍼센트 과실이 있다고 판단한 거죠. (<u>http://www.ts2020.kr</u> 교통안전 공단 누리집 참조함.)
_{인터넷 글쓰기의 특징 ② : 참고 자료 연결　　　　　　출처를 밝힘 - 쓰기 윤리를 지킴}

다른 나라에서도 사고 예방 대책을 속속 내놓고 있습니다. <u>스웨덴에서는 보행 중 스마트폰 사용을 금지하는 도로 표</u>
다른 나라의 보행 중 스마트폰 사용으로 인한 사고 예방 대책 예시
<u>지판이 등장했고요, 벨기에에서는 스마트폰 사용자를 위한 전용 도로를 만들어 보행자 간 충돌을 방지한다고 합니다.</u>

▲ 스웨덴의 보행 중 스마트폰 사용 주의 표지판   ▲ 벨기에의 스마트폰 사용자 전용 도로보행

보행중에 스마트폰을 사용하면 <u>사고 인식률이 떨어지고 시야의 각도가 현저히 좁아집니다.</u> <u>최근 발생한 교통사고</u>
보행 시 스마트폰 사용의 문제점   과장된 내용임
<u>의 대부분이 보행 중 스마트폰 사용 때문인 것만 봐도</u> 그것이 얼마나 위험한 행동인지 알 수 있습니다. 보행 중 스마
글쓴이의 주장
트폰 사용을 자제하거나 안전한 장소에서만 사용하는 등 기본적인 것을 지키는 습관을 가져야겠습니다.(교통안전 표

지 및 보도 부착물, 스웨덴과 벨기에의 사례 사진은 ○○시 누리집에서 가져옴.)
출처를 밝혀 글쓰기 예절을 지킴

댓글 8 공감 20
인터넷 글쓰기의 특징 ③ : 그에 대한 활발한 소통

종달새   비슷한 주제로 수행 평가 중이었는데, 좋은 정보 감사해요. ^^

   ㄴ **안전 지킴이**   교통안전 공단 블로그인 '교통안전 연구소'에 관련 정보가 더 많이 있어요.

소울   제 주변에도 스마트폰을 사용하면서 걷다가 크고 작은 사고를 당한 사람이 많더라고요. 정부 차원의 대책을 적극적으로 생

    각해 봐야 하지 않을까요?

   ㄴ **윤주 엄마**   교통 표지판 설치와 홍보만으로는 한계가 있습니다. 미국의 몇몇 주에서는 최소 50달러의 범칙금을 부과한다고

       하네요.

사막여우   진짜로 최근 발생한 교통사고 대부분이 스마트폰 사용 때문인가요?

   ㄴ **비틀비틀**   찾아보니 2015년 기준으로 전체 교통사고 23만 2,035건 중에 스마트폰 관련 사고는 1,360건밖에 안 됨. <u>잘 알지</u>

       <u>도 못하면서 여기저기서 내용을 긁어서 글을 쓰다니 한심하네. 쯧쯧.</u>
       글쓴이의 인격을 무시하는 발언으로 쓰기 윤리에 어긋남

   ㄴ **안전 지킴이**   자료 조사 과정에서 착오가 있었던 것 같아요. <u>곧 수정하겠습니다.</u>
                              인터넷 글쓰기의 특징 ④ : 바로 수정이 가능함

좀비   <u>스마트폰 보급률 그래프는 출처가 어디인가요? 믿을 만한 통계 자료인가요?</u>   출처를 밝히지 않으면 글의 신뢰성이 떨어질 수 있음

⊙ **어휘풀이**

■ **누리소통망** 여러 사람과 유용한 정보를 공
  유하거나 인맥을 관리할 수 있게 해 주는
  서비스.

■ **과실** 책임 과실 또는 고의로 끼친 손해에
  지우는 배상 책임.

⊙ **핵심정리**

갈래	논설문	성격	설득적
주제	보행 중 스마트폰 사용 자제 촉구		
특징	• 시각 자료를 넣어 내용에 대한 이해를 도움 • 통계 자료를 제시하여 문제의 심각성을 드러냄 • 링크를 통한 하이퍼텍스트, 댓글 등을 통해 인터넷 글쓰기의 특징을 보여 줌		

(1) 글쓴이가 계획하기 과정에서 고려했을 내용을 생각하며 다음 질문에 답해 보자.

| 예시 답안 |

교통안전 공단 누리집으로 이동할 수 있도록 주소를 연결함.	글이나 댓글을 익명으로 쓸 수 있음.	댓글로 글에 관한 의견을 나눔.

글쓴이와 독자, 독자와 독자 간의 쌍방향 소통이 신속하게 이루어짐.	의견을 자유롭게 드러낼 수 있으나 책임감이 약해짐.	관련 정보를 쉽고 빠르게 확장할 수 있음.

(2) 댓글을 포함하여 책임감 있게 글을 쓰지 못한 부분을 찾고, 수정·보완 방안을 생각해 보자.

| 예시 답안 |

책임감 있게 쓰지 못한 부분	수정 · 보완 방안
본문에서 '스마트폰 보급률 상위 10국'에 관한 그래프 자료의 출처를 제시하지 않은 부분	인용한 자료의 출처를 밝혀 내용의 신뢰성을 높임.
최근 발생한 대부분의 교통사고가 보행 중 스마트폰 사용 때문이라며 내용을 과장하여 제시한 부분	본문에서 과장된 부분을 삭제하거나, '최근 스마트폰 사용으로 인해 실제로 교통사고가 발생하는 경우도 있다.' 정도로 사실에 맞게 표현을 고침.
'비틀비틀'의 댓글에서 글쓴이의 인격을 무시하는 부분("잘 알지도 못하면서 여기저기서 내용을 긁어서 글을 쓰다니 한심하네. 쯧쯧")	상대방을 비난하지 않고 존댓말을 사용하여 언어 예절을 갖춤.

확인학습

01 이 글은 다양한 종류의 질문 방식을 사용해서 독자들의 호기심을 자극하였다. O☐ X☐

02 이 글은 표지판 사진이나 설문 조사 그래프 등을 넣어서 글을 이해하는 데 도움이 되게 하였다. O☐ X☐

03 이 글은 글의 시작과 끝에 똑같은 내용을 반복해서 이 글이 말하고자 하는 주제를 강조했다. O☐ X☐

04 이 글을 통해 보행 중에 스마트폰을 사용하면 시야의 각도가 많이 좁아진다는 것을 알 수 있다. O☐ X☐

05 이 글을 통해 우리나라의 스마트폰 보급률이 매우 높다는 것을 알 수 있다. O☐ X☐

06 이 글을 통해 우리나라에 스마트폰 사용자를 위한 전용 도로가 활성화되어 있다는 것을 알 수 있다, O☐ X☐

07 이 글은 인터넷 글쓰기의 특징인 쌍방향적 소통을 확인할 수 있다. O☐ X☐

08 이 글은 전문가와의 인터뷰 자료를 활용하여 해당 체험 활동이 가지는 의의를 밝히고 있다. O☐ X☐

09 이 글의 목적은 스마트폰이 건강에 얼마나 좋지 않은지 알려 주기 위함이다. O☐ X☐

10 이 글의 예상독자는 스마트폰을 잘 활용하지 못하는 60대 이상의 어른이다. O☐ X☐

객관식 기본문제

[01~07] 다음 글을 읽고 물음에 답하시오.

라면이 국수나 우동과 다른 점은 면을 한 번 튀겨서 익혔다는 것이다. 그래서 끓이지 않고도 먹을 수 있고, 끓여서 먹더라도 금방 익혀 먹을 수 있다. 심지어 컵라면은 지속적으로 끓일 필요도 없고 단지 끓는 물을 붓기만 해도 먹을 수 있다. 그런데 왜 하필 3분을 기다려야 하는 걸까? 1분 만에, 아니 끓는 물을 붓자마자 먹을 수 있으면 좀 좋아? 컵라면을 먹을 때마다 3분이 얼마나 긴 시간인지를 새삼 깨닫는다.

컵라면의 면발은 봉지 라면에 비해 더 가늘거나 납작하다. 면발의 표면적을 넓혀 뜨거운 물에 더 많이 닿게 하기 위해서다. 그리고 컵라면의 면을 꺼내 보면 위쪽은 면이 꽉 짜여 빽빽하지만, 아래쪽은 면이 성글게 엉켜 있다. 이는 중량을 줄이기 위해서가 아니고 따뜻한 물은 위로, 차가운 물은 아래로 내려가는 대류 현상 때문이다. 컵라면 용기에 물을 부으면 위쪽보다는 아래쪽이 덜 식는다. 따라서 뜨거운 물이 위로 올라가려고 하는데 이때 면이 아래쪽부터 빽빽하게 들어차 있으면 물의 대류 현상에 방해가 된다. 위아래의 밀집도가 다른 컵라면의 면발 형태는 뜨거운 물의 대류 현상을 원활하게 하여 물을 계속 끓이지 않아도 면이 고르게 익도록 하는 과학의 산물이다.

컵라면 면발에는 화학적 비밀도 있다. 봉지 라면과 비교했을 때 컵라면 면발에는 밀가루 그 자체보다 정제된 전분이 더 많이 들어가 있다. 라면은 밀가루로 만든 면을 기름에 튀겨 전분을 알파화한 것이다. 하지만 밀가루에는 전분 외에 단백질을 포함한 다른 성분도 들어 있다. 면에 이런 성분을 빼고 순수한 전분의 비율을 높이면 그만큼 알파화가 많이 일어나므로, 뜨거운 물을 부었을 때 복원되는 시간도 빨라진다. 전분을 많이 넣을수록 면이 불어나는 시간이 빨라져 더 빨리 먹을 수 있게 되는 것이다. 3분이 아니라 1분 만에 익는 컵라면도 만들 수 있다는 말이다. 하지만 전분이 너무 많이 들어가면 면발이 익는 시간이 빨라지는 만큼 불어 터지는 속도도 빨라져 컵라면을 다 먹기도 전에 곤죽이 되고 만다. 시중에 나와 있는 컵라면들이 대부분 '끓는 물에 3분'을 기다리도록 제조된 까닭이 바로 이 때문이다. 컵라면의 '3분'은 절묘한 균형 감각하에 탄생한 마법의 시간인 셈이다.

---

01 윗글에 대한 설명으로 가장 적절한 것은?

① 라면을 다른 대상과 비교하여 자신의 가설을 증명하고 있다.
② 컵라면에 숨겨져 있는 과학적 원리를 병렬적으로 설명하였다.
③ 라면에 대한 서로 다른 관점을 절충하면서 결론을 이끌어 내고 있다.
④ 개념을 정의한 후 대상을 일정한 기준으로 나누어 설명하고 있다.
⑤ 통념의 문제점을 지적하고 새로운 이론을 주장하고 있다.

02 이 글의 내용과 일치하지 않는 것은?

① 라면에 전분이 많이 들어가면 불어 터지는 속도도 빨라져 곤죽이 된다.
② 라면의 면은 전분 외에 순수한 단백질로만 이루어져 있다.
③ 위아래의 밀집도가 다른 면의 형태는 물의 대류 현상을 원활하게 하기 위한 것이다.
④ 라면은 국수와 우동과 다르게 면을 한 번 튀겨 익혔다.
⑤ 봉지 라면과 비교했을 때 컵라면의 면발에 밀가루 그 자체보다 정제된 전분이 더 많이 들어가 있다.

03 윗글의 내용과 일치하지 <u>않는</u> 것은?

① 컵라면은 지속적으로 끓일 필요가 없다.
② 봉지 라면의 면발은 컵라면 면발에 비해 납작하다.
③ 컵라면의 면은 위쪽과 아래쪽에 차이가 있다.
④ 밀가루에는 전분 외에 단백질을 포함한 다른 성분도 들어 있다.
⑤ 전분이 많이 들어가면 면이 불어나는 시간이 빨라진다.

04 윗글을 통해 답할 수 있는 질문이 <u>아닌</u> 것은?

① 컵라면을 지속적으로 끓일 필요가 없는 이유는 무엇인가?
② 컵라면에 물을 넣고 3분을 기다려야 하는 이유는 무엇인가?
③ 컵라면의 면이 위쪽과 아래쪽에 차이가 있는 이유는 무엇인가?
④ 컵라면의 면발이 위아래 밀집도를 다르게 만든 이유는 무엇인가?
⑤ 컵라면 면발에 순수한 전분의 비율을 낮추는 이유는 무엇인가?

05 위와 같은 글을 읽을 때에 읽기 과정의 점검과 조정에 관한 설명으로 적절하지 <u>않은</u> 것은?

① 글을 읽다가 예상했던 내용과 다른 점이 있다면 읽기 목적을 다시 확인하고 변경해야 한다.
② 독자는 점검과 조정의 과정을 통해 글을 좀 더 깊게 이해할 수 있다.
③ 글을 읽기 전에는 글의 제목의 의미를 추론하는 활동이 필요하다.
④ 글을 읽는 도중에 모르는 낱말이 있을 때 사전을 찾아보거나 앞뒤 문맥을 통해 의미를 짐작해 본다.
⑤ 잘 이해되지 않는 부분이 있으면 다시 꼼꼼히 읽어 보거나 글과 관련된 다른 자료를 찾아본다.

06 윗글을 통해 확인할 수 있는 내용이 <u>아닌</u> 것은?

① 컵라면 면의 형태는 대류 현상과 관련이 있다.
② 전분의 비율과 면이 불어나는 시간은 서로 관련이 있다.
③ 컵라면 용기에 물을 부으면 아래쪽보다는 위쪽이 덜 식는다.
④ 컵라면 면발에는 화학적 비밀이 있다.
⑤ 라면은 면을 한 번 튀겨서 익혔다.

07 윗글의 계획하기 과정에서 떠올린 생각으로 적절하지 <u>않은</u> 것은?

① 전문 지식이 없는 독자들도 쉽게 이해하도록 설명한다.
② 독자들의 이해를 돕기 위해서 컵라면 용기 안에서 대류 현상이 일어나는 모습을 자료로 제시한다.
③ 과학적 사실을 설명하고 있으므로 정확한 용어나 개념을 사용한다.
④ 컵라면과 관련된 경험이나 배경지식을 활용한다.
⑤ 컵라면과 봉지 라면을 대조하여 컵라면의 특징을 부각한다.

08 다음 중 인터넷 매체의 특성에 해당하지 <u>않는</u> 것은?

① 누구나 원하는 정보에 쉽게 접근할 수 있다.
② 생각을 쉽고 자유롭게 주고받을 수 있다.
③ 본명을 드러내지 않고 글을 쓸 수 있다.
④ 주로 문자를 중심으로 이미지 등이 사용된다.
⑤ 시공간의 제약이 없어 급속하게 전파되고, 광범위하게 영향을 미친다.

09 다음 중 인터넷 매체를 활용하는 올바른 태도가 <u>아닌</u> 것은?

① 인용한 자료의 출처를 밝혀 내용의 신뢰성을 높인다.
② 상대방을 비난하지 않고 존댓말을 사용하여 언어 예절을 갖춘다.
③ 너무 과장한 내용은 쓰지 않는다.
④ 본명을 드러내지 않아도 되므로 하고 싶은 말을 자유롭게 한다.
⑤ 자신의 글이 독자에게 미칠 영향을 고려하여 쓴다.

[10~14] 다음 블로그 글을 읽고 물음에 답하시오.

스마트폰족을 위한 교통 표지판 등장

제가 사는 ○○시에 보행 중 스마트폰 사용의 위험을 알리는 교통안전 표지 및 보도 부착물이 설치되었습니다. 보행 중 스마트폰을 사용하는 사람이 자동차와 맞닥뜨리는 위험한 상황을 한눈에 알아볼 수 있도록 다음과 같이 형상화했습니다.

이와 같은 표지판이 설치된 곳은 스마트폰 주 사용층인 10~30대 보행자가 많고 교통사고가 잦은 △△역 등 다섯 곳입니다.

스마트폰 보급률 상위 10국

세계 평균 14.8 단위: 퍼센트

순위	국가	보급률
1	한국	67.6
2	노르웨이	55.0
3	홍콩	54.9
4	싱가포르	53.1
5	호주	50.2
6	스웨덴	46.9
7	영국	46.6
8	룩셈부르크	45.3
9	덴마크	43.4
10	핀란드	43.0

수많은 사람이 사용하는 스마트폰, 이제는 생활필수품이 된 지 오래죠. 특히 우리나라는 스마트폰 보급률이 67.6퍼센트로 세계 1위입니다. 스마트폰 하나로 인터넷 검색은 물론 에스엔에스(SNS) 이용, 은행 업무까지 거의 모든 것이 가능한 세상입니다. 스마트폰을 제3의 손이라고 해도 과언이 아니겠죠? 사정이 이렇다 보니 요즘은 스마트폰을 사용하며 걷는 사람들을 어렵지 않게 볼 수 있습니다.

하지만 이러한 잘못된 보행 습관은 자칫 교통사고로 이어질 수 있습니다. 교통안전 공단에서 2013년에 실시한 설문 조사에 따르면 조사 대상 1,616명 중 95.7퍼센트가 보행 중 스마트폰을 1회 이상 사용한다고 답했고, 5명 중 한 명은 보행 중에 스마트폰을 사용하다가 사고가 날 뻔한 경험이 있는 것으로 나타났습니다. '보행자가 휴대 전화 통화를 하느라 빨간 신호등을 못 본 채 횡단보도를 건너다 교통사고를 당했다면 100퍼센트 보행자 책임'이라는 법원의 판결도 있었습니다. 통상 횡단보도 사고는 운전자의 과실 책임을 인정해 왔었는데요, 이례적으로 보행자에게 100퍼센트 과실이 있다고 판단한 거죠.(http://www.ts2020.kr 교통안전 공단 누리집 참조함.)

다른 나라에서도 사고 예방 대책을 속속 내놓고 있습니다. 스웨덴에서는 보행 중 스마트폰 사용을 금지하는 도로 표지판이 등장했고요, 벨기에에서는 스마트폰 사용자를 위한 전용 도로를 만들어 보행자 간 충돌을 방지한다고 합니다.

▲ 스웨덴의 보행 중 스마트폰 사용 주의 표지판

▲ 벨기에의 스마트폰 사용자 전용 도로

보행 중에 스마트폰을 사용하면 사고 인식률이 떨어지고 시야의 각도가 현저히 좁아집니다. 최근 발생한 교통사고의 대부분이 보행 중 스마트폰 사용 때문인 것만 봐도 그것이 얼마나 위험한 행동인지 알 수 있습니다. 보행 중 스마트폰 사용을 자제하거나 안전한 장소에서만 사용하는 등 기본적인 것을 지키는 습관을 가져야겠습니다.(교통안전 표지 및 보도 부착물, 스웨덴과 벨기에의 사례 사진은 ○○시 누리집에서 가져옴.)

댓글 8 공감 20

종달새 비슷한 주제로 수행 평가 중이었는데, 좋은 정보 감사해요. ^^
  ㄴ **안전 지킴이** 교통안전 공단 블로그인 '교통안전 연구소'에 관련 정보가 더 많이 있어요.

소울 제 주변에도 스마트폰을 사용하면서 걷다가 크고 작은 사고를 당한 사람이 많더라고요. 정부 차원의 대책을 적극적으로 생각해 봐야 하지 않을까요?
  ㄴ **윤주 엄마** 교통 표지판 설치와 홍보만으로는 한계가 있습니다. 미국의 몇몇 주에서는 최소 50달러의 범칙금을 부과한다고 하네요.

사막여우 진짜로 최근 발생한 교통사고 대부분이 스마트폰 사용 때문인가요?
  ㄴ **비틀비틀** 찾아보니 2015년 기준으로 전체 교통사고 23만 2,035건 중에 스마트폰 관련 사고는 1,360 건밖에 안 됨. 잘 알지도 못하면서 여기저기서 내용을 긁어서 글을 쓰다니 한심하네. 쯧쯧.
  ㄴ **안전 지킴이** 자료 조사 과정에서 착오가 있었던 것 같아요. 곧 수정하겠습니다.

몸비 스마트폰 보급률 그래프는 출처가 어디인가요? 믿을 만한 통계 자료인가요?

---

10 윗글의 댓글에서 쓰기 윤리에 어긋나게 댓글은 단 사람은?

① 종달새   ② 안전 지킴이   ③ 윤주 엄마   ④ 사막 여우   ⑤ 비틀비틀

11 윗글의 댓글을 통해 알 수 있는 인터넷 글쓰기의 특성으로 적절한 것은?

① 글쓴이와 독자 간의 소통이 직접적으로 이루어질 수 없다.
② 독자가 비판점이나 의문점이나, 보충할 사항 등을 바로 제기할 수 없다.
③ 독자의 간섭으로 인하여 글에 글쓴이의 개성을 드러내기 어렵다.
④ 독자와 독자 간의 의사소통이 한 방향으로 이루어진다.
⑤ 글쓴이가 독자의 의견을 받아들여 자신의 글의 잘못된 부분을 수정할 수 있다.

12 윗글에서 확인할 수 있는 내용이 <u>아닌</u> 것은?

① 교통 안전 표지 및 보도 부착물의 설치 목적
② 표지판이 설치된 곳의 특징
③ 보행 시 스마트폰 사용의 문제점
④ 운전자의 사고 과실 책임 사항
⑤ 우리나라 스마트폰 보급률

13 윗글에 대한 설명으로 적절하지 <u>않은</u> 것은?

① 시각 자료를 넣어 내용에 대한 이해를 도왔다.
② 전문가의 견해를 인용하여 글의 신뢰성을 높였다.
③ 출처를 밝혀 글쓰기 예절을 지키고 있다.
④ 통계 자료를 제시하여 문제의 심각성을 드러내었다.
⑤ 질문 형식을 통해 글쓴이의 의견을 강조했다.

14 다음 중 윗글의 문제점으로 가장 적절한 것은?

① 인용한 자료의 출처를 밝히지 않았다.
② 상대방을 배려하지 않고 언어예절을 어겼다.
③ 본문에서 과장된 부분이 있다.
④ 구체적 수치를 제시하지 못하였다.
⑤ 다양한 예시를 제시하지 못하였다.

[01~05] 다음 글을 읽고 물음에 답하시오.

영훈이의 역사 누리방

내 블로그 | 이웃 블로그 | 블로그 홈 | 로그아웃
|역사 이야기 (1)   목록 보기|요약 보기|펼쳐 보기

(가) '청기와' 발견 사건   20△△년 ○월 ○○일

오랜만에 할아버지 댁을 방문한 어느 주말이었다. 마당에 나무를 심고 계시는 할아버지를 도와 드리다가 땅속에 묻혀 있는 돌 조각을 발견했다. 꺼내 보니 내 손바닥만 한 크기의 기와였다. '할아버지 댁은 기와집도 아닌데 왜 땅에 기와가 묻혀 있을까?' 하고 생각하며 기와를 살펴보던 나는, 이것이 언젠가 국립고궁박물관에 갔을 때 전시되어 있던 조선 시대 청기와 색깔과 비슷하다는 것을 깨달았다. 그러고 보니 할아버지 댁은 경복궁과 아주 가까웠다. '혹시 이게 조선 시대 청기와는 아닐까?' 하는 생각이 불현듯이 떠올랐다. 나는 설레는 마음으로 그 기와를 집에 가져왔다.

내가 발견한 기와가 조선 시대 유물이 맞는지 확인하기 위해 우선 인터넷에서 검색해 보았다. 경복궁 내 여러 곳에서 청기와가 출토되었다는 신문 기사가 나왔다. 신문 기사에서 나온 기와의 색은 내가 발견한 것과 거의 똑같아 보였다. 당장 도서관으로 달려가 관련 책을 찾아보았다. 〈세종실록〉에 '청와(靑瓦)'라는 단어가 처음 등장하고, 〈문종실록〉에는 근정전과 사정전에 청기와를 덮었다는 기록이 있음을 확인할 수 있었다. 그리고 광해군 대를 마지막으로 〈조선왕조실록〉에서 더 이상 청기와를 제작했다는 기록을 찾아볼 수 없다는 것도 알게 되었다.

자료를 찾아볼수록 내가 발견한 것이 조선 시대 청기와라는 믿음이 강해졌다. 오랜 세월의 흔적이 느껴지는 낡은 청기와가 경복궁 근처에서 발견되었으니 아무리 생각해도 이 기와는 유물일 가능성이 컸다. 기와를 본 주변 친구들과 하나 같이 옛날 경복궁 청기와가 맞는 것 같다며 놀라워했다. 할아버지 댁 마당을 조사해 보면 다른 유물들이 더 발굴될지도 모른다고 말하는 친구도 있었다.

진짜 유물이라는 확신이 든 나는 전문가를 찾아가기로 마음먹었다. 전문가를 통해 기와의 가치를 인정받고 싶었고, 어디에 기증하면 좋을지 조언을 얻고 싶어서였다. 나는 문화유산 분야의 전문가로 유명한 한 대학교수님께 찾아뵈어도 되는지 전자 우편으로 여쭈었다. 다행히 와도 좋다는 답장을 받았다. 답장을 받자마자 바로 찾아가 뵙고 기와를 보여 드렸다. 부푼 기대감으로 가슴이 떨렸다. 하지만 야속하게도 교수님께서는 기와를 보시고 한 치의 망설임도 없이 바로 말씀하셨다.

"이건 페인트칠을 한 요즘 기와란다. 조선 시대 기와는 이렇게 매끄럽지 않아. 아마 근래에 다른 건물 공사 때 쓰인 기와가 아닐까 싶구나."

나는 민망하여 얼굴이 빨개졌다. 아름다워 보였던 기와의 빛깔이 순간 바랜 것처럼 느껴졌다. 그동안 기대감에 들떠 있었던 내 마음도 이성을 찾아 차분해졌다.

믿는 대로 보인다고 한다. 조선 시대 청기와였으면 하는 마음에 섣불리 그렇게 단정 지었고, 다른 가능성을 제외하자 조사한 내용 모두가 다 그럴듯하게 여겨졌다. 어떤 일에 확신을 가지려면 충분히 조사한 다음 신중하게 판단해야 했는데, 들뜬 나머지 제대로 알아보지도 않고 성급하게 판단해 버린 것이다.

크게 실망한 나는 기와를 버릴까도 생각했지만, 결국 그것을 집으로 가져왔다. 곰곰이 생각하니 이 기와 덕분에 얻은 것이 많았기 때문이다. 무엇보다도 청기와에 대해 깊이 공부할 수 있었고, 또 삶의 교훈도 얻을 수 있었다. 지금 내 방 한쪽에 놓여 있는 저것이, 비록 경복궁의 기와는 아니지만 내게는 소중한 보물 1호이다.

▲ 내가 발견한 기와   ▲ 경복궁에서 출토된 청기와
                        (출처: 국립문화재연구소)

(나) ^댓글8 | 공감3

나비의 꿈 : 영훈 님의 글과 사진 덕분에 청기와에 관해 새롭게 알게 되었어요. 글에 반전이 있어서 재미도 있었고요. 그런데 광해군 대 이후로 〈조선왕조실록〉에 청기와가 제작되었다는 기록이 왜 없는 걸까요? 혹시 아시나요?

    ㄴ, **영훈이** : 제가 찾아본 자료에 따르면 청기와를 만드는 데 비용과 인력이 많이 들었고, 청기와를 만드는 주원료인 염초를 확보하는 것이 쉽지 않았다고 합니다. 자료에서는 이러한 점들이 영향을 미쳐 청기와가 더 이상 제작되지 못한 것으로 보고 있어요.

너나들이 : 믿는 대로 보인다는 말 정말 공감해요. 저도 평소에 믿고 싶은 대로만 생각하는 경향이 있거든요. 저 자신을 되돌아보는 좋은 계기가 되었어요.

    ㄴ, **영훈이** : 맞아요. 저도 그래요. 이번 일을 통해 정말 많이 반성했어요. 제 글이 너나들이 님에게 좋은 계기가 되었다니 다행입니다.

역사대장 : 청기와를 공부하고 삶의 교훈도 얻는 뜻깊은 경험을 하셨군요. ^^ 청기와에 관심이 있으시면 창덕궁 선정전에 가 보시는 걸 추천해요. 청기와를 올린 건물이거든요. 앞으로도 재미있는 역사 이야기 기대할게요.

    ㄴ, **영훈이** : 아, 창덕궁 선정전의 청기와를 올린 건물이군요! 알려 주셔서 감사합니다. 꼭 가 봐야겠네요.

    ㄴ, **역사대장** : 창덕궁 가실 거면 저랑 같이 가실래요? 저도 오랜만에 다시 가 보고 싶네요. ^^

    ㄴ, **영훈이** : 네, 좋아요! 그럼 제가 계획을 세워 볼게요.

---

01 (가)의 표현상 특징으로 가장 적절한 것은?

① 생각하고 느낀 바가 솔직하게 표현되고 있다.
② 한자 성어와 격언이 적절하게 사용되고 있다.
③ 평범하고 사소한 삶이 비교적 쉽게 진술되고 있다.
④ 표, 동영상 등 시청각 자료가 풍부하게 제시되고 있다.
⑤ 청기와를 발견한 사건이 공간의 이동에 따라 묘사되고 있다.

02 (가)에 대한 설명으로 적절하지 않은 것은?

① 시간 순서에 따라 내용을 조직함으로써 글의 내용에 대한 이해를 돕고 있다.
② 인터넷 블로그라는 매체를 선택함으로써 많은 독자에게 쉽게 글을 전달하고 있다.
③ '경험-깨달음'의 구조로 내용을 조직함으로써 글의 의미를 선명하게 드러내고 있다.
④ 전문가의 말을 간접 인용함으로써 대화 상황을 사실감 있고 생생하게 나타내고 있다.
⑤ 시각 자료를 제시함으로써 독자의 이해를 돕고 내용을 더욱 생생하게 전달하고 있다.

03 (가), (나)를 통해 이해할 수 있는 쓰기의 특성으로 적절하지 않은 것은?

① 의미 있는 내용을 바탕으로 독자와 소통하려 한다.
② 글쓰기 전부터 지니고 있던 배경 지식을 활용한다.
③ 글의 화제를 추상적이고 사변적인 대상으로 선정한다.
④ 내용의 효과적 전달을 위해 매체 자료를 사용하기도 한다.
⑤ 내용을 수집하여 조직하고 표현하는 의미 구성 과정을 거친다.

04 〈보기〉는 (가)를 쓴 과정을 나타낸 것이다. 각 과정에 맞는 활동으로 적절한 것은?

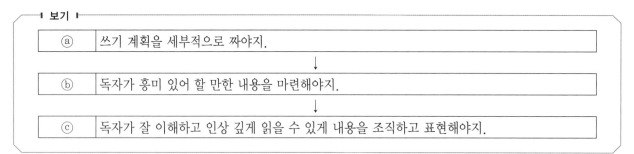

┤ 보기 ├

ⓐ	쓰기 계획을 세부적으로 짜야지.
ⓑ	독자가 흥미 있어 할 만한 내용을 마련해야지.
ⓒ	독자가 잘 이해하고 인상 깊게 읽을 수 있게 내용을 조직하고 표현해야지.

① ⓐ : 글을 실을 매체는 인터넷 블로그로 정해야지.
② ⓐ : 전문가의 말을 직접 인용하는 기교를 써야지.
③ ⓑ : 경험과 깨달음의 과정을 시간 순서로 배열해야지.
④ ⓒ : 책을 통해 알게 된 역사적 사실들도 제시해야지.
⑤ ⓒ : 역사에 관심이 있는 누리꾼들을 대상으로 써야지.

05 (나)에 대한 설명으로 적절하지 않은 것은?

① 윗글에 대해 누리꾼들이 다양하게 반응하는 것은 독자들의 경험과 관심사가 다르기 때문이다.
② '나비의 꿈'은 윗글을 통해 청기와에 대한 새로운 정보를 알게 되었다.
③ '영훈이'는 '너나들이'의 댓글에 동감을 하면서, 자신이 독자에게 좋은 영향을 주었음을 알게 되었다.
④ '역사 대장'은 '영훈이'의 경험을 평가하면서 창덕궁에 함께 갈 것을 제안하고 있다.
⑤ '영훈이'는 '역사 대장'에게 댓글을 달아 자신이 새롭게 알게 된 정보를 '역사 대장'에게 알려주고 있다.

– 청기와와 관련한 경험을 블로그에 싣고자, (가)와 같이 개요를 작성하고 (나)를 썼다.

(가) 개요

글을 쓰는 목적	청기와와 관련한 경험과 그로부터 얻은 깨달음을 독자에게 전달하기 위해	
글의 주제	어떤 일에 확신을 가지려면 충분한 조사와 신중한 판단이 중요함	㉠
경험이나 배경지식에서 마련한 내용	• 할아버지 댁 마당에 청기와를 발견한 경험 • 조선 시대 청기와 색깔에 대한 배경지식 • 문화유산 전문가에게 자신이 발견한 기와를 검증받았던 경험 • 독자와의 소통 결과로 얻은 새로운 정보에 대해 확인	㉡ ㉢ ㉣
내용 조직의 특징	㉮	
표현의 특징	자신이 만난 전문가의 말을 직접 인용하여 내용을 생생하게 전달하고 신뢰감 확보	㉤

(나) 오랜만에 할아버지 댁을 방문한 어느 주말이었다. 마당에 나무를 심고 계시는 할아버지를 도와 드리다가 땅속에 묻혀 있는 돌 조각을 발견했다. 꺼내 보니 내 손바닥만 한 크기의 기와였다. '할아버지 댁은 기와집도 아닌데 왜 땅에 기와가 묻혀 있을까?'하고 생각하며 기와를 살펴보던 나는, 이것이 언젠가 국립고궁박물관에 갔을 때 전시되어 있던 조선 시대 청기와 색깔과 비슷하다는 것을 깨달았다. '혹시 이게 조선 시대 청기와는 아닐까?' 하는 생각이 불현듯이 떠올랐다. 나는 설레는 마음으로 그 기와를 집에 가져왔다.

내가 발견한 기와가 조선 시대 유물이 맞는지 확인하기 위해 우선 인터넷에서 검색해 보았다. 경복궁 내 여러 곳에서 청기와가 출토되었다는 신문 기사가 나왔다. 신문 기사에서 나온 기와의 색은 내가 발견한 것과 거의 똑같아 보였다. 당장 도서관으로 달려가 관련 책을 찾아보았다. 〈세종실록〉에 '청와(靑瓦)'라는 단어가 처음 등장하고, 〈문종실록〉에는 근정전과 사정전에 청기와를 덮었다는 기록이 있음을 확인할 수 있었다. 그리고 광해군 대를 마지막으로 〈조선왕조실록〉에서 더 이상 청기와를 제작했다는 기록을 찾아볼 수 없다는 것도 알게 되었다.

자료를 찾아볼수록 내가 발견한 것이 조선 시대 청기와라는 믿음이 강해졌다. 오랜 세월의 흔적이 느껴지는 낡은 청기와가 경복궁 근처에서 발견되었으니 아무리 생각해도 이 기와는 유물일 가능성이 컸다. 기와를 본 주변 친구들과 하나 같이 옛날 경복궁 청기와가 맞는 것 같다며 놀라워했다. 할아버지 댁 마당을 조사해 보면 다른 유물들이 더 발굴될지도 모른다고 말하는 친구도 있었다.

진짜 유물이라는 확신이 든 나는 전문가를 찾아가기로 마음먹었다. 전문가를 통해 기와의 가치를 인정받고 싶었고, 어디에 기증하면 좋을지 조언을 얻고 싶어서였다. 나는 문화유산 분야의 전문가로 유명한 한 대학교수님께 찾아뵈어도 되는지 전자 우편으로 여쭈었다. 다행히 와도 좋다는 답장을 받았다. 답장을 받자마자 바로 찾아가 뵙고 기와를 보여 드렸다. 부푼 기대감으로 가슴이 떨렸다. 하지만 야속하게도 교수님께서는 기와를 보시고 한 치의 망설임도 없이 바로 말씀하셨다.

"이건 페인트칠을 한 요즘 기와란다. 조선 시대 기와는 이렇게 매끄럽지 않아. 아마 근래에 다른 건물 공사 때 쓰인 기와가 아닐까 싶구나."

나는 민망하여 얼굴이 빨개졌다. 아름다워 보였던 기와의 빛깔이 순간 바랜 것처럼 느껴졌다. 그동안 기대감에 들떠 있었던 내 마음도 이성을 찾아 차분해졌다.

믿는 대로 보인다고 한다. 조선 시대 청기와였으면 하는 마음에 섣불리 그렇게 단정 지었고, 다른 가능성을 제외하자 조사한 내용 모두가 다 그럴듯하게 여겨졌다. 어떤 일에 확신을 가지려면 충분히 조사한 다음 신중하게 판단해야 했는데, 들뜬 나머지 제대로 알아보지도 않고 성급하게 판단해 버린 것이다.

– 학생 글, 「영훈이의 역사 누리방」 –

06 ㉠~㉤ 중 (나)에 반영되지 <u>않은</u> 것은?

① ㉠   ② ㉡   ③ ㉢   ④ ㉣   ⑤ ㉤

07 ㉮에 들어갈 내용으로 가장 적절한 것은?

① 청기와의 역사적 가치에 대한 역사적 고증을 시대별로 제시한다.
② 청기와를 발견한 후 주변 사람들의 다양한 반응을 예를 들어 소개한다.
③ 청기와를 발견하고 깨달음을 얻기까지의 과정을 시간 순서에 따라 제시한다.
④ 청기와를 발견한 후 일어난 문제 상황과 그 해결 방안을 중심으로 내용을 조직한다.
⑤ 청기와에 대한 객관적인 사실을 나열하여 객관성을 확보할 수 있도록 내용을 조직한다.

08 윗글에 대한 설명으로 적절하지 <u>않은</u> 것은?

① 전문가의 말을 인용하여 독자들에게 신뢰감을 주고 있다.
② 청기와와 관련된 경험을 원인과 결과에 따라 서술하고 있다.
③ 역사에 관심이 있는 누리꾼을 예상독자로 설정하여 글을 서술하고 있다.
④ 청기와와 관련된 경험을 통해 느낀 자신의 감정을 솔직하게 표현하고 있다.
⑤ 청기와와 관련된 경험을 먼저 제시하고 그것을 통해 얻은 깨달음을 제시하고 있다.

09 〈보기〉의 인터넷 기사를 접한 학생의 반응으로 가장 적절한 것은?

┤ 보기 ├

맛집 주방에 가 보니? 충격
외식업의 기본은 '청결', 손님이 안 보더라도 원칙 지켜야

성공한 외식 사업가인 ○○○ 씨의 이야기가 소개돼 주목받고 있다. 그가 최근 문을 연 음식점 세 곳이 모두 맛집으로 유명세를 타면서 전국에서 손님들이 몰려들고 있는 것이다. 많은 사람들이 ○○○씨에게 성공 비결을 물었다. 그는 특별한 성공 비결이 있는 것이 아니라 음식을 만들 때의 기본 원칙인 '청결'을 365일 철저하게 실행했을 뿐이라고 말했다. (후략)

① 기사의 내용에 자극적인 표현을 사용하여 독자의 관심을 유발하고 있군.
② 인터넷 매체의 특성을 활용하여 있는 사실을 왜곡하여 전달하고 있군.
③ 신뢰도가 떨어지는 자료를 근거로 기사의 내용을 작성하여 독자에게 혼란을 주는군.
④ 제목만 본 독자는 음식점 주방의 문제점이 기사의 내용으로 제시될 것이라 예상하겠군.
⑤ 외식 사업가의 인터뷰 내용을 제시하여 청결하지 못한 음식점 주방의 실태를 알려주는군.

(가) 도서관에 한 학생이 혼자 앉아 있다. 자신이 열심히 공부하는 모습을 찍어 누리 소통망[SNS]에 올리자마자 친구들이 '좋아요'라고 반응한다. 곧이어 부모님께서 용돈을 입금했다는 문자 메시지를 받고, 친구에게 생일 선물로 영화 예매권을 보낸다. 선물을 받은 친구는 즉시 고맙다는 문자 메시지를 보내온다. 혼자 있어도 혼자가 아니다.

인터넷 통신망으로 연결된 우리 삶은 더욱 풍요로워지고 있다. ㉠하지만 오늘날을 지나치게 연결된 '과잉 연결 시대'라고 규정하면서 그 부작용을 우려하는 목소리도 커지고 있다. 개인과 개인은 물론이고 개인과 국가, 국가와 국가, 나아가 인간과 사물이 인터넷 통신망으로 연결되어 있다. 이에 따라 과거에는 인간의 힘으로 할 수 없었던 수많은 일을 손쉽게 해내고 있다. 따라서 과잉 연결로 인한 문제점을 살펴보고, 그 문제에 대응하는 방안을 주장하고자 한다.

먼저, 과잉 연결 사회에서는 우리의 삶이 범죄에 쉽게 노출될 수 있다. 경찰청 사이버안전국의 통계를 보면 2004년 77,099건이던 인터넷 관련 범죄가 2013년 155,366건으로 10년간 약 2배나 증가한 것을 알 수 있다. 또한, 한국인터넷진흥원의 개인 정보 침해 신고 센터 접수 자료에 따르면 2006년 23,333건이던 개인 정보 침해 상담 건수가 2015년에는 152,151건으로 약 6배 이상 증가하였다. 이는 정보 통신 기술이 발달하는 추세와 비례한다. 이러한 문제점을 예방하려면 우선 주민등록번호나 비밀번호 등의 개인 정보는 인터넷에 함부로 올리지 않아야 한다. 그리고 사생활이 담긴 사진이나 개인 기록 등은 반드시 공개 범위를 설정해 놓음으로써 정보가 마구 흘러 나가는 일이 없도록 주의해야 할 것이다.

다음으로 과잉 연결 사회는 우리를 단편적이고 불완전한 정보의 홍수에 빠지게 한다. '낯선 사람이 마른 해산물의 냄새를 맡게 한다. 그 냄새를 맡으면 바로 정신을 잃게 되니 절대로 맡아서는 안 된다.' 이 이야기는 실제로 몇 년 전 누리 소통망을 뜨겁게 달구었던 괴담이다. 물론 이 이야기는 사실무근임이 밝혀졌다. 어디서부터 시작된 이야기인지, 실제로 경험한 이야기인지 확인되지 않은 채 인터넷 세계를 떠돌아다니면서 사회적 혼란을 일으킨 사례라고 할 수 있다. 이처럼 인터넷상에서는 왜곡된 정보가 통신망을 타고 확대, 재생산되기도 한다. 그에 따른 혼란은 고스란히 개인이 감내해야 할 몫이다. 따라서 인터넷에서 얻은 정보는 반드시 정확하고 신뢰할 만한 것인지 비판적으로 판단하여 수용하는 자세를 지녀야 한다.

마지막으로 과잉 연결 사회는 인간과 인간 사이의 진정한 소통을 가로막는다. 나는 얼마 전 아파트 이웃들과 엘리베이터를 탄 적이 있다. 모두가 좁은 엘리베이터 안에서 각자의 휴대 전화를 들여다볼 뿐 침묵이 이어졌다. 사람들은 순서대로 엘리베이터에서 내렸지만 누가 어디 사는지, 어떤 이웃인지 전혀 관심을 두지 않았다. 거미줄처럼 연결된 인터넷 통신망에 빠져 현실 세계의 인간관계를 잃어 가는 모습이다. 이웃이나 친구, 가족과 함께 있는 순간만큼은 인터넷 연결을 끊어 보자. 그러면 비로소 나와 가까운 사람들과 진정한 소통이 이루어질 수 있을 것이다.

과잉 연결 시대를 살아가는 우리는 위험하고, 혼란스럽고, 외롭다. 이렇게 많은 문제점이 있음에도 모든 연결을 끊는 것은 어렵다. 따라서 '과잉 연결'을 '적절한 연결'로 조절하는 지혜가 필요하다. ㉡'다다익선(多多益善)'이란 말처럼 과도한 연결이 오히려 해가 될 수 있음을 깨닫고 '위험한 편리'보다 '안전한 불편'을 선택해 보는 것은 어떨까?

(나) ㉢초등학생 여러분은 '초연결 사회'라는 말을 들어 본 적 있나요? 우리가 살고 있는 초연결 사회는 어떤 특징이 있을까요?

(ⓐ) 초연결 사회의 장점으로 시간과 공간의 제약이 사라졌다는 점을 꼽을 수 있어요. 과거에는 학교에서 선생님을 직접 만나야만 수업을 들을 수 있었지만, 지금은 무선 통신망을 이용하여 언제 어디서나 쉽게 수업을 들을 수 있습니다.

(ⓑ) ㉣감지 장치와 통신 회로를 장착한 사물이 인간의 개입 없이 자동으로 실시간 정보를 주고받을 수 있는 기기가 인간의 신체적 한계를 극복하는 데에 도움을 주기도 합니다. (ⓒ) 시각 장애가 있는 분들이 길을 쉽게 찾을 수 있도록 도움을 주는 안경이 있어요. 이 안경은 인터넷, 인공위성과 연결되어 시각 장애인 분들에게 음성으로 길을 알려 주거나 장애물을 피할 수 있도록 도와줍니다.

지금까지 초연결 사회의 장점으로 시간과 공간의 제약이 사라졌다는 점과 신체적 한계를 극복하게 해 준다는 점을 설명했습니다.

(ⓓ) 초연결 사회의 단점도 있어요. 무선 통신망으로 지나치게 많이 연결되어 있어서 개인 정보가 다른 사람들에게 쉽게 알려질 수 있거든요. 개인 정보가 다른 사람에게 흘러 나가면 범죄에 노출될 가능성이 커집니다. ㉤범죄로부터 안전하게 우리를 지키려면 어둡고 외진 곳에서 혼자 다니지 않아야 합니다. 또 낯선 사람을 함부로 따라가서도 안 돼요.

또, 컴퓨터나 스마트폰으로 다른 공간에 있는 사람들과 소통하느라, 내 앞에 있는 가족이나 친구들의 얼굴을 보고 대화를 나누는 시간이 점차 줄어드는 문제점도 있어요.

(ⓔ) 초연결 사회의 단점으로는 개인 정보가 흘러 나가 범죄에 노출될 가능성이 커진다는 점, 가족, 친구와 소통할 시간이 줄어든다는 점이 있습니다.

여러분은 미래 사회의 주인공입니다. 미래 사회는 지금보다 초연결 사회가 더 많이 확대될 것입니다. 초연결 사회의 특징을 잘 알고, 지혜롭게 행동한다면 더욱 편리하고 행복한 삶을 누릴 수 있을 것입니다.

10 〈보기〉는 (가)의 개요이다. 〈보기〉를 바탕으로 (가)를 썼을 때 적용된 점이 <u>아닌</u> 것은?

┤ 보기 ├

• 주제 : 인터넷에 지나치게 연결된 삶을 적절하게 연결된 삶으로 조절하자.
  I. 서론 : 인터넷 통신망으로 연결된 현실
    1. 과잉 연결 시대의 의미
    2. 과잉 연결 시대에 대한 문제 제기
  II. 본론 : 과잉 연결의 문제점과 대응 방안
    1. 범죄에 쉽게 노출될 수 있음.
      → 개인 정보 보호에 힘써야 함.
    2. 단편적이고 불완전한 정보가 많아짐
      → 비판적으로 정보를 선별하여 수용해야 함.
    3. 인간과 인간의 진정한 소통을 가로막음
      → 가족이나 친구들과 함께 있는 순간만큼은 연결을 끊어야 함.
  III. 결론 : 과잉 연결을 적절한 연결로 조절하는 지혜의 필요성

① '서론-1'에서는 부정적인 현실 상황을 제시하여 주장을 강하게 각인시키고 있다.
② '본론-1'에서는 구체적인 수치가 나와 있는 자료를 제시하여 근거의 신뢰성을 높였다.
③ '본론-2'에서는 인터넷 신문 기사로 보도되었던 내용을 활용하여 근거의 타당성을 높였다.
④ '본론-3'에서는 자신이 직접 겪은 사례를 제시하여 설득력을 높였다.
⑤ '결론'에서는 의문 형식으로 글을 맺음으로써 독자 스스로 결론을 이끌어 내도록 하고 있다.

11 ㉠~㉤을 고쳐 쓰기 위한 방안으로 가장 적절하지 <u>않은</u> 것은?

① ㉠ : 글의 흐름으로 볼 때, 바로 뒷문장과 순서를 바꾸는 게 더 자연스럽겠어.
② ㉡ : 사자성어의 쓰임이 잘못되었으므로 '과유불급(過猶不及)'으로 고쳐야겠어.
③ ㉢ : 처음 부분의 내용이 부족하므로 '초연결 사회를 살아가는 우리의 모습과 편리함', '초연결 사회의 개념'에 대한 내용을 첨가하는 것이 좋겠어.
④ ㉣ : 예상 독자인 초등학생의 지식 수준에 맞지 않으므로 '사물과 인터넷이 결합한'으로 고쳐야겠어.
⑤ ㉤ : 주제와 관련이 없어 통일성을 해치므로 삭제하는 것이 좋겠어.

12 (나)의 내용으로 보아 ⓐ~ⓔ에 들어갈 담화표지로 적절하지 <u>않은</u> 것은?

① ⓐ : 먼저   ② ⓑ : 그런데   ③ ⓒ : 예를 들면   ④ ⓓ : 하지만   ⑤ ⓔ : 이처럼

13 〈자료〉는 글을 쓰기 전에 개요를 작성한 것이다. 〈자료〉의 ㉠~㉤을 점검한 것에 대한 〈보기〉의 설명 중 적절한 것만을 있는 대로 고른 것은?

┤ 자료 ├

• 주제 : 초연결 사회의 특징 ··· ㉠

　처음 : 인터넷으로 연결된 현대 사회의 모습

　　　1. 초연결 사회를 살아가는 우리의 모습과 편리함

　　　2. 초연결 사회의 개념 ··· ㉡

　중간 : 초연결 사회의 특징

　　　중간 1 - 초연결 사회의 장점 ··· ㉢

　　　　　1. 시간과 공간의 한계 극복

　　　중간 2 - 초연결 사회의 단점

　　　　　1. 개인 정보 유출에 따른 범죄 노출

　　　　　2. 가족, 친구와의 소통 차단

　　　　　3. 초연결 사회가 세계 경제에 미치는 영향 ··················· ㉣

　끝 : 초연결 사회를 살아가는 우리의 자세

　　　초연결 사회의 특징을 잘 알고 활용하면 지혜롭게

　　　미래의 기술을 누릴 수 있음 ·· ㉤

┤ 보기 ├

㉠ : 글쓴이의 주장이나 의견이 드러나도록 주제를 잘 정한 것 같아.

㉡ : 초연결사회의 개념을 쉽게 이해시키기 위해 초연결 사회와 관련된 흥미로운 사례를 제시해야겠어.

㉢ : 초연결사회의 장점을 보완하기 위해 인간의 신체적 한계를 극복하는 데 도움을 준다는 내용을 첨가해야겠어.

㉣ : 주제에 벗어난 내용이므로 삭제하고 최근 발생한 자율주행 자동차의 사고를 근거로 자율주행자동차를 상용화하기에는 시기상조임을 제시해야겠어.

㉤ : 세계강대국들이 초연결 사회에 대비한 국가적 정책을 집중시키는 반면 여전히 이러한 변화의 중심에서 밀려있는 우리나라 정부 정책 담당자의 안일함에 대해 비판하는 내용으로 대체해야겠어.

① ㉠, ㉡　　　② ㉡, ㉢　　　③ ㉣, ㉤　　　④ ㉠, ㉢, ㉣　　　⑤ ㉡, ㉢, ㉤

14 (가)에 대한 설명으로 적절하지 않은 것은?

① 통계 자료와 실제 있었던 사례를 제시하여 근거의 신뢰성을 높이고 있다.

② 의문 형식으로 글을 맺음으로써 독자 스스로 결론을 이끌어 내도록 하고 있다.

③ 예상 독자가 실제로 접했음 직한 사례를 제시하여 흥미를 유발하고 있다.

④ 과잉연결시대가 발생하게 된 원인을 분석하고 이로 인해 발생한 문제 상황을 제시하고 있다.

⑤ 핵심주장과 이를 뒷받침하는 세부 주장이 있고 각각의 세부 주장을 뒷받침하는 근거가 서로 긴밀하게 연결되어 있다.

15 (가)를 쓰기 위해 〈보기〉의 자료를 수집하였다. 다음의 글쓰기 계획을 고려하여 〈보기〉 중 삭제해야 할 자료를 고른 것은?

> • 글쓰기 계획
> 주제 : '인터넷에 지나치게 연결된 삶을 적절하게 연결된 삶으로 조절하자.'라는 내용으로 써야겠어.
> 목적 : 지나치게 많은 연결로 생기는 문제점을 근거로 내세워서 주장하는 글을 써야겠어.
> 독자 : 글의 시작 부분에 고등학생이 경험했음 직한 사례를 들어서 공감을 이끌어 내야겠어. 또 고등학생
> 　　　이 일상생활에서 실천할 수 있는 내용을 주장해야지.
> 매체 : 인터넷 매체의 특성을 고려하여 글을 써야겠어.

┤ 보기 ├

자료1 : 텔레비전 뉴스
　최근 연쇄살인 사건과 탈옥 등 출처 불명의 괴소문이 인터넷을 통해 확산되면서, 주민들이 불안에 떨고 있습니다. 확인되지 않은 거짓말이 무차별적으로 퍼질 수 있는 '소셜 네트워크'의 부작용을 지적하는 목소리가 높습니다.
　지난해 붙잡힌 여중생 살해범 김길태가 교도소를 탈옥했고, 경남 통영과 울산에서도 연쇄 살인사건이 났다는 거짓 소문이 인터넷에 확산돼 경찰이 해명하느라 진땀을 뺐습니다.
　경찰은 유언비어 확산을 막기 위해 괴소문의 유포 경로를 파악하고 있습니다.

－〈kbs 뉴스〉, 2017. 08. 12 －

자료 2. 개인정보 침해 건수

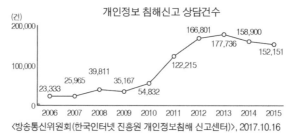

개인정보 침해신고 상담건수
〈방송통신위원회(한국인터넷 진흥원 개인정보침해 신고센터)〉, 2017.10.16

자료 3. 텔레비전 뉴스
　집 안 곳곳에 달린 센서가 위기를 감지하여 즉시 의료기관에 구조 요청을 해 줍니다.

－〈이비에스(EBS)〉, 2014. 10. 29. －

자료 4. 책
　사생활 침해는 인터넷 시대에 겪게 되는 가장 대표적인 골칫거리라 할 수 있다. (중략) 이와 함께 정보의 안전성을 보장했던 물리적 제한 또한 사라졌다.

－ 윌리엄 데이비도우, 「과잉 연결 시대」 －

자료 5 : 신문 사설
　모든 것이 초연결 되고 초지능화된 사회인 '4차 혁명시대'가 가능하기 위해서 전제되어야 할 것은 '데이터의 민주화'이다. 데이터의 민주화란 정부와 민간이 보유한 다양한 데이터를 안전하게 공유하고 교환하는 시스템이다.
　그러나 우리나라는 정부의 관련법 제도 미비, 기업의 데이터 이기주의, 시민단체의 프라이버시 침해 반발 등으로 데이터 민주화가 시행되기 어려운 환경에 처해 있다.

－〈아주 경제〉, 2017. 05. 30. －

① 자료 1, 자료 2　　　　② 자료 1, 자료 4　　　　③ 자료 2, 자료 5
④ 자료 3, 자료 4　　　　⑤ 자료 3, 자료 5

(가) 초등학교 과학 동아리에서 활동했던 윤서는 초등학교 때 선생님으로부터 동아리 소식지에 실을 글을 써 달라는 부탁을 받았다.

여러분은 '초연결 사회'라는 말을 들어 본 적 있나요? 평소 심장병을 앓던 사람이 심장 마비를 일으켰어요. 그런데 그 사람이 차고 있던 시계가 가까운 병원에 그 사실을 바로 알려 주어, 곧바로 응급 치료를 받고 살 수 있었습니다. 이렇게 무선 통신망으로 인간과 인간, 인간과 사물이 연결된 오늘날의 사회를 '초연결 사회'라고 해요. 그럼 우리가 살고 있는 초연결 사회는 어떤 특징이 있을까요?

먼저 초연결 사회의 장점으로 시간과 공간의 제약이 사라졌다는 점을 꼽을 수 있어요. 과거에는 학교에서 선생님을 직접 만나야만 수업을 들을 수 있었지만, 지금은 무선 통신망을 이용하여 언제 어디서나 쉽게 수업을 들을 수 있습니다.

또 감지 장치와 통신 회로를 장착한 사물이 인간의 개입 없이 자동으로 실시간 정보를 주고받을 수 있는 기기가 인간의 신체적 한계를 극복하는 데에 도움을 주기도 합니다. 예를 들면 시각 장애가 있는 분들이 길을 쉽게 찾을 수 있도록 도움을 주는 안경이 있어요. 이 안경은 인터넷, 인공위성과 연결되어 시각 장애인 분들에게 음성으로 길을 알려 주거나 장애물을 피할 수 있도록 도와줍니다.

지금까지 초연결 사회의 장점으로 시간과 공간의 제약이 사라졌다는 점과 신체적 한계를 극복하게 해 준다는 점을 설명했습니다.

하지만 초연결 사회의 단점도 있어요. 사회가 무선 통신망으로 지나치게 많이 연결되어 있어서 개인 정보가 다른 사람들에게 쉽게 알려질 수 있거든요. 개인 정보가 다른 사람에게 흘러 나가면 범죄에 노출될 가능성이 커집니다.

또 컴퓨터나 스마트폰으로 다른 공간에 있는 사람들과 소통하느라, 내 앞에 있는 가족이나 친구들의 얼굴을 보고 대화를 나누는 시간이 점차 줄어드는 문제점도 있어요.

이처럼 초연결 사회의 단점으로는 개인 정보가 흘러 나가 범죄에 노출될 가능성이 커진다는 점, 가족, 친구와 소통할 시간이 줄어든다는 점이 있습니다.

여러분은 미래 사회의 주인공입니다. 미래 사회는 지금보다 초연결 사회가 더 많이 확대될 것입니다. 초연결 사회의 특징을 잘 알고, 지혜롭게 행동한다면 더욱 편리하고 행복한 삶을 누릴 수 있을 것입니다.

(나) 학교 논술 동아리에서 활동하고 있는 선유는 학교 누리집에 게시할 글을 쓰려고 한다.

인터넷 통신망으로 연결된 우리 삶은 더욱 풍요로워지고 있다. 이에 따라 과거에는 인간의 힘으로 할 수 없었던 수많은 일을 손쉽게 해내고 있다. 하지만 오늘날을 지나치게 연결된 '과잉 연결 시대'라고 규정하면서 그 부작용을 우려하는 목소리도 커지고 있다. 따라서 과잉 연결로 인한 문제점을 살펴보고, 그 문제에 대응하는 방안을 주장하고자 한다.

먼저, 과잉 연결 사회에서는 우리의 삶이 범죄에 쉽게 노출될 수 있다. 경찰청 사이버안전국의 통계를 보면 2004년 77,099건이던 인터넷 관련 범죄가 2013년 155,366건으로 10년간 약 2배나 증가한 것을 알 수 있다. 또한, 한국인터넷진흥원의 개인정보침해신고센터 접수 자료에 따르면 2006년 23,333건이던 개인 정보 침해 상담 건수가 2015년에는 152,151건으로 약 6배 이상 증가하였다. 이는 정보 통신 기술이 발달하는 추세와 비례한다. 이러한 문제점을 예방하려면 우선 주민 등록 번호나 비밀번호 등의 개인 정보는 인터넷에 함부로 올리지 않아야 한다. 그리고 사생활이 담긴 사진이나 개인 기록 등은 반드시 공개 범위를 설정해 놓음으로써 정보가 마구 흘러 나가는 일이 없도록 주의해야 할 것이다.

다음으로 과잉 연결 사회는 우리를 단편적이고 불완전한 정보의 홍수에 빠지게 한다. '낯선 사람이 마른 해산물의 냄새를 맡게 한다. 그 냄새를 맡으면 바로 정신을 잃게 되니 절대로 맡아서는 안 된다.' 이 이야기는 실제로 몇 년 전 누리 소통망을 뜨겁게 달구었던 괴담이다. 물론 이 이야기는 사실무근임이 밝혀졌다. 어디서부터 시작된 이야기인지, 실제로 경험한 이야기인지 확인되지 않은 채 인터넷 세계를 떠돌아다니면서 사회적 혼란을 일으킨 사례라고 할 수 있다. 이처럼 인터넷상에서는 왜곡된 정보가 통신망을 타고 확대, 재생산되기도 한다. 그에 따른 혼란은 고스란히 개인이 감내해야 할 몫이다. 따라서 인터넷에서 얻은 정보는 반드시 정확하고 신뢰할 만한 것인지 비판적으로 판단하여 수용하는 자세를 지녀야 한다.

마지막으로 과잉 연결 사회는 인간과 인간 사이의 진정한 소통을 가로막는다. 나는 얼마 전 아파트 이웃들과 엘리베이터를 탄 적이 있다. 모두가 좁은 엘리베이터 안에서 각자의 휴대 전화를 들여다볼 뿐 침묵이 이어졌다. 사람들은 순서대로 엘리베이터에서 내렸지만 누가 어디 사는지, 어떤 이웃인지 전혀 관심을 두지 않았다. 거미줄처럼 연결된 인터넷 통신망에 빠져 현실 세계의 인간관계를 잃어 가는 모습이다. 이웃이나 친구, 가족과 함께 있는 순간만큼은 인터넷연결을 끊어보자. 그러면 비로소 나와 가까운 사람들과 진정한 소통이 이루어질 수 있을 것이다.

과잉 연결 시대를 살아가는 우리는 위험하고, 혼란스럽고, 외롭다. 이렇게 많은 문제점이 있음에도 모든 연결을 끊는 것은 어렵다. 따라서 '과잉 연결'을 '적절한 연결'로 조절하는 지혜가 필요하다.

16 (가)에 대한 설명으로 가장 거리가 <u>먼</u> 것은?

① 질문 형식으로 글을 전개함으로써 독자의 관심을 유도하고 있다.
② 개념에 대한 정의를 통해 단어의 의미를 명확하게 제시하고 있다.
③ 글의 내용과 관련된 구체적인 사례를 쉬운 용어를 사용하여 내용을 전개하고 있다.
④ 독자의 수준을 고려하기 위해 쉬운 용어를 사용하여 내용을 전개하고 있다.
⑤ 주제에서 벗어나는 문장이 없도록 글의 내용을 통일성 있게 구성하고 있다.

17 (가)와 (나)의 공통점으로 알맞은 것은?

① 통계 자료의 구체적 수치를 제시하여 자료의 신뢰성을 높이고 있다.
② 앞에서 제시한 내용을 요약·정리하며 짜임새 있게 글을 전개하고 있다.
③ 담화 표지를 효과적으로 사용하여 앞으로 전개될 내용의 방향을 안내하고 있다.
④ 글쓴이가 직접 경험한 구체적인 사례를 들어서 독자들의 호기심을 불러일으킨다.
⑤ 특정 전문가의 말을 인용하여 근거의 타당성을 높이면서 객관성을 확보하고 있다.

18 (가)와 〈보기〉를 비교하여 설명한 내용으로 알맞지 않은 것은?

┌─ 보기 ┠─────────────────────────────────────

윤서의 자료 수집

[자료 1] : 인터넷 사전에서 초연결 사회의 개념을 조사함

[자료 2] : 기업 보고서를 통해 독일 스마트 산업의 내용과 시사점을 조사함

[자료 3] : 책을 통해 스마트 기기가 인간의 신체적 변화까지 감지함을 조사함

[자료 4] : 신문 사설을 통해 스마트폰이 타인과의 소통을 방해함을 조사함

윤서의 개요

주제 : 초연결 사회의 특징

처음 : 인터넷으로 연결된 현대 사회의 모습

     1. 초연결 사회를 살아가는 우리의 모습과 편리함

     2. 초연결 사회의 개념

중간 : 초연결 사회의 특징

   중간 1 - 초연결 사회의 장점

       1. 시간과 공간의 한계 극복

   중간 2 - 초연결 사회의 단점

       1. 개인 정보 유출에 따른 범죄 노출

       2. 가족, 친구와의 소통 차단

       3. 초연결 사회가 세계 경제에 미치는 영향

   끝 : 초연결 사회를 살아가는 우리의 자세

───

① '처음 1'에는 독자들이 흥미롭게 여길만한 예를 들어 '초연결 사회의 모습'을 설명하였다.

② '처음 2'에는 [자료 1]의 내용을 토대로 '초연결 사회'의 의미에 대해 정리하였다.

③ '중간 1-1' 뒤에는 내용의 균형을 맞추기 위해 [자료 3]을 토대로 '인간의 신체적 한계 극복'을 추가하였다.

④ '중간 2-2'는 [자료 4]를 참고하여 초연결 사회의 소통의 부재에 대한 문제점을 지적하고 있다.

⑤ '중간 2-3'은 중간2의 내용에 맞지 않아 '처음 3'으로 옮겨 새롭게 내용을 전개하였다.

19 다음 인터넷 기사에 대한 설명으로 옳지 <u>않은</u> 것은?

[인터넷 기사 내용]
사재기 의혹 가수○○, 회사만의 역량이다 "뜨면 안 돼"

　가수 ○○ 역주행이 의문스러움을 자아내고 있다. 지난해 10월 공개된 ○○의 곡 '바라보다'가 오늘(12일) 새벽 갑작스런 음원 상승세를 보여 SNS를 통해 사재기 의혹 등 부정행위에 대한 의혹이 쏟아지고 있다. 특히 한 네티즌(ks***)은 "양심이 있다면 가짜 인기 좀 버리세요. 뭐하는 짓입니까? 그렇게 대놓고 편법 써서 이겨 먹으려고 하니 좋으세요?" 라며 다소 날카로운 어투로 ○○에 대한 비판성 댓글을 달아 눈길을 끌기도 했다.

　○○는 데뷔 이후부터 '나만 알고 싶은 가수'로 불리며 독특하고 개성 있는 음악을 꾸준히 이어왔으나 특별히 주목받지는 못했다. 그러다가 회사를 옮긴 후 갑자기 음원 역주행을 시작한 것이다. 이에 ○○ 측 관계자는 "우리 회사만의 역량이다"라며 말한 후로는 더 이상의 해명이 없다. '회사만의 역량'이라는 말은 음원 차트 역주행을 하는데 회사가 어떤 식으로든 손을 썼다는 것을 인정하는 것이나 마찬가지이다.
한편 ○○는 자신의 개인 계정에 "놉, 뜨면 안 돼. 나만 알 거야."라는 팬의 말을 캡처한 뒤 "자주 보게 되는 말, 좋은 거겠지? 고마워요."라고 답해 눈길을 끈 바 있다.

[ㅁㅁ일보 심△△ 기자]

[기사에 대한 댓글]
ㄴ le3**) "뻔뻔함의 대명사다"
ㄴ s72****) "소속사 파워가 대단하구만."

① 기사에서 소개된 네티즌 'ks****'는 확인되지 않은 사실을 사실인 것처럼 악성 댓글을 달아 쓰기 윤리를 위반하고 있다.
② 기사의 논점과는 무관한 '뜨면 안 돼'라는 말을 제목에 교묘하게 이어 써서 오해의 소재를 만들고 있다.
③ 논란 내용을 기정사실화하는 악의적인 내용의 댓글로 인해 정신적 고통을 겪는 사람들이 생길 수 있다.
④ 더 큰 인상을 이끌어 내기 위해 네티즌 의견을 거짓되게 과장하여 글 전체의 신뢰성을 떨어뜨리고 있다.
⑤ 사실 관계가 확인되지 않았음에도 '회사의 역량이다'라는 말을 사재기를 인정하는 말처럼 해석하여 추측성 기사를 쓰고 있다.

서술형 심화문제

[01~03] 다음 글을 읽고 물음에 답하시오.

라면이 국수나 우동과 다른 점은 면을 한 번 튀겨서 익혔다는 것이다. 그래서 끓이지 않고도 먹을 수 있고, 끓여서 먹더라도 금방 익혀 먹을 수 있다. 심지어 컵라면은 지속적으로 끓일 필요도 없고 단지 끓는 물을 붓기만 해도 먹을 수 있다. 그런데 왜 하필 3분을 기다려야 하는 걸까? 1분 만에, 아니 끓는 물을 붓자마자 먹을 수 있으면 좀 좋아? 컵라면을 먹을 때마다 3분이 얼마나 긴 시간인지를 새삼 깨닫는다.

컵라면의 면발은 봉지 라면에 비해 더 가늘거나 납작하다. 면발의 표면적을 넓혀 뜨거운 물에 더 많이 닿게 하기 위해서다. 그리고 컵라면의 면을 꺼내 보면 위쪽은 면이 꽉 짜여 빽빽하지만, 아래쪽은 면이 성글게 엉켜 있다. 이는 중량을 줄이기 위해서가 아니고 따뜻한 물은 위로, 차가운 물은 아래로 내려가는 대류 현상 때문이다. 컵라면 용기에 물을 부으면 위쪽보다는 아래쪽이 덜 식는다. 따라서 뜨거운 물이 위로 올라가려고 하는데 이때 면이 아래쪽부터 빽빽하게 들어차 있으면 물의 대류 현상에 방해가 된다. 위아래의 밀집도가 다른 컵라면의 면발 형태는 뜨거운 물의 대류 현상을 원활하게 하여 물을 계속 끓이지 않아도 면이 고르게 익도록 하는 과학의 산물이다.

컵라면 면발에는 화학적 비밀도 있다. 봉지 라면과 비교했을 때 컵라면 면발에는 밀가루 그 자체보다 정제된 전분이 더 많이 들어가 있다. 라면은 밀가루로 만든 면을 기름에 튀겨 전분을 알파화한 것이다. 하지만 밀가루에는 전분 외에 단백질을 포함한 다른 성분도 들어 있다. 면에 이런 성분을 빼고 순수한 전분의 비율을 높이면 그만큼 알파화가 많이 일어나므로, 뜨거운 물을 부었을 때 복원되는 시간도 빨라진다. 전분을 많이 넣을수록 면이 불어나는 시간이 빨라져 더 빨리 먹을 수 있게 되는 것이다. 3분이 아니라 1분 만에 익는 컵라면도 만들 수 있다는 말이다. 하지만 전분이 너무 많이 들어가면 면발이 익는 시간이 빨라지는 만큼 불어 터지는 속도도 빨라져 컵라면을 다 먹기도 전에 곤죽이 되고 만다. 시중에 나와 있는 컵라면들이 대부분 '끓는 물에 3분'을 기다리도록 제조된 까닭이 바로 이 때문이다. 컵라면의 '3분'은 절묘한 균형 감각하에 탄생한 마법의 시간인 셈이다.

01 컵라면 면발의 위아래 밀집도를 다르게 만든 이유를 본문에서 찾아서 서술하시오.

02 컵라면이 끓는 물에 3분을 기다리도록 제조된 이유를 〈조건〉에 맞춰 서술하시오.

> ┤ 조건 ├
> • '~하면 ~하기 때문이다.'의 형식에 맞춰 쓰시오.

03 이와 같은 글을 쓰는 과정을 다섯 단계로 구분하여 쓰시오.

[04~05] 다음 글을 읽고 물음에 답하시오.

스마트폰족을 위한 교통 표지판 등장

제가 사는 ○○시에 보행 중 스마트폰 사용의 위험을 알리는 교통안전 표지 및 보도 부착물이 설치되었습니다. 보행 중 스마트폰을 사용하는 사람이 자동차와 맞닥뜨리는 위험한 상황을 한눈에 알아볼 수 있도록 다음과 같이 형상화했습니다.

보행 중 스마트폰 주의

이와 같은 표지판이 설치된 곳은 스마트폰 주 사용층인 10~30대 보행자가 많고 교통사고가 잦은 △△역 등 다섯 곳입니다.

수많은 사람이 사용하는 스마트폰, 이제는 생활필수품이 된 지 오래죠. 특히 우리나라는 스마트폰 보급률이 67.6퍼센트로 세계 1위입니다. 스마트폰 하나로 인터넷 검색은 물론 에스엔에스(SNS) 이용, 은행 업무까지 거의 모든 것이 가능한 세상입니다. 스마트폰을 제3의 손이라고 해도 과언이 아니겠죠? 사정이 이렇다 보니 요즘은 스마트폰을 사용하며 걷는 사람들을 어렵지 않게 볼 수 있습니다.

하지만 이러한 잘못된 보행 습관은 자칫 교통사고로 이어질 수 있습니다. 교통안전공단에서 2013년에 실시한 설문 조사에 따르면 조사 대상 1,616명 중 95.7퍼센트가 보행 중 스마트폰을 1회 이상 사용한다고 답했고, 5명 중 한 명은 보행 중에 스마트폰을 사용하다가 사고가 날 뻔한 경험이 있는 것으로 나타났습니다. '보행자가 휴대 전화 통화를 하느라 빨간 신호등을 못 본 채 횡단보도를 건너다 교통사고를 당했다면 100퍼센트 보행자 책임'이라는 법원의 판결도 있었습니다. 통상 횡단보도 사고는 운전자의 과실 책임을 인정해 왔었는데요, 이례적으로 보행자에게 100퍼센트 과실이 있다고 판단한 거죠.(http://www.ts2020.kr 교통안전 공단 누리집 참조함.)

다른 나라에서도 사고 예방 대책을 속속 내놓고 있습니다. 스웨덴에서는 보행 중 스마트폰 사용을 금지하는 도로 표지판이 등장했고요, 벨기에에서는 스마트폰 사용자를 위한 전용 도로를 만들어 보행자 간 충돌을 방지한다고 합니다.

▲ 스웨덴의 보행 중 스마트폰 사용 주의 표지판   ▲ 벨기에의 스마트폰 사용자 전용 도로

보행 중에 스마트폰을 사용하면 사고 인식률이 떨어지고 시야의 각도가 현저히 좁아집니다. 최근 발생한 교통사고의 대부분이 보행 중 스마트폰 사용 때문인 것만 봐도 그것이 얼마나 위험한 행동인지 알 수 있습니다. 보행 중 스마트폰 사용을 자제하거나 안전한 장소에서만 사용하는 등 기본적인 것을 지키는 습관을 가져야겠습니다.(교통안전 표지 및 보도 부착물, 스웨덴과 벨기에의 사례 사진은 ○○시 누리집에서 가져옴.)

> **댓글 8 공감 20**
>
> **종달새** 비슷한 주제로 수행 평가 중이었는데, 좋은 정보 감사해요. ^^
> ┗ **안전 지킴이** 교통안전 공단 블로그인 '교통안전 연구소'에 관련 정보가 더 많이 있어요.
>
> **소울** 제 주변에도 스마트폰을 사용하면서 걷다가 크고 작은 사고를 당한 사람이 많더라고요. 정부 차원의 대책을 적극적으로 생각해 봐야 하지 않을까요?
> ┗ **윤주 엄마** 교통 표지판 설치와 홍보만으로는 한계가 있습니다. 미국의 몇몇 주에서는 최소 50달러의 범칙금을 부과한다고 하네요.
>
> **사막여우** 진짜로 최근 발생한 교통사고 대부분이 스마트폰 사용 때문인가요?
> ┗ **비틀비틀** 찾아보니 2015년 기준으로 전체 교통사고 23만 2,035건 중에 스마트폰 관련 사고는 1,360건밖에 안 됨. 잘 알지도 못하면서 여기저기서 내용을 긁어서 글을 쓰다니 한심하네. 쯧쯧.
> ┗ **안전 지킴이** 자료 조사 과정에서 착오가 있었던 것 같아요. 곧 수정하겠습니다.
>
> **몸비** 스마트폰 보급률 그래프는 출처가 어디인가요? 믿을 만한 통계 자료인가요?

04 윗글에 나타난 인터넷 글쓰기의 특성을 모두 서술하시오.

05 윗글에서 댓글을 포함하여 책임감 있게 글을 쓰지 못한 부분을 찾아 모두 서술하시오.

세상을 바꾸는 토론

토론의 이해

1. 다음 활동을 하며 정책 토론의 논제와 필수 쟁점을 알아보자.

민주주의 사회는 국민이 정치에 참여할 권리를 보장한다. 그러한 권리를 참정권이라 하는데, 이는 기본적으로
_{참정권의 의미}
'선거'로 실현된다. 선거는 사회 집단의 대표자나 공직자를 선출하여 그들에게 대표성을 부여하는 행위이다. 그러므
_{참정권을 실현하는 방법}
로 높은 투표율은 민주주의의 정당성 확보와 깊은 관련이 있다.
_{투표율이 높을수록 선출된 사람의 대표성도 커짐}

선거 투표 제도에는 투표권 행사를 투표자의 자유의사에 맡기는 '자유 투표제'와 투표권 행사를 국민의 의무로 간
_{자유 투표제의 핵심}   _{선거 투표 제도의 종류 ①}
주하고 정당한 사유 없이 기권하면 법적 제재를 가하는 '의무 투표제'가 있다. 우리나라는 자유 투표제를 채택하고 있
_{의무 투표제의 특징}   _{선거 투표 제도의 종류 ②}
는데, 최근 치른 선거의 평균 투표율이 50퍼센트대로 나타났다. 경제 개발 협력 기구(OECD) 회원국 평균이 70퍼센
_{OECD 회원국 평균보다 낮음 : 문제 상황}
트대인 것을 생각하면 매우 낮은 수치라 할 수 있다. 이러한 상황이 지속되자 의무 투표제를 도입해야 한다는 의견이
_{토론이 필요한 상황 : 의무 투표제 도입에 대한 찬반 입장}
제시되었고, 자유 투표제가 민주주의의 원칙에 맞으므로 이를 유지해야 한다는 의견과 대립하고 있다.

의무 투표제를 도입하자는 측은 낮은 투표율로 투표 결과의 정당성을 확보하지 못하는 문제가 매우 심각하다고 주
_{찬성 측의 주장}   _{의무 투표제 도입 찬성의 이유 ① : 문제의 심각성}
장한다. 또 의무 투표제의 강제성과 법적 제재가 투표율을 높이므로 투표율이 낮아서 발생하는 문제를 해결할 수 있
_{의무 투표제 도입 찬성의 이유 ② : 문제의 해결 가능성}
다고 본다. 그리고 국민 대부분이 투표에 참여하게 되면 정치인들이 모든 계층의 지지를 받기 위해 정책 경쟁력을 높
_{의무 투표제 도입 찬성의 이유 ③ : 효과 및 이익}
이려 할 것이므로 정치 소외 계층에 더욱 관심을 쏟는 효과가 있을 것이라고 이야기한다.

반면 의무 투표제에 반대하는 측은 현재 우리나라의 투표율이 정치 지도자들의 대표성을 훼손할 만큼 심각한 상황
_{반대 측의 주장}   _{의무 투표제 도입 반대의 이유 ① : 찬성 측 첫 번째 이유에 대한 반박}
은 아니라고 주장한다. 또 투표율을 높이는 것보다 국민의 신뢰를 회복하는 것이 더 중요하고, 시민 교육이나 모의
_{의무 투표제 도입 반대의 이유 ② : 찬성 측 두 번째 이유에 대한 반박}
투표 교육 프로그램으로도 투표율 상승을 기대할 수 있다며 의무 투표제의 도입만이 투표율이나 정치적 관심을 높이
는 해결 방안은 아니라고 이야기한다. 그리고 의무 투표제를 도입하면, 선출된 정치인들이 높은 투표율을 핑계로 안
_{의무 투표제 도입 반대의 이유 ③ : 찬성 측 세 번째 이유에 대한 반박}
하무인의 태도를 갖는 부작용이 생긴다든가 후보자를 잘 모르는 상태에서 투표하는 일이 발생하여 국민의 뜻이 오히
려 왜곡될 수 있다며 우려의 목소리를 내고 있다.

⊙ 핵심정리

갈래	설명문
성격	대조적
주제	컵라면에 숨어 있는 과학적 원리
특징	• 의무 투표제 도입에 대한 찬성 측과 반대 측의 주장 및 이유를 제시함. • 필수 쟁점에 따라 찬반 양측의 주장을 대조함.

(1) 이 글에 나타난 우리 사회의 문제와 그 문제와 관련한 두 가지 입장을 정리해 보자.

| 예시 답안 |
- 우리 사회의 문제: 참정권을 실현하는 대표적 행위인 선거 투표 제도에 참여하는 비율이 낮아 투표 결과의 정당성이 약해지고 민주주의의 가치가 훼손되는 문제
- 문제와 관련한 두 가지 입장

민주주의의 정당성 확보를 위해 의무 투표제를 도입하자.	↔	민주주의의 원칙에 맞는 자유 투표제를 그대로 유지하자.

(2) 정책 논제의 조건과 이 글에 제시된 문제점을 고려하여 정책 토론을 위한 논제를 만들어 보자.

〈정책 논제의 조건〉
- 기존 질서나 상태를 변화하려는 요구를 담은 진술이어야 한다.
- 찬성과 반대의 대립이 뚜렷한 하나의 주장만을 담은 진술이어야 한다.
- 찬성이나 반대 중 어느 쪽으로도 유리하지 않게 중립적인 내용을 담은 진술이어야 한다.

| 예시 답안 | • 논제: 우리나라도 의무 투표제를 도입해야 한다(실시해야 한다).

(3) 의무 투표제에 찬성하는 측과 반대하는 측의 주장을 필수 쟁점에 따라 정리해 보자.

| 예시 답안 |

찬성		필수 쟁점		반대
낮은 투표율로 투표 결과의 정당성을 확보하지 못하는 문제가 매우 심각하다.	—	발생한 문제가 심각한가?	—	현재 우리나라의 투표율이 정치 지도자들의 대표성을 훼손할 만큼 심각하지 않다.
의무 투표제는 투표율을 높이는 가장 확실한 방법이다.	—	문제의 해결이 가능한가?	—	의무 투표제의 도입만이 투표율이나 정치적 관심을 높이는 해결 방안은 아니다.
정치적인 소외 계층에 대한 정치인들의 관심을 이끌어 내는 효과가 있다.	—	개선 효과 및 이익이 있는가?	—	선출된 정치인들이 높은 투표율을 핑계로 안하무인의 태도를 갖는 등 부작용이 우려된다.

■ **알아 두기 – 필수 쟁점**

• **필수 쟁점의 개념**: 논제와 관련하여 반드시 언급해야 하는 쟁점을 말한다. 필수 쟁점별로 논증을 구성하면 토론 내용을 체계적으로 마련할 수 있다.

• **정책 논제의 필수 쟁점**

문제의 심각성	• 반드시 해결해야 하는 중요한 문제인가? • 문제로 발생한 피해가 심각한가?
문제의 해결 및 실행 가능성	• 제시한 해결 방안이 문제를 해결할 수 있는가? • 제시한 해결 방안이 현실적으로 실행 가능한가?
효과 및 이익	• 제시한 해결 방안이 사회에 긍정적인 효과를 가져오는가? • 정책 시행 때문에 발생한 비용이나 부작용보다 이익이 큰가?

확인학습 ······

01 이 글은 정치인, 행정 관료에 의해 의사결정이 이루어지면서 시민들의 의견이 왜곡되는 문제를 다루고 있다.
○ □ × □

02 이 글은 낮은 투표율로 인해 투표 결과의 정당성이 약해지고 민주주의의 가치가 훼손되는 문제를 다루고 있다.
○ □ × □

03 이 글은 시민들을 대상으로 한 민주주의 교육이 부재한 상황에서 정치적 선동에 의해 투표권을 행사하는 문제를 다루고 있다.
○ □ × □

04 이 글은 정책논제를 다루려는 글이다.
○ □ × □

05 이 글은 의무 투표제 도입을 주장하는 전문가의 견해를 직접 인용하여 설득력을 높이고 있다.
○ □ × □

06 이 글은 우리나라 투표율과 다른 나라 투표율을 비교할 수 있는 수치를 제시하였다.
○ □ × □

2. 찬성 측의 첫 번째 입론을 살펴보고, 논증을 구성하는 과정을 알아보자.

투표는 민주 시민의 소중한 권리입니다. 그런데 우리나라의 평균 투표율은 경제 개발 협력 기구(OECD) 회원국 평
_{의무 투표제를 도입하자는 주장이 제기된 배경}
균에 비해 턱없이 낮습니다. 이런 상황을 개선하기 위해 우리나라도 '의무 투표제'를 시행해야 한다고 주장하는 사람

이 많아지고 있습니다. 의무 투표제란 유권자가 의무적으로 투표에 참여하도록 하는 제도로, 투표 불참자에게는 벌
_{의무 투표제의 정의} _{의무 투표제의 강제성}
금을 부과하거나 투표권을 박탈하는 등의 제재를 가합니다. 저희는 이러한 의무 투표제 도입에 찬성합니다.

그 이유는 첫째, 우리나라는 투표율이 낮아 투표 결과의 정당성을 충분히 확보하지 못하고 있기 때문입니다. (실제로
_{의무 투표제 도입 찬성의 이유 ①} _{( ) : 찬성의 이유 ①에 대한 근거}
18, 19, 20대 총선의 투표율은 46.1, 54.2, 58.0퍼센트였습니다. 유권자 10명 중 4명 이상이 자신의 권리를 포기한 것

이므로 선출된 정치인들이 국민의 대표로서 정당성을 얻었다고 보기 어렵습니다.) 이는 국가의 의사 결정에 국민 모두
_{낮은 투표율로 인한 결과}
의 의견을 반영하지 못하는 심각한 상황을 초래합니다.

둘째, 의무 투표제는 현실적으로 투표율을 증가시킬 수 있는 가장 확실한 제도입니다. 벨기에는 1893년 의무 투표
_{의무 투표제 도입 찬성의 이유 ②}
제를 도입하여 30~40퍼센트였던 투표율을 90퍼센트대로 높였습니다. 호주는 2000년부터 2009년까지 십 년간 평
_{의무 투표제를 도입한 외국의 사례 : 찬성의 이유 ②에 대한 근거 ①}
균 투표율이 94.8퍼센트로 경제 개발 협력 기구(OECD) 회원국 중에서 1위를 기록했습니다. 호주에서는 정당한 사유

없이 투표를 하지 않으면 20호주 달러의 벌금을 부과하고 있습니다. 이렇게 벌금 등의 불이익을 제도화하여 투표를
_{투표율을 높일 수 있는 방안 : 찬성의 이유 ②에 대한 근거 ②}
독려하고, 사전 투표나 전자 투표 등을 확대한다면 투표를 하지 못하는 불가피한 상황에 처한 사람들도 투표에 쉽게

참여할 수 있습니다.

셋째, 의무 투표제는 국민의 정치적 관심을 높여 객관적이고 공정한 정책으로 대결하는 선거 문화를 만듭니다. 미
_{의무 투표제 도입 찬성의 이유 ③}
국의 정치학자 아런트 레이파르트는 자신이 쓴 「불평등 참여」라는 글에서 의무 투표제를 실시하면 투표 참여에 소극
_{전문가의 견해를 인용해 설득력을 높임}
적이던 저소득층을 투표장으로 유인하여 그들의 정치적 영향력을 증대하는 부수적인 효과가 있다고 밝혔습니다.

이처럼 의무 투표제는 사회적으로 효과가 큰 제도이므로 반드시 시행해야 합니다.
_{찬성 측의 주장}

(1) 논제의 등장 배경과 용어의 개념을 정리해 보자.

| 예시 답안 |

논제의 등장 배경	우리나라의 평균 투표율은 경제 협력 개발 기구(OECD) 회원국 평균에 비해 턱없이 낮아 민주 시민의 권리를 제대로 행사하지 못함.
용어의 개념	의무 투표제: 유권자가 의무적으로 투표에 참여하도록 하는 제도로, 투표 불참자에게는 벌금을 부과하거나 투표권을 박탈하는 등의 제재를 가하는 제도

(2) 찬성 측의 논증 구조를 필수 쟁점에 따라 정리해 보자.

| 예시 답안 |

주장: 의무 투표제 도입에 찬성한다.

쟁점 / 논증	문제의 심각성	문제의 해결 및 실행 가능성	효과 및 이익
이유	투표율이 낮으면 투표 결과의 정당성을 충분히 확보할 수 없다.	현실적으로 투표율을 증가시킬 수 있는 가장 확실한 제도이다.	의무 투표제는 국민의 정치적 관심을 높여 객관적이고 공정한 정책으로 대결하는 선거 문화를 만든다.
근거	18, 19, 20대 총선의 투표율은 46.1, 54.2, 58퍼센트였다. 유권자 10명 중 4명 이상이 자신의 권리를 포기한 것이므로 선출된 정치인들이 국민대표로서 정당성을 얻었다고 보기 어렵다.	• 벨기에는 1893년 의무 투표제를 도입하여 30~40퍼센트였던 투표율을 90퍼센트대로 높였다. 정당한 사유 없이 투표를 하지 않으면 벌금을 부과하는 호주는 2000년부터 2009년까지 십 년간 평균 투표율이 94.8퍼센트를 기록했다. • 불이익을 제도화하여 투표를 독려하고 사전 투표나 전자 투표를 확대하면 쉽게 투표에 참여할 수 있다.	미국의 정치학자 아런트 레이파르트는 자신이 쓴「불평등 참여」라는 글에서 의무 투표제를 실시하면 투표 참여에 소극적이던 저소득층을 투표장으로 유인하여 그들의 정치적 영향력을 증대하는 부수적인 효과가 있다고 밝혔다.

확인학습 ···

01 이 글에서 찬성측은 낮은 투표율로 인해 투표 결과의 정당성이 확보되지 못하고 있기 때문에 의무 투표제를 도입해야 한다고 주장한다.　　　　　　　　　　　　　　　　　　　　　　　○□ ×□

02 이 글에서 찬성측은 우리나라 평균 투표율은 경제 협력 개발 기구 회원국 평균에 비해 매우 낮기 때문에 의무 투표제 도입을 찬성하고 있다.　　　　　　　　　　　　　　　　　　　　○□ ×□

03 이 글에서 찬성측은 의무 투표제를 주장하는 사람이 자유 투표제를 주장하는 사람보다 많아져 여론의 요구가 거세기 때문에 의무 투표제를 도입해야 한다고 주장한다.　　　　　　　　○□ ×□

04 이 글에서 찬성측은 의무 투표제를 도입한 나라들의 투표율을 구체적인 수치로 제시하여 자신들의 주장을 강화하였다.　　　　　　　　　　　　　　　　　　　　　　　　　　○□ ×□

05 이 글에서 찬성측은 독자나 청중의 이해를 돕기 위해서 비유적인 표현을 사용해서 주장을 강조하며 글을 마무리하였다.　　　　　　　　　　　　　　　　　　　　　　　　○□ ×□

(3) 다음은 이 토론의 반대 측 입론이다. 필수 쟁점에 따라 논증 구조를 정리해 보자.

저희는 <u>의무 투표제를 도입하자는 의견에 반대합니다</u>. 그 이유는 첫째, <u>투표율이 낮은 것도 국민의 민주적인 선택에</u>
　　　　　주장　　　　　　　　　　　　　　　　　　　　　　　　　　　　　　　　　의무 투표제 도입 반대의 이유 ①
<u>따르는 결과이므로 선출된 정치인들이 정당성을 확보하지 못했다고 판단할 수 없기 때문입니다</u>. <u>공직 선거법 제1조에서</u>
<u>는 "국민의 자유로운 의사와 민주적인 절차에 의하여 공정히 행하여지도록"이라고 표현하며 선거의 목적을 밝히고 있</u>
공직 선거법을 근거로 주장의 타당성을 높임 : 반대의 이유 ①에 대한 근거
<u>습니다</u>. 투표권을 포기하는 것 역시 국민의 의사 표현 방식이므로 결과의 정당성을 문제 삼을 수 없습니다.

둘째, <u>의무 투표제가 아니더라도 투표율을 높일 수 있는 방안이 충분히 있습니다</u>. <u>투표 시간의 연장, 장애인이나 노</u>
　　　　　의무 투표제 도입 반대의 이유 ②
<u>약자의 투표 지원, 수형자와 같이 법적으로 투표가 금지된 유권자를 위한 정책 마련 등으로 투표율을 높일 수 있습니</u>
투표율을 높일 수 있는 방안 : 반대의 이유 ②에 대한 근거 ①
<u>다</u>. 또 <u>투표 불참자를 처벌하기보다는 투표 참여자에게 혜택을 주는 방안</u>도 생각해 볼 수 있습니다.
　　　　　　　　　　　　　　반대의 이유 ②에 대한 근거 ②
셋째, <u>의무 투표제가 국민의 정치적 관심을 높여 객관적이고 공정한 정책으로 대결하는 선거 문화를 만든다고 볼 수</u>
　　　　의무 투표제 도입 반대의 이유 ③
<u>없습니다</u>. 브라질의 정치학자 데이비드 플라이셔는 <u>"의무 투표제 아래에서는 유권자들이 후보의 공약도 모른 채 형식</u>
　　　　전문가의 견해를 인용해 설득력을 높임 : 반대의 이유 ③의 근거
<u>적으로 투표하는 경향이 있으므로 선거의 질을 높이려면 자유 투표제를 시행하는 것이 낫다."라고 말했습니다</u>.

이처럼 <u>의무 투표제는 시행하여 얻는 효과가 불확실하므로 불필요한 제도입니다</u>.
　　　　의무 투표제 반대의 이유를 요약함

⊙ **어휘풀이**

■ **수형자** 죄인으로서 형벌을 받았거나 받고 있는 사람.

| 예시 답안 |

주장: 의무 투표제 도입에 찬성한다.

쟁점 논증	문제의 심각성	문제의 해결 및 실행 가능성	효과 및 이익
이유	낮은 투표율도 국민의 민주적인 선택의 결과이므로 정당성을 문제 삼을 수 없다.	의무 투표제가 아니더라도 투표율을 높일 수 있는 방안이 충분히 있다.	의무 투표제가 국민의 정치적 관심을 높여 객관적이고 공정한 정책으로 대결하는 선거 문화를 만든다고 볼 수 없다.
근거	의무 투표제는 공직선거법 제1조에서 밝힌 선거의 목적에 어긋난다.	• 투표 시간의 연장, 장애인이나 노약자의 투표 지원, 수형자와 같이 법적으로 투표가 금지된 유권자를 위한 정책 마련 등으로 투표율을 높일 수 있다. • 투표 불참자를 처벌하기보다는 투표 참여자에게 혜택을 주는 방안도 있다.	정치학자 데이비드 플라이셔는 의무 투표제 아래에서 유권자들이 후보의 공약도 모른 채 형식적으로 투표하는 경향이 있다고 말했다.

확인학습 ··

01 이 글을 보면 의무 투표제 도입을 반대하는 측은 투표율을 높이는 것보다 정치에 대한 국민의 신뢰 회복이 더 중요하다고 주장하는 것을 알 수 있다. ○☐ ×☐

02 이 글은 의무 투표제의 개념을 정의하고 그 유형을 제시하고 있다. ○☐ ×☐

03 이 글은 의무 투표제에 대한 논쟁 과정을 소개하면서 도입 반대의 정당성을 밝히고 있다. ○☐ ×☐

04 이 글은 의무 투표제 도입을 통해 얻을 수 있는 효과가 크지 않다는 점을 들어 반대 입장을 밝히고 있다. ○☐ ×☐

05 이 글을 보면 반대 측은 투표율을 높이는 것만으로도 정치적 관심을 높아져 객관적이고 공정한 정책 대결이 이루어지는 선거 문화를 만들 수 있다고 말하고 있다. ○☐ ×☐

객관식 기본문제

[01~03] 다음 내용을 통해 물음에 답하시오.

민주주의 사회는 국민이 정치에 참여할 권리를 보장한다. 그러한 권리를 참정권이라 하는데, 이는 기본적으로 '선거'로 실현된다. 선거는 사회 집단의 대표자나 공직자를 선출하여 그들에게 대표성을 부여하는 행위이다. 그러므로 높은 투표율은 민주주의의 정당성 확보와 깊은 관련이 있다.

선거 투표 제도에는 투표권 행사를 투표자의 자유의사에 맡기는 '자유 투표제'와 투표권 행사를 국민의 의무로 간주하고 정당한 사유 없이 기권하면 법적 제재를 가하는 '의무 투표제'가 있다. 우리나라는 자유 투표제를 채택하고 있는데, 최근 치른 선거의 평균 투표율이 50퍼센트대로 나타났다. 경제 개발 협력 기구(OECD) 회원국 평균이 70퍼센트대인 것을 생각하면 매우 낮은 수치라 할 수 있다. 이러한 상황이 지속되자 의무 투표제를 도입해야 한다는 의견이 제시되었고, 자유 투표제가 민주주의의 원칙에 맞으므로 이를 유지해야 한다는 의견과 대립하고 있다.

의무 투표제를 도입하자는 측은 낮은 투표율로 투표 결과의 정당성을 확보하지 못하는 문제가 매우 심각하다고 주장한다. 또 의무 투표제의 강제성과 법적 제재가 투표율을 높이므로 투표율이 낮아서 발생하는 문제를 해결할 수 있다고 본다. 그리고 국민 대부분이 투표에 참여하게 되면 정치인들이 모든 계층의 지지를 받기 위해 정책 경쟁력을 높이려 할 것이므로 정치 소외 계층에 더욱 관심을 쏟는 효과가 있을 것이라고 이야기한다.

반면 의무 투표제에 반대하는 측은 현재 우리나라의 투표율이 정치 지도자들의 대표성을 훼손할 만큼 심각한 상황은 아니라고 주장한다. 또 투표율을 높이는 것보다 국민의 신뢰를 회복하는 것이 더 중요하고, 시민 교육이나 모의 투표 교육 프로그램으로도 투표율 상승을 기대할 수 있다며 의무 투표제의 도입만이 투표율이나 정치적 관심을 높이는 해결 방안은 아니라고 이야기한다. 그리고 의무 투표제를 도입하면, 선출된 정치인들이 높은 투표율을 핑계로 (Ⓐ)의 태도를 갖는 부작용이 생긴다든가 후보자를 잘 모르는 상태에서 투표하는 일이 발생하여 국민의 뜻이 오히려 왜곡될 수 있다며 우려의 목소리를 내고 있다.

---

01 이 글에서 설명하는 '의무 투표제의 도입'에 관한 입장을 정리한 것으로 적절하지 <u>않은</u> 것은?

① 반대 : 낮은 투표율은 투표 결과의 정당성 확보가 어렵다는 문제가 있다.
② 반대 : 낮은 투표율이 정치가들의 대표성을 훼손할 만큼 심각한 상황은 아니다.
③ 찬성 : 정치 소외 계층에 대한 정치인들의 관심을 이끌어 내는 효과가 있다.
④ 반대 : 정치인들의 무책임한 태도라는 부작용이 생기거나 국민의 뜻이 왜곡될 우려가 있다.
⑤ 찬성 : 의무 투표제는 높여 낮은 투표율 때문에 발생하는 문제를 해결한다.

02 이 글에 나타난 우리 사회의 문제를 바탕으로 토론을 위한 논제를 만든 것으로 가장 적절한 것은?

① 우리나의 선거 제도의 문제점
② 우리나라도 의무 투표제 도입
③ 참정권을 실현하기 위한 방법
④ 평균 득표율이 낮은 까닭
⑤ 정치 소외 계층이 발생하는 까닭

03 문맥을 고려하여 Ⓐ에 들어갈 알맞은 사자성어는?

① 안하무인   ② 수어지교   ③ 각주구검   ④ 남부여대   ⑤ 일진일퇴

투표는 민주 시민의 소중한 권리입니다. 그런데 우리나라의 평균 투표율은 경제 개발 협력 기구(OECD) 회원국 평균에 비해 턱없이 낮습니다. 이런 상황을 개선하기 위해 우리나라도 '의무 투표제'를 시행해야 한다고 주장하는 사람이 많아지고 있습니다. 의무 투표제란 유권자가 의무적으로 투표에 참여하도록 하는 제도로, 투표 불참자에게는 벌금을 부과하거나 투표권을 ⓐ박탈하는 등의 제재를 가합니다. 저희는 이러한 의무 투표제 도입에 찬성합니다.

그 이유는 첫째, 우리나라는 투표율이 낮아 투표 결과의 정당성을 충분히 확보하지 못하고 있기 때문입니다. 실제로 18, 19, 20대 총선의 투표율은 46.1, 54.2, 58.0퍼센트였습니다. 유권자 10명 중 4명 이상이 자신의 권리를 포기한 것이므로 선출된 정치인들이 국민의 대표로서 정당성을 얻었다고 보기 어렵습니다. 이는 국가의 의사 결정에 국민 모두의 의견을 반영하지 못하는 심각한 상황을 ⓑ초래합니다.

둘째, 의무 투표제는 현실적으로 투표율을 증가시킬 수 있는 가장 확실한 제도입니다. 벨기에는 1893년 의무 투표제를 도입하여 30~40퍼센트였던 투표율을 90퍼센트대로 높였습니다. 호주는 2000년부터 2009년까지 십 년간 평균 투표율이 94.8퍼센트로 경제 개발 협력 기구(OECD) 회원국 중에서 1위를 기록했습니다. 호주에서는 정당한 사유 없이 투표를 하지 않으면 20호주 달러의 벌금을 ⓒ부과하고 있습니다. 이렇게 벌금 등의 불이익을 제도화하여 투표를 ⓓ독려하고, 사전 투표나 전자 투표 등을 확대한다면 투표를 하지 못하는 불가피한 상황에 처한 사람들도 투표에 쉽게 참여할 수 있습니다.

셋째, 의무 투표제는 국민의 정치적 관심을 높여 객관적이고 공정한 정책으로 대결하는 선거 문화를 만듭니다. 미국의 정치학자 아런트 레이파르트는 자신이 쓴 「불평등 참여」라는 글에서 의무 투표제를 실시하면 투표 참여에 소극적이던 저소득층을 투표장으로 ⓔ유인하여 그들의 정치적 영향력을 증대하는 부수적인 효과가 있다고 밝혔습니다.

이처럼 의무 투표제는 사회적으로 효과가 큰 제도이므로 반드시 시행해야 합니다.

04 이 글의 글쓴이의 주장과 근거로 적절하지 <u>않은</u> 것은?

① 투표율이 낮으면 투표 결과의 정당성을 충분히 확보할 수 없다.
② 현실적으로 투표율을 증가시킬 수 있는 가장 확실한 제도는 의무 투표제이다.
③ 불이익을 제도화하여 투표를 독려하고 사전 투표나 전자 투표를 확대하면 투표율이 증가할 것이다.
④ 의무 투표제는 투표 불참자를 처벌하기보다는 투표참여자에게 혜택을 주는 방안이므로 합리적이다.
⑤ 의무 투표제는 국민의 정치적 관심을 높여 객관적이고 공정한 정책으로 대결하는 선거 문화를 만든다.

05 ⓐ~ⓔ의 사전적 의미로 적절하지 <u>않은</u> 것은?

① ⓐ : 남의 재산이나 권리, 자격 따위를 빼앗음
② ⓑ : 어떤 결과를 가져오게 함
③ ⓒ : 세금이나 부담금 따위를 매기어 부담하게 함
④ ⓓ : 올바른 방향으로 인도한다.
⑤ ⓔ : 주의나 흥미를 일으켜 꾀어냄

[06] 다음 토론 내용을 통해 물음에 답하시오.

저희는 의무 투표제를 도입하자는 의견에 반대합니다. 그 이유는 첫째, 투표율이 낮은 것도 국민의 민주적인 선택에 따른 결과이므로 선출된 정치인들이 정당성을 확보하지 못했다고 판단할 수 없기 때문입니다. 공직 선거법 제1조에서는 "국민의 자유로운 의사와 민주적인 절차에 의하여 공정히 행하여지도록"이라고 표현하며 선거의 목적을 밝히고 있습니다. 투표권을 포기하는 것 역시 국민의 의사 표현 방식이므로 결과의 정당성을 문제 삼을 수 없습니다.

둘째, 의무 투표제가 아니더라도 투표율을 높일 수 있는 방안이 충분히 있습니다. 투표 시간의 연장, 장애인이나 노약자의 투표 지원, 수형자와 같이 법적으로 투표가 금지된 유권자를 위한 정책 마련 등으로 투표율을 높일 수 있습니다. 또 투표 불참자를 처벌하기보다는 투표 참여자에게 혜택을 주는 방안도 생각해 볼 수 있습니다.

셋째, 의무 투표제가 국민의 정치적 관심을 높여 객관적이고 공정한 정책으로 대결하는 선거 문화를 만든다고 볼 수 없습니다. 브라질의 정치학자 데이비드 플라이셔는 "의무 투표제 아래에서는 유권자들이 후보의 공약도 모른 채 형식적으로 투표하는 경향이 있으므로 선거의 질을 높이려면 자유 투표제를 시행하는 것이 낫다."라고 말했습니다.

이처럼 의무 투표제는 시행하여 얻는 효과가 불확실하므로 불필요한 제도입니다.

06 이 글의 글쓴이의 주장과 근거로 적절하지 <u>않은</u> 것은?

① 낮은 투표율도 국민의 민주적인 선택의 결과이므로 정당성을 문제 삼을 수 없다.
② 의무 투표제는 공직 선거법 제1조에서 밝힌 선거의 목적에 어긋난다.
③ 의무 투표제가 아니더라도 투표율을 높일 수 있는 방안이 충분히 있다.
④ 의무 투표제가 국민의 정치적 관심을 높여 객관적이고 공정한 정책으로 대결하는 선거 문화를 만든다고 볼 수 없다.
⑤ 불이익을 제도화하여 투표를 독려하고 사전 투표나 전자 투표를 확대하면 투표율이 증가할 것이다.

07 다음 중 토론 참여자의 역할과 태도를 올바르게 설명하지 <u>않은</u> 것은?

① 사회자 : 토론 규칙을 알려 주고 발언 순서를 지정하여 토론을 이끈다.
② 토론자 : 자신의 주장을 논증하기 위한 이유와 근거를 충분히 마련한다.
③ 토론자 : 토론을 하게 된 배경과 논제를 소개한다.
④ 배심원 : 객관적인 입장에서 사실과 의견을 구분하여 토론자의 의견을 듣는다.
⑤ 배심원 : 논거의 정확성, 타당성, 신뢰성 등을 평가하여 토론의 최종 평결을 내린다.

08 다음 중 〈보기〉의 토론의 필수 쟁점으로 적합하지 <u>않는</u> 것은?

┤ 보기 ├
논제 : 고등학교 수업을 수준별로 실시해야 한다.

① 수준별 수업을 시행해야 할 만큼 현재 교실 문제가 심각한가?
② 수준별 수업이 내실 있게 운영될 수 있을까?
③ 수준별 수업이 학생들에게 긍정적인 미칠까?
④ 수준별 수업이 고등학교에서만 이루어지는 이유는 무엇인가?
⑤ 수준별 수업으로 인해 발생할 수 있는 문제점은 없는가?

09 토론의 내용과 태도를 평가하는 항목으로 적절하지 <u>않은</u> 것은?

① 다양한 논제에 따라 쟁점을 적절하게 도출하였는가?
② 주장을 뒷받침하는 근거를 충분히 제시하였는가?
③ 토론 상황에 적절하게 언어적. 준언어적. 비언어적 표현을 사용하였는가?
④ 토론의 규칙과 절차를 지키고, 상대측을 존중하는 태도로 토론에 참여하였는가?
⑤ 상대측의 주장을 논리적으로 반박하였는가?

10 논제의 조건으로 적절하지 <u>않은</u> 것은?

① 찬반양론이 성립되어야 한다.
② 입증할 수 있는 것이어야 한다.
③ 구체적이고 분명한 내용이어야 한다.
④ 여러 가지 과제를 포함하고 있어야 한다.
⑤ 공동체에서 논의할 만한 가치가 있는 내용이어야 한다.

11 다음 중 찬성 측의 입장에서 필수 쟁점별로 포함되어야 할 내용이 적절하지 <u>않은</u> 것은?

① 문제 : 개념과 주요 용어를 정의한다.
② 문제 : 문제가 지속되어 조치가 시급하다.
③ 해결 방안 : 제시한 방안으로 문제가 해결 가능하다.
④ 이익 및 효과 : 정책 실행에 따른 이익이나 효과가 불이익이나 부작용보다 적다.
⑤ 해결 방안 : 제시한 방안이 실행 가능하다.

12 다음 중 토론에서 사회자의 역할에 대한 설명으로 적절하지 <u>않은</u> 것은?

① 토론이 논제에서 벗어나지 않도록 한다.
② 토론이 혼란해지면 논점을 다시 정리하여 토론자들에게 알려준다.
③ 토론 중 질문과 요약을 하면서 토론을 진행한다.
④ 토론 순서를 지정하며 토론을 진행한다.
⑤ 토론자들이 토론 규칙을 지키지 않으면 토론에서 참여하지 못하도록 한다.

13 다음 중 토론의 평가 요소로 적절하지 <u>않은</u> 것은?

① 필수 쟁점을 도출하여 주장을 명확히 전달하였는가?
② 상대방의 반대 신문에 적절히 대응하였는가?
③ 원하는 답변을 듣기 위해 효과적으로 질문하였는가?
④ 자신의 주장이 더 타당하다는 것을 드러내었는가?
⑤ 준비해온 자료를 모두 전달하였는가?

객관식 심화문제

(가)

사회자 : 안녕하십니까? 오늘은 '투표 연령을 낮추어야 한다.'라는 논제로 토론하겠습니다. 이번 토론은 반대 신문식 토론으로 진행됩니다. 참여자께서는 토론 규칙과 예의를 지켜 토론해 주시기 바랍니다.

그럼, 먼저 찬성 측 제1 토론자께서 입론해 주시기 바랍니다.

찬성 1 : 투표 연령이란 유권자로서 투표할 수 있는 나이를 가리키는 말입니다. 그리고 국회의원, 대통령 등 선출직 공직자를 뽑는 선거에서 투표할 수 있는 권리를 선거권이라고 합니다. 현재 우리나라에서 선거권은 만 19세 이상의 국민에게 주어집니다. 선거법에 따라 투표 연령을 만 19세 이상으로 정해 놓았기 때문입니다.

대통령이나 국회의원을 선출하는 일은 우리나라의 미래를 설계하는 것입니다. 국가의 정책과 계획을 결정하는 일에 미래의 주역인 청소년이 영향을 미치지 못한다는 것은 매우 심각한 모순입니다.

또한, 만 19세 미만의 청소년에게 선거권을 주지 않는 것은 국민의 한 사람으로서 누려야 할 기본적인 권리를 침해하는 일일 수 있습니다. 이 같은 인권 침해는 민주주의의 발전에도 걸림돌이 될 것입니다. 이러한 이유로 국가인권위원회에서는 투표 연령 기준을 현재의 만 19세 이상에서 만 18세 이상으로 낮추어야 한다고 권고한 바 있습니다.

투표 연령을 낮추게 되면 청소년이 자신과 관련된 교육, 입시 등의 정책에 더욱 관심을 두게 되고, 나아가 자신이 맞닥뜨릴 가까운 미래를 선택할 기회를 얻을 수 있게 될 것입니다. 그리고 대한민국 국민으로서 기본적인 권리인 참정권을 보장받을 수 있으므로 인권 침해의 우려에서도 벗어날 수 있게 될 것입니다.

오늘날 우리나라 청소년은 선거에 참여할 수 없기 때문에 우리나라의 정치나 정책에 무관심한 상황입니다. 투표 연령을 낮추면 청소년이 국가 정책과 정치에 관심을 가지게 하는 효과를 거둘 수 있습니다. 나아가 최근 들어 점차 낮아지고 있는 투표율을 높이는 효과까지 가져올 것으로 생각합니다.

따라서 저는 투표 연령을 낮추어야 한다는 논제에 찬성합니다.

사회자 : 네, 잘 들었습니다. 그럼 이제 반대 측 제2 토론자께서 반대 신문해 주시기 바랍니다.

반대 2 : 입론 마지막 부분에서 투표 연령을 낮추면 투표율이 높아질 것이라는 말씀을 하셨는데요, 투표율이란 투표한 사람의 수를 총유권자 수로 나눈 것이기 때문에 총유권자 수가 많아진다고 해서 투표율이 높아지지는 않습니다. 어떻게 생각하십니까?

찬성 1 : 아, 투표하는 전체 인원이 많아질 것이라는 말이었습니다. 투표율이라는 말은 정정하겠습니다.

반대 2 : 투표 연령을 제한하는 것이 인권 침해라고 말씀하셨는데요, 만약 투표 연령을 18세로 낮추면 만 17세나 16세 청소년의 인권이 침해되는 것인가요?

찬성 1 : 아닙니다. 성숙한 판단이 가능한 나이임에도 선거권이 제한되어서 청소년의 인권이 침해받고 있다는 뜻에서 드린 말씀입니다.

(나)

사회자 : 네, 그럼 이제 반대 측 제1 토론자께서 입론해 주시기 바랍니다.

반대 1 : ＿＿＿＿＿＿＿＿＿＿＿＿＿＿ ⊙ ＿＿＿＿＿＿＿＿＿＿＿＿＿＿

투표는 우리나라의 미래를 결정하는 매우 중요한 행위이므로 엄정하게 이루어져야 합니다. 그래서 우리나라 법에서는 아직 판단 능력이 성숙하지 않은 청소년의 투표 행위를 법으로 금지한 것입니다. 청소년 관련 정책은 청소년 자녀를 둔 부모님이 충분히 고려하여 투표할 것입니다.

또 미성년자에게 선거권을 제한하는 것은 인권 침해라고 볼 수 없습니다. 술이나 담배를 미성년자에게 팔지 않는 것이 인권 침해가 아닌 보호의 의미임을 인정하실 것입니다. 투표 연령 제한 또는 올바른 의사 결정에 어려움을 겪을 수 있는 미성년자를 보호하려는 의도이므로 인권 침해라고 볼 수 없습니다. 헌법재판소에서도 이런 점을 고려하여 2013년에 만 19세 미만의 선거권 제한에 합헌 결정을 내린 바 있습니다.

그리고 만일 현재와 같은 투표 연령 제한이 만 19세 미만의 인권을 침해하는 것이라고 한다면 투표 연령을 낮춘다고 해결될 수 있는 문제가 아닙니다. 투표 연령을 만 18세로 낮추어도 만 17세나 16세의 인권은 침해되는 것 아닙니까? 그렇다고 투표 연령에 제한을 없앨 수는 없습니다. 그러므로 투표 연령을 낮추어야 한다는 주장은 설득력이 없습니다.

선거권이 없어서 청소년이 정치나 정책에 무관심하다는 것은 적절하지 않은 의견입니다. 우리나라의 교육 제도를 고려할 때 만 19세 미만은 고등학생에 해당하는 시기입니다. 이 시기의 청소년은 교육으로 합리적인 의사 결정 방법을 배우게 됩니다. 정치나 정책에 무관심하다면 교육으로 해결해야 한다고 생각합니다.

만약 투표 연령을 만 18세 이하로 낮추면 잘못된 의사 결정으로 투표의 본질을 흐릴 수 있습니다. 따라서 지금처럼 투표 연령을 만 19세 이상으로 유지하여 투표 결과의 신뢰도를 확보하는 것이 타당하다고 생각합니다.

따라서 저는 투표 연령을 낮추어야 한다는 논제에 반대합니다.

사회자 : 네, 그럼 이제 찬성 측 제1 토론자께서 반대 신문해 주시기 바랍니다.

찬성 1 : ⓛ민법상 만 19세 미만은 행위 무능력자임을 근거로 제시하셨는데요. 만일 법적 미성년의 시기가 조정된다면 투표 연령도 낮출 수 있다고 생각하십니까?

반대 1 : 생각해 볼 문제일 것 같습니다. 하지만 현행법상 미성년이 그렇게 정해져 있다는 점에 주목해야 합니다.

찬성 1 : 청소년 자녀를 둔 부모님이 청소년과 관련된 정책을 충분히 고려하여 투표할 것이라고 하셨습니다. 그런데 부모님의 생각과 자녀의 생각이 다르면 투표로 청소년이 의사를 표시할 수 없는 것 아닙니까?

반대 1 : 청소년보다는 성인인 부모님이 더욱 성숙한 판단을 내릴 수 있다는 것을 전제로 드린 말씀입니다.

---

01 (가)부분의 토론을 정리한 내용으로 적절하지 <u>않은</u> 것은?

논제 : 투표 연령은 낮추어야 한다.		
찬성1 입론	**문제**	• 미래의 주역인 청소년이 미래 정책을 결정하는 투표에 참여하지 못하는 것은 모순임. ············ ㉠ • 청소년의 인권이 침해될 수 있음.
	해결 방안	• 자신이 맞닥뜨릴 가까운 미래를 선택할 다양한 기회를 제공해야 함. ·········· ㉡
	효과	• 청소년이 국가 정책과 정치에 관심을 갖게 됨. • 투표율을 높일 수 있음. ············ ㉢
반대2 반대 신문	• 찬성측이 제시한 '투표율'에 대한 용어 사용의 오류를 제시함. ············ ㉣ • 찬성측이 주장한 인권 침해의 의미에 대해 질문함. ············ ㉤	

① ㉠   ② ㉡   ③ ㉢   ④ ㉣   ⑤ ㉤

02 ㉠에 들어갈 내용으로 가장 적절한 것은?

① 논제가 등장한 배경을 명시한다.
② 찬성 측 토론자의 발언을 요약하여 정리한다.
③ 찬성 측이 미처 발언하지 못한 새로운 주장을 펼친다.
④ 제시된 쟁점이 시급하게 해결해야 하는 문제임을 언급한다.
⑤ 찬성 측이 제시한 방안으로는 문제가 해결되지 않음을 지적한다.

03 ⓒ에 사용된 반대 신문의 전략으로 가장 적절한 것은?

① 논점의 개념 정의에 대한 오류를 질문한다.
② 논점을 뒷받침하는 논거의 출처에 대한 의문을 제기한다.
③ 상대방이 내세운 논점이나 발언 내용의 허점에 대해 질문한다.
④ 상대방이 내세운 논점에 대한 유사한 상황을 가정하여 질문한다.
⑤ 상대방이 제시한 논거가 논점과 어떤 관련성이 있는지에 대한 의문을 제기한다.

04 위 토론에 대한 설명으로 적절하지 않은 것은?

① 어떤 사안에 대한 가치 판단의 내용을 논제로 삼고 있다.
② 논제에 대해 상대방에게 질문을 던지며 논지를 반박하고 있다.
③ 찬성 측은 논제의 실행이 현 상황의 심각한 문제들을 해결할 수 있음을 언급하고 있다.
④ 찬성 측은 자신의 주장이 실현될 경우 얻을 수 있는 이익을 언급하여 설득력을 높이고 있다.
⑤ 반대 측은 찬성 측이 제시한 내용의 오류를 지적하면서 토론을 유리한 방향으로 이끌어 가고 있다.

[05~09] 다음 글을 읽고 물음에 답하시오.

사회자 : 안녕하십니까? 오늘은 '투표 연령을 낮추어야 한다.'라는 논제로 토론하겠습니다. 이번 토론은 반대 신문식 토론으로 진행됩니다. 참여자께서는 토론 규칙과 예의를 지켜 토론해 주시기 바랍니다.

그럼, 먼저 찬성 측 제1 토론자께서 입론해 주시기 바랍니다.

찬성 1 : (생략) 투표 연령을 낮추게 되면 청소년이 자신과 관련된 교육, 입시 등의 정책에 더욱 관심을 두게 되고, 나아가 자신이 맞닥뜨릴 가까운 미래를 선택할 기회를 얻을 수 있게 될 것입니다. 그리고 대한민국 국민으로서 기본적인 권리인 참정권을 보장받을 수 있으므로 인권 침해의 우려에서도 벗어날 수 있게 될 것입니다.

오늘날 우리나라 청소년은 선거에 참여할 수 없기 때문에 우리나라의 정치나 정책에 무관심한 상황입니다. 투표 연령을 낮추면 청소년이 국가 정책과 정치에 관심을 가지게 하는 효과를 거둘 수 있습니다. 나아가 최근 들어 점차 낮아지고 있는 투표율을 높이는 효과까지 가져올 것으로 생각합니다.

따라서 저는 투표 연령을 낮추어야 한다는 논제에 찬성합니다. 〈중략〉

사회자 : 네, 그럼 이제 반대 측 제1토론자께서 입론해 주시기 바랍니다.

반대 1 : 찬성 측이 입론에서 설명하신 것처럼 현재 우리나라의 투표 연령은 만 19세 이상입니다. 이것은 법적인 근거가 있습니다. 우리나라 민법상 만 19세 미만의 미성년자는 '행위 무능력자'로 보기 때문에 혼인이나 재산상의 거래를 보호자의 동의 없이 할 수 없습니다. 이들은 아직 스스로 주체적인 판단을 내리기 어려운 나이라고 보기 때문에 교육으로써 올바른 판단을 배워 나가는 시기라고 정해 놓은 것입니다.

투표는 우리나라의 미래를 결정하는 매우 중요한 행위이므로 엄정하게 이루어져야 합니다. 그래서 우리나라 법에서는 아직 판단 능력이 성숙하지 않은 청소년의 투표 행위를 법으로 금지한 것입니다. 청소년 관련 정책은 청소년 자녀는 둔 부모님이 충분히 고려하여 투표할 것입니다.

또 미성년자에게 선거권을 제한하는 것은 인권 침해라고 볼 수 없습니다. 술이나 담배를 미성년자에게 팔지 않는 것이 인권 침해가 아닌 보호의 의미임을 인정하실 것입니다. 투표 연령 제한 또한 올바른 의사 결정에 어려움을 겪을 수 있는 미성년자를 보호하려는 의도이므로 인권 침해라고 볼 수 없습니다. 헌법재판소에서도 이런 점을 고려하여 2013년에 만 19세 미만의 선거권 제한에 합헌 결정을 내린 바 있습니다. 〈중략〉

사회자 : 네, 그럼 이젠 찬성 측 제2 토론자께서 입론해 주시기 바랍니다.

찬성 2 : 2016년 현재 전 세계 국가의 90% 이상의 투표 연령 기준을 만 19세보다 낮게 규정하고 있습니다. 또한, 경제협력개발기구(OECD)에 가입한 국가 가운데 유일하게 우리나라만 투표 연령 기준을 만 19세 이상으로 규정하고 있습니다. 이처럼 투표 연령을 낮추는 것은 세계적인 추세이기도 합니다. 매체의 발달로 과거와는 달리 사회적 · 정치적인 문제들을 접할 기회가 많아진 지금 투표 연령을 낮추는 것은 지극히 자연스러운 일입니다.

반대 측에서 민법상 미성년자인 것을 근거로 제시하셨는데, 병역법에 따르면 만 18세부터 입대할 수 있습니다. 또한, 도로 교통법에 따르면 운전면허를 받을 수 있는 연령 또한 만 18세부터입니다. 이처럼 다른 법률에서는 만 18세부터 국가와 사회의 형성에 적극적으로 참여하도록 하고 있습니다. 민법상 미성년자의 연령이 시대적인 경향을 반영하고 있지 못할 뿐입니다.

투표 연령을 낮추면 정치에 참여하는 피선거권자들이 유권자인 청소년을 인식하게 될 것이고, 따라서 그들을 위한 입법과 정책 제안에 더욱 관심을 기울이게 될 것입니다. 또한, 청소년은 사상이나 이념에서 자유롭습니다. 성인보다 정책과 업무 능력 등을 객관적으로 바라볼 수 있으므로 더 민주적인 의사 결정을 할 수 있을 것입니다. 따라서 저는 이번 논제에 찬성합니다.

〈중략〉

사회자 : 네, 그럼 마지막으로 반대 측 제2 토론자께서 입론해 주시기 바랍니다.

반대 2 : 우리나라는 1960년부터 만 20세 이상이 되는 국민에게 선거권이 있었습니다. 그러다가 지난 2005년부터 투표 연령을 낮추어 만 19세 이상으로 정해 놓았습니다. 투표 연령을 낮춘 지 불과 10년 남짓 되었습니다. 투표 연령을 낮추는 것이 세계적인 추세라면 우리나라도 이미 10년 전에 이를 감지하고 법적으로 실천해 오고 있는 것입니다.

그런데 또다시 투표 연령을 낮추면 지나치게 빠른 변화로 부작용이 생길 가능성이 있습니다. 선거는 공정하고 객관적인 판단이 필요합니다. 하지만 청소년은 인기 위주의 즉흥적이고 단편적인 판단과 학연, 지연, 혈연 등의 주관적 요인에 영향을 받을 가능성이 더 크기 때문에 민주주의가 질적으로 하락할 수 있습니다.

타이완은 만 20세 이상, 싱가포르는 만 21세 이상이 되어야 투표할 수 있습니다. 이들 나라는 자국의 정서와 문화를 반영하여 이처럼 정한 것입니다.

이처럼 투표 연령을 그 나라의 문화적 관습이나 교육 제도 등을 종합적으로 고려하여 결정해야 합니다. 기본적인 학교 교육을 받는 초 · 중 · 고등학교 학생은 투표를 준비하는 예비 과정에 있다고 볼 수 있습니다. 따라서 투표 연령을 낮출 필요가 없습니다.

사회자 : 네, 그럼 이제 찬성 측 제2 토론자께서 반대 신문해 주시기 바랍니다.

찬성 2 : (_____ ㉠ _____)

[A]
반대 2 : 하버드 의대 맥린 병원은 자기 공명 영상 장치(MRI)를 이용하여 청소년의 뇌 활동과 성인의 뇌 활동을 비교하는 연구를 진행하였습니다. 그 결과, 문제를 판단하고 결정할 때 성인의 뇌에서는 이성적 판단을 담당하는 전두엽이 활성화되지만, 청소년의 뇌에서는 측두엽 안쪽에 위치하여 감정과 행동을 담당하는 편도체가 활성화되는 것을 알 수 있었습니다. 청소년기에는 이성적 판단을 담당하는 전두엽이 아직 완전히 발달해 있지 않기 때문입니다. 이처럼 청소년은 객관적 판단력이 부족하다고 할 수 있습니다.

05 위 토론의 입론에 대한 이해로 적절하지 않은 것은?

① 찬성2는 피선거권자들의 변화 가능성을 제시하며 찬성1의 입론을 보강하고 있다.

② 찬성2는 다수의 국가에서 투표 연령 기준을 우리나라보다 낮게 설정함을 근거로 제시하였다.

③ 반대2는 논제와 관련된 역사적 사실의 변화를 제시하며 논의를 전개하고 있다.

④ 반대2는 청소년의 판단 성향에 대한 의견을 제시하며 찬성2의 의견을 반박하고 있다.

⑤ 반대2는 외국의 사례를 통해 투표 연령의 세계적 추세를 근거로 자신의 주장을 제시하고 있다.

06 〈보기〉 중 위 토론에 드러난 사회자의 역할로 적절한 것을 있는 대로 고른 것은?

┤ 보기 ├

a. 토론의 논제와 토론을 하게 된 배경을 제시하였다.

b. 토론 참여자의 발언 순서를 정해 주었다.

c. 토론 참여자 발언의 핵심 내용을 정리해 주었다.

d. 토론 과제를 선별하여 이후의 논의 방향을 제시하였다.

e. 토론 참여자가 지켜야 할 토론의 유의사항을 제시하였다.

f. 토론 참여자가 제시한 방안의 실현 가능성을 평가하였다.

① a, c   ② b, e   ③ c, d   ④ e, f   ⑤ a, d, e

07 위 토론의 논제의 성격을 이해한 것으로 가장 적절한 것은?

① 윗글과 같은 논제 종류의 한 예시로 '인스턴트 음식은 해롭다'가 제시될 수 있다.

② 윗글과 같은 논제 종류의 한 예시로 '선의의 거짓말은 필요하다'가 제시될 수 있다.

③ 어떤 행위의 정당성을 판단하고 자신의 판단이 더 타당함을 밝혀야 하는 논제이다.

④ 어떤 현안에 대하여 그것이 지닌 문제를 제기하고 문제를 해결할 정책이 필요함을 밝혀야 하는 논제이다.

⑤ 어떤 상황에 대한 사실 관계를 확인하고 그 사실 관계가 성립하는 데 필요한 조건을 밝혀야 하는 논제이다.

08 〈보기〉는 위 토론을 준비하는 과정에서 수집한 자료이다. 이를 토론에 활용할 수 있는 입장과 방안으로 가장 적절한 것은?

┤ 보기 ├

　청소년 선거권이 확대되지 못했던 원인을 문화적 차원에서 분석해 보면, *이데올로기적 규제-역할 행동에 따라 청소년을 묘사해 왔던 언어와 사회적 낙인 때문으로 볼 수 있다. 특히 청소년은 양육의 관점에서 문제를 내포한 지위로 보는 시각이 지배적이었다. 이러한 양육의 관점은 아동 및 청소년에 대한 *부권적 입장을 기본으로 전제하고 있으며 유아 사망률, 영양실조, 아동학대와 착취 등 청소년 주위의 열악한 사회 환경의 문제를 강조한다. 따라서 청소년을 미성숙하고 사리분별을 못하며 책임감이 없는 존재로 *치부하여 성인과 사회의 보호가 필요한 존재로 인식한다.

　그러나 자기결정의 관점에서 청소년들을 바라보면, 자신의 삶에 스스로 영향력을 행사할 수 있으며 자신과 관련된 문제의 상황에서 스스로 선택하여 의사 결정을 할 수 있는 존재다. 청소년을 묘사해왔던 언어에 있어서 연구결과를 분석해보면 *매스미디어의 보도, 연구 결과물, 정책의 면에서 부정적인 청소년을 묘사하고 있음일 밝혀졌다. 뉴스 보도는 청소년을 일탈적으로 조명하고 청소년들이 *당면한 문제들을 일회적이고 피상적인 형태로 다루고 있어 청소년의 부분 문제를 전체 문제로 확대 재생산한다는 것이다. 다시 말하면, 신문을 포함한 매스미디어 보도가 현실을 전하기보다 자신들이 이미 가지고 있는 주도적인 청소년 상인 문제아적인 청소년 상을 생산하고 재생산하는 데 *기여하고 있다는 것이다.

* **이데올로기(Ideologie)** : 인간·자연·사회에 대해 품는 현실적이며 이념적인 의식의 제형태.
* **부권** : 부(父), 즉 남자의 가장이 가족을 통솔하기 위해 부여된 권리.
* **치부하다** : 마음 속으로 그러하다고 보거나 여김.
* **매스미디어** : 대중에게 공적, 간접적, 일방적으로 많은 사회 정보와 사상을 전달하는 신문, TV, 라디오, 영화, 잡지 등
* **당면** : 바로 눈 앞에 당함.
* **기여** : 도움이 되도록 이바지 함.

	입장	활용 방안
㉠	찬성	청소년에게 참정권을 부여하는 것이 총유권자 수를 높이는 효과가 있다는 주장의 근거로 활용할 수 있겠군.
㉡	찬성	청소년이 사상이나 이념에서 성인보다 더 자유롭다는 주장에 대한 근거로 활용할 수 있겠군.
㉢	찬성	청소년 투표 제한이 인권침해라 볼 수 없다는 반대1의 주장에 대한 근거 타당성을 검증하는 자료로 활용할 수 있겠군.
㉣	반대	반대1이 제시한 문제 해결 방안이 적절함을 밝히는 데 근거 자료로 활용할 수 있겠군.
㉤	반대	투표 연령은 각국의 문화와 정서를 반영하여 결정해야 한다는 주장에 대한 근거로 활용할 수 있겠군.

① ㉠　　　　② ㉡　　　　③ ㉢　　　　④ ㉣　　　　⑤ ㉤

09 위 토론의 청중이 〈보기〉를 반영하여 자신의 의견을 밝힌 것으로 가장 적절한 것은?

> ┤ 보기 ├
> • 자신의 의견과 상반되는 의견을 포함하고, 이를 반박하는 형식으로 작성할 것.
> • 역사적 사례를 언급할 것.
> • 표현 방법으로 비유법을 활용할 것.

① 청소년들에게 선거권을 부여하는 것은 민주주의, 선거정치, 민주시민교육을 편향 되지 않고 현장성 있게 고민하고 토론할 수 있는 계기를 만드는 것입니다. 선거연령이 만 18세로 하향되어 청소년이 축구장의 수비수에서 벗어나 공격수로 활약할 수 있기를 바랍니다.

② OECD(경제협력개발기구) 회원국 중 만 19세 이상이 되어야만 선거권이 주어지는 나라는 한국이 유일합니다. 미국, 독일 등 대부분의 선진국들은 선거연령이 만 18세이고, 오스트리아는 만 16세부터 선거권이 주어집니다. 우리나라도 세계적 추세를 반영하여 선거권을 하향 조정하여야 하겠습니다.

③ 사람들은 청소년들은 정치에 별로 관심이 없고 아직 미성숙하며 판단 능력이 부족하다고 말합니다. 그렇지만 3.1운동을 이끌었던 유관순 열사, 4.19혁명 등 민주화를 위한 강렬한 저항 사건에서 추측이 된 청소년들을 보면 그들에게 결코 영화관의 관객으로만 머물러야 한다고 말 할 수 없을 것입니다.

④ 만 18세부터 결혼은 가능합니다. 하지만 선거는 결혼처럼 개인적 영역의 것이 아닌 공적인 것입니다. 국가의 중요한 사항을 결정하는 것으로 피교육자 신분의 청소년들이 선거를 하게 될 경우, 학교는 교육이 이뤄지는 공간이 아닌 정치의 공간으로 변모할 것이므로 참정권을 만 18세로 낮추는 것은 신중해야 할 것입니다.

⑤ "나는 한국 사람이다. 너희들은 우리를 재판할 그 어떤 권리도 명분도 없다"며 일제의 재판정에서 불굴의 용기를 보여준 유관순 열사는 당시 만17세였습니다. 하지만 21세기를 사는 청소년들은 입시라는 큰 과제로 막중한 부담감을 느낍니다. 이런 현실을 무시한 채 그들에게 더 큰 부담을 지우는 것은 신중하지 못한 처사일 것입니다.

현재 전 세계에서 연간 1억 마리 이상의 동물이 인간을 위한 동물 실험으로 죽어 가고 있습니다. 여기에서 동물 실험이란 새로운 약품이나 치료법의 효능과 안전성을 확인하기 위해 동물을 대상으로 실시하는 의학적인 실험을 말합니다. 이 동물 실험은 인간에 의해 많은 동물이 희생된다는 점에서 문제가 있습니다. 인간과 동물은 모두 생명을 가진 존재이며, 고통을 느낀다는 점에서 크게 다르지 않습니다. 저희 찬성 측은 다음과 같은 측면에서 의약품 개발을 위한 동물 실험을 반드시 금지해야 한다고 생각합니다.

무엇보다도 동물 실험은 비윤리적이라는 심각한 문제가 있습니다. 실험 과정에서 동물에게 큰 고통을 주고, 생명을 빼앗기도 하기 때문입니다. 동물 실험에서는 실험동물의 먹이와 물의 공급을 제한하여 특정 사료만을 먹게 하거나, 실험동물을 묶어 놓고 피부에 상처를 입힌 뒤 그 치유 과정을 관찰하기도 합니다. 미국 농무부의 보고에 따르면, 2010년 9만 7천여 마리의 동물이 실험 과정에서 마취제나 진통제 투여 없이 실험을 받았습니다. 이 같은 사실은 동물 실험이 동물에게 큰 고통을 주는 현실을 잘 보여 줍니다. 이뿐만 아니라 동물 실험은 수많은 동물의 생명을 빼앗습니다. 동물이 사망에 이르는 약품 용량을 알아내는 실험을 하거나 목뼈를 빠지게 하는 등의 방법으로 실험동물의 생명을 빼앗기도 합니다.

또한 동물 실험의 결과를 인간에게 그대로 적용할 수는 없습니다. 동물 실험에서 검증받은 약이지만 이를 사용한 다수의 사람이 약물 부작용으로 목숨을 잃기도 하기 때문입니다. 미국의 저명한 수의학자가 쓴 〈탐욕과 오만의 동물 실험〉이라는 책에 따르면, 동물 실험에서는 문제가 없던 약물이지만 그 약물의 거부 반응으로 사망한 사람이 1994년 미국에서만 10만 6천여 명에 달했다고 합니다. 지금도 약의 부작용 때문에 피해를 보는 일이 끊임없이 발생하는 까닭은, 동물의 생물학적 구조가 인간과 다르기 때문입니다. 이는 동물 실험의 결과를 인간에게 그대로 적용해서는 안 된다는 것을 뜻합니다.

이러한 문제들을 해결할 수 있는 대체 방안이 있습니다. 동물 실험을 하지 않고도 의약품의 효능과 안전성을 확인하는 방법에 대한 연구가 진행되고 있습니다. 인간의 세포를 배양해서 실험하는 생체 밖 실험이 있고, 인체를 대상으로 최소 용량만을 투여하여 인체 내의 약물 활동을 측정하는 실험도 있습니다. 또 인체 피부 세포를 배양하여 만든 인공 피부를 사용하는 피부 질환 실험, 컴퓨터 모의실험을 이용한 독성 연구 등도 있습니다. 이와 같은 대체 실험을 상용화하는 데에는 새로운 비용이 발생하겠지만, 장기적으로는 실험동물의 막대한 구입비와 유지비를 줄일 수 있고, 동물 실험이 안고 있는 윤리 문제도 피할 수 있어 그 이익이 훨씬 큽니다. 이상과 같은 측면에서 보았을 때 동물 실험은 금지되어야 합니다.

10 이 주장하는 말하기의 특징으로 적절하지 <u>않은</u> 것은?

① 용어를 정의하여 청자의 이해를 돕고 정확한 논지를 전달하고 있다.
② 예상되는 재앙을 제시하여 문제 해결의 시급성을 알리고 있다.
③ 다양한 통계 수치를 인용하여 문제의 심각성을 제시하고 있다.
④ 전문가의 저서를 인용하여 발언의 신뢰성을 높이고 있다.
⑤ 문제 해결에 도움이 되는 대안을 제시하여 주장의 타당성을 높이고 있다.

11 위의 발언에 대한 교차 신문으로 적절하지 <u>않은</u> 것은?

① 동물을 희생시켜서 모피를 얻는 경우도 많은데, 모피보다는 의약품 개발을 위해 희생당하는 것이 동물 입장에서 더 윤리적인 게 아닐까요?

② 대체 실험이 동물 실험을 대신할 수 있다고 말씀하셨는데, 그런 대체 실험들에 대한 연구가 충분히 이루어져 지금 바로 대체가 가능한 단계입니까?

③ 인체를 대상으로 최소 용량을 투여하는 대체 실험이 능하다고 하셨는데, 최소 용량이라 하더라도 인체에 해를 끼치지 않는다는 확실한 보장이 없지 않을까요?

④ 동물과 인체의 생물학적 구조가 달라서 생기는 문제도 있겠지만, 동물실험의 결과로 안정성을 확인해서 개발한 의약품의 혜택을 과소평가하는건 아닌가요?

⑤ 전염병을 막기 위한 백신 개발은 동물의 생명을 지키기 위한 것이기도 합니다. 그런데 모든 동물 실험이 인간만을 위한 것이라 할 수 있습니다.

[12~13] 다음 글을 읽고 물음에 답하시오.

사회자 : 지금부터 "의약품 개발을 위한 동물 실험을 금지해야 한다."라는 논제로 토론을 시작하겠습니다. 이 논제와 관련하여 양측의 의견을 들어 보겠습니다. 토론 규칙을 잘 지키면서 토론해 주시기 바랍니다. 먼저 찬성 측 제1 토론자의 입론으로 시작하겠습니다.

찬성 1 : 현재 전 세계에서 연간 1억 마리 이상의 동물이 인간을 위한 동물 실험으로 죽어 가고 있습니다. 여기에서 동물 실험이란 새로운 약품이나 치료법의 효능과 안전성을 확인하기 위해 동물을 대상으로 실시하는 의학적인 실험을 말합니다. 이 동물 실험은 인간에 의해 많은 동물이 희생된다는 점에서 문제가 있습니다. 인간과 동물은 모두 생명을 가진 존재이며, 고통을 느낀다는 점에서 크게 다르지 않습니다. 저희 찬성 측은 다음과 같은 측면에서 의약품 개발을 위한 동물 실험을 반드시 금지해야 한다고 생각합니다.

무엇보다도 동물 실험은 비윤리적이라는 심각한 문제가 있습니다. 실험 과정에서 동물에게 큰 고통을 주고, 생명을 빼앗기도 하기 때문입니다. 동물 실험에서는 실험 동물의 먹이와 물의 공급을 제한하여 특정 사료만을 먹게 하거나, 실험동물을 묶어 놓고 피부에 상처를 입힌 뒤 그 치유 과정을 관찰하기도 합니다. 미국 농무부의 보고에 따르면, 2010년 9만 7천여 마리의 동물이 실험 과정에서 마취제나 진통제 투여 없이 실험을 받았습니다. 〈중략〉

또한 동물 실험의 결과를 인간에게 그대로 적용할 수는 없습니다. 동물 실험에서 검증받은 약이지만 이를 사용한 다수의 사람이 약물 부작용으로 목숨을 잃기도 하기 때문입니다. 1950년대에 신경 안정제로 개발된 '탈리도마이드'는 동물 실험을 통과했지만, 그 약을 복용한 많은 임신부가 기형아를 낳았습니다.

〈중략〉

이러한 문제들을 해결할 수 있는 대체 방안이 있습니다. 동물 실험을 하지 않고도 의약품의 효능과 안전성을 확인하는 방법에 대한 연구가 진행되고 있습니다. 인간의 세포를 배양해서 실험하는 생체 밖 실험이 있고, 인체를 대상으로 최소 용량만을 투여하여 인체 내의 약물 활동을 측정하는 실험도 있습니다. 또 인체 피부 세포를 배양하여 만든 인공 피부를 사용하는 피부 질환 실험, 컴퓨터 모의실험을 이용한 독성 연구 등도 있습니다. 〈중략〉

사회자 : 반대 측 제1 토론자, 입론해 주십시오.

반대 1 : 앞서 찬성 측은 동물 실험 때문에 발생하는 문제가 심각하고, 동물 실험을 대체할 방법이 있으므로 이를 금지해야 한다고 주장했습니다. 저희 반대 측은 찬성 측의 이러한 주장에 동의하기가 어려우며, 다음과 같은 점에서 동물 실험을 금지해서는 안 된다고 생각합니다.

우선 동물 실험은 윤리적으로 문제가 없습니다. 동물 실험은 동물의 고통을 최소화해야 한다는 원칙에 따라 행해지고 있기 때문입니다. 현재 동물 실험은 엄격한 법적 규제 아래에서 실행됩니다. 미국에서는 1966년부터 동물복지법이 시행되었고, 이 법에 따라 수의사들이 정기적으로 실험동물 사육 시설의 온도, 음식과 식수 등의 환경을 감시합니다. 우리나라에서도 1991년부터 동물보호법을 시행하고 있습니다. 〈중략〉 그러므로 동물 실험이 비윤리적이라고 볼 수 없습니다.

또한 동물 실험이 인간에게 가져다주는 이익이 매우 큽니다. 동물 실험은 수많은 사람의 생명을 구하는 치료법을 개발하는 데에 이바지합니다. 캘리포니아의 생명연구협회에서는 지난 백 년간 위대한 의학적 발견에 모두 동물 실험이 결정적인 역할을 했다고 보고한 바 있습니다.

– 의약품 개발을 위한 동물 실험을 금지해야 하는가 –

12 윗글에 대한 설명으로 적절하지 <u>않은</u> 것은?

① 찬성 측 토론자는 동물 실험을 대체하는 방안이 있으므로 동물 실험을 금지해야 한다고 주장하고 있다.
② 찬성 측과 반대 측 토론자는 모두 정책 변화에 따른 효과와 이익이 비용보다 큼을 주장해야 한다.
③ 찬성 측 토론자는 동물 실험이 비윤리적이라는 내용으로 논증을 구성하고 그 정당성을 증명해야 한다.
④ 사회자는 '의약품 개발을 위한 동물 실험을 금지해야 한다'라는 논제를 소개하고 토론의 시작을 알린다.
⑤ 반대 측 토론자는 찬성 측이 내세운 동물 실험 때문에 발생하는 문제의 심각성을 언급하면서 그에 대한 반대 측의 주장을 밝힌다.

13 다음은 찬성 측 입론에 대한 반대 측의 반박이다. 이와 같은 주장에 해당하는 필수 쟁점을 〈보기〉에서 있는 대로 고른 것은?

찬성 측은 동물 실험의 비윤리성에 대해 지적하면서 마취제나 진통제 투여 없이 실험을 받은 미국 농무부의 보고를 인용하고 있습니다. 하지만 최근에는 러셀과 버치가 주장한 3R 원칙 (대체, 감소, 정교화)에 의거한 동물 실험 윤리에 따라 동물 실험이 행해지고 있습니다.

┤ 보기 ├
ㄱ. 3R 시행의 문제점
ㄴ. 동물 실험의 안전성
ㄷ. 동물 실험의 윤리 문제
ㄹ. 동물 실험의 비용 문제
ㅁ. 3R 원칙의 사회적 윤리 문제

① ㄴ   ② ㄷ   ③ ㄴ, ㄹ   ④ ㄱ, ㅁ   ⑤ ㄷ, ㄹ

[14~15] 다음은 '외모 지상주의로 인한 사회적 폐해가 크다'라는 논제로 토론을 하고 있는 장면이다. 물음에 답하시오.

사회자 : '외모 지상주의로 인한 사회적 폐해가 크다'라는 논제로 토론을 시작합니다. 먼저 긍정 팀에서 입론 발표해 주십시오.

김생글(긍정팀 1) : 외모 지상주의로 인해 외모는 다소 부족하지만 실력을 갖춘 사람들이 소외되고 있습니다. 2014년 기업 인사 담당자 234명을 대상으로 조사한 바에 따르면 외모가 취업 당락에 66.6%에 달하는 영향을 미친다고 합니다. 매스컴과 산업자본에 의해서 외모의 기준이 상업화되고 획일화되고 있는 경향도 보이고 있습니다. 이는 청소년들에게 왜곡된 가치관을 심어주고 외모로 인한 차별을 낳을 수 있으므로 큰 문제입니다. 이상입니다.

사회자 : 긍정 팀 입론에 대한 부정 팀의 교차신문이 있겠습니다.

한예슬(부정팀 2) : 김생글 토론자께서 말하신 능력의 의미는 무엇입니까?

김생글(긍정팀 1) : 지성과 업무 처리 능력을 의미합니다.

한예슬(부정팀 2) : 지성과 외모를 같은 선상에서 볼 수 있다고 생각합니다. 첫째로 지성도 미모처럼 선천적인 요인이 있다고 합니다. 아이큐가 높은 사람은 많은 학습량을 빠르게 습득합니다. 두 가지 모두 후천적 노력으로 발전이 가능합니다. 또 판단기준이 주관적입니다. 그리고 지성과 외모 모두 시간이 흐름에 따라 마모되기 마련입니다. 그래서 미모와 지성은 같은 점이 많기 때문에 동일선상에서 볼 수 있다고 생각합니다. 그게 아직도 다르다고 생각하십니까?

김생글(긍정팀 1) : 외모는 모든 사람에게 주관적일 수 있습니다. 주관적인 요소인 외모의 기준을 강요하고 외모를 실력보다 우선하는 사회 풍조는 우리 사회의 질적인 발전을 저해합니다.

사회자 : 긍정팀 1차 입론에서는 외모지상주의로 인한 차별 가능성과 '지성과 미모를 같은 차원에서 볼 수 있는가'라는 쟁점이 도출되었군요. 이번에는 부정 팀의 입론 순서입니다.

나왕자(부정팀 1) : 사람들의 의식주 문제가 해결되면서 자연스럽게 미용에 대한 관심이 많아졌습니다. 외모를 가꾸는 것은 자신에 대한 투자로 경쟁력을 높이는 것입니다. 또한 외모를 가꾸는 것은 자신을 표현하는 것이라고 말할 수 있습니다. 과거에 정신을 중시하였을 때는 그 사람이 어떤지 그 사람을 오래 만나보기 전엔 알 수 없었습니다. 외모를 가꿈으로써 자신의 내면을 보여줄 수 있습니다. 마지막으로 외모지상주의가 경제 활성화에 기여하는 바가 큽니다. 외모를 개선하고 싶은 여성들이나 외모로 인하여 열등감을 갖는 사람들이 의술로 희망을 가질 수 있게 되었구요. 이상입니다.

사회자 : 나왕자 토론자는 크게 네 가지로 말씀하셨는데요, 육체에 관심을 갖는 시대의 흐름, 자신에게 투자해서 생기는 자신의 경쟁력, 자신의 내면을 보여주는 개성, 외모지상주의가 경제 활성화에 기여한다는 의견을 제출했습니다. 긍정 팀의 교차 신문을 시작하겠습니다.

유힘찬(긍정팀 2) : 외모를 가꾸는 것과 외모지상주의는 다른 차원의 문제라고 봅니다. 외모를 가꾸는 것은 당연히 자아의 표현이지만, 외모 가꾸기 열풍을 조장하고 획일화된 기준을 강요하는 대중매체나 성형외과의 상술은 많은 부작용을 낳고 있습니다. 이런 부작용에 대해서는 어떻게 생각하십니까?

나왕자(부정팀 1) : (㉠   )

〈중략〉

김생글(긍정팀 1) : 우리나라 13세~43세 여성 64%가 외모가 인생의 성패에 영향을 끼친다고 생각한다는 통계 결과가 있습니다. 외모지상주의로 인해 성형과 다이어트에 시간, 경제적 손실, 노력 등이 광적인 수준에 달해 있습니다. 외모지상주의가 상업주의에 편승하여 많은 여성들을 억압하고 있습니다. 기업과 대중매체는 외모지상주이를 낳는 상업전략을 중단하고 내면의 가치로 눈길을 돌리는 사회 분위기를 만들어야 한다고 생각합니다.

나왕자(부정팀 1) : 외모를 가꾸는 것은 인간의 본능입니다. 외모를 꾸밈으로써 자신감을 높이고 자신의 부가가치를 높일 수 있으며, 청소년들을 포함한 모든 소비자들이 외모를 가꾸는 과정에서 경제 활성화에 기여하게 됩니다. 외모지상주의로 인한 억압은 성숙한 개인이 외모뿐만 아니라 내면의 힘을 기름으로써 방어해야 하는 문제라고 생각합니다. 이상입니다.

14 (㉠)에 들어갈 내용으로 적절하지 <u>않은</u> 것은?

① 외모에만 치중해서 내면의 아름다움을 소홀히 하는 것이야말로 더 큰 문제가 아닐까요?

② 대중 매체나 성형 열풍은 사회 분위기를 반영합니다. 대중매체나 성형외과의 부작용은 그만큼 외모가 중요함을 의미하는 게 아닐까요?

③ 상술이 난무하는 것은 맞지만, 현대인의 욕구가 큰 데서 비롯된 부작용이므로 그것으로 외모지상주의를 부정하긴 어렵습니다.

④ 외모가 중요하므로 부작용을 감수하는 사례가 많아지는 것입니다. 부작용을 막을 사회적 장치가 필요할 뿐입니다.

⑤ 실제로 부작용이 있는 것은 사실입니다. 하지만 폐해보다는 효과와 이익이 더 크지 않을까요?

15 위의 토론의 사회자와 토론자들에 대한 평가로 적절하지 <u>않은</u> 것은?

① 사회자는 토론 참가자들의 발언 순서를 지정해 주며 토론의 진행을 이끌고 있다.

② 사회자는 토론 참가자들의 발언 내용을 요약하거나 정리하며 진행하고 있다.

③ 긍정 측 토론자는 주장을 뒷받침하는 통계 결과와 출처를 근거로 제시하고 있다.

④ 부정 측 토론자는 구조적인 문제보다 개인의 책임을 더욱 중시하는 주장을 하고 있다.

⑤ 부정 측 토론자는 긍정 측의 전제를 반박함으로써 긍정 측의 문제점을 드러내고 있다.

[16~17] 다음 글을 읽고 물음에 답하시오.

토론에서 하는 말하기에는 어떤 것이 있을까?

토론의 발언에는 입론과 반론이 있다. 입론은 자신의 주장을 펼치는 말하기이며, 반론은 상대방의 주장을 반박하는 말하기이다. 토론의 유형에 따라 입론 단계에서 교차 신문을 하기도 한다. 교차 신문은 상대방의 입론 내용을 따져 묻는 말하기이다.

토론에서 하는 발언의 종류와 성격

입론
찬성 또는 반대 측에서 자기의 주장이 타당함을 논리적으로 입증하는 말하기.

반론
상대측 주장이 타당하지 않음을 증명하기 위해 근거의 불충분함, 부정확함, 부적절함, 이유와 근거의 비연관성 등을 지적하는 말하기.

교차 신문
상대측이 입론에서 내세운 주장과 이유, 근거를 반박하기 위해 따져 묻는 말하기.

논제와 쟁점이란 무엇인가?

토론의 주제를 논제라고 하는데, 논제는 크게 사실 논제, 가치 논제, 정책 논제로 나뉜다. 사실 논제는 사실의 진위를 다투는 논제이고, 가치 논제는 가치관의 차이를 따지는 논제이며, 정책 논제는 어떤 정책의 도입, 폐지, 개선 등 정책의 실행 여부와 실행 방안에 관한 논제이다. 이 가운데 정책 논제를 다루는 토론에서 찬성 측은 정책의 변화를 주장하므로 그 변화가 필요하고 정당하다는 것을 증명해야 한다. 그리고 반대 측은 찬성 측의 주장이 정당하지 않음을 비판하는 역할을 맡는다.

쟁점은 찬성 측과 반대 측이 다투는 내용으로, 쟁점과 관련한 논의가 논쟁의 핵심이 된다. 쟁점 가운데 반드시 다루어야 하는 쟁점을 필수 쟁점이라고 한다. 정책 논제를 다루는 토론에서는 문제 해결 방안, 효과와 이익 등이 주요한 필수 쟁점이 된다.

정책 논제를 다루는 토론의 필수 쟁점 구성

찬성	필수 쟁점	반대
문제가 심각하여 조치가 시급함.	문제	문제가 심각하지 않음
제시된 방안으로 문제를 해결할 수 있고, 방안이 실행 가능함.	해결 방안	제시된 방안으로 문제를 해결할 수 없거나 방안이 실행 불가능함.
효과와 이익이 비용보다 큼.	효과와 이익	비용이 효과와 이익보다 큼.

논증은 어떻게 구성할까?

토론에서는 쟁점별로 논증을 구성하여 말해야 한다. 논증을 구성할 때에는 쟁점에 관한 주장이 명확해야 하고, 주장의 이유와 근거가 타당해야 한다. 이유는 주장을 정당화할 수 있어야 하고, 근거가 어떻게 주장과 연결되는지를 설명할 수 있어야 한다. 근거는 객관적인 사실 정보를 가리키는데, 근거와 이유 사이에는 밀접한 연관성이 있어야 한다.

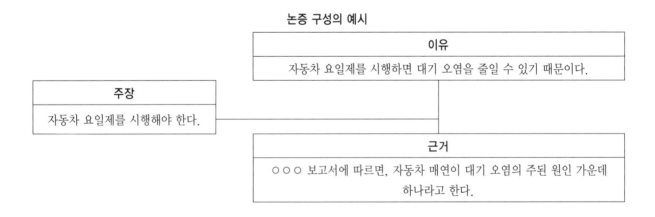

논증 구성의 예시

이유
자동차 요일제를 시행하면 대기 오염을 줄일 수 있기 때문이다.

주장
자동차 요일제를 시행해야 한다.

근거
○○○ 보고서에 따르면, 자동차 매연이 대기 오염의 주된 원인 가운데 하나라고 한다.

반대 신문식 토론이란?

반대 신문식 토론은 어떤 논제를 두고 찬성 측과 반대 측이 교차 신문을 통해 상대방의 논지를 반박함으로써 승부를 가르는 토론이다. 이 토론은 입론, 반론, 평결의 순으로 진행된다. 교차 신문은 입론 단계에서 행해지는데, 바로 앞 차례의 상대측 토론자가 입론한 내용에 대해 질문하는 것이다. 평결은 배심원들이 한다.

2명 대 2명으로 반대 신문식 토론을 할 때의 진행 순서

	찬성 측		반대 측	
	제1 찬성자	제2 찬성자	제1 반대자	제2 반대자
입론 단계	①입론			②교차 신문
	④교차 신문		③입론	
		⑤입론	⑥교차 신문	
		⑧교차 신문		⑦입론
반론 단계	⑩반론		⑨반론	
		⑫반론		⑪반론
평론 단계	배심원의 평결			

▲ 번호 ①∼⑫ 토론 순서를 가리킴.

16 토론 방법에 대한 설명으로 적절하지 <u>않은</u> 것은?

① 토론은 대결이라는 점에서 진행 규칙을 준수해야 한다.
② 토론은 배구처럼 상대방을 공격하고 자기 팀을 방어한다.
③ 토론은 상대를 논리적으로 설득해야 우위를 점할 수 있다.
④ 토론 순서나 구체적인 방법은 사전에 정해 놓고 해야 한다.
⑤ 토론은 사회자, 토론자, 청중(배심원)으로 구성되며, 청중과 달리 사회자는 진행 과정에서 반드시 중립을 지켜야 한다.

17 위 글로 미루어 볼 때 적절하지 <u>않은</u> 것은?

① 찬성 측에게는 입증 책임, 반대 측에게는 반증 책임이 있다.
② 정책 논제에서 '문제'와 관련된 필수 쟁점은 주로 문제의 심각성, 중요성, 시급성, 상황의 지속성 등에 관한 것이다.
③ 정책 논제와 달리 사실 논제와 가치 논제에서는 '문제, 해결방안, 효과와 이익'이 필수 쟁점이 아닌 하위 쟁점이 된다.
④ 논증은 '주장, 이유, 근거'를 구성 요소로 하여 어떤 주장의 옳고 그름을 이유와 근거를 들어 밝히는 것이다.
⑤ 고전식 토론과 달리 반대 신문식 토론에서는 교차 신문이 추가되는데 반론 단계에서는 교차 신문이 허용되지 않는다.

서술형 심화문제

[01] 다음 글을 읽고 물음에 답하시오.

토론에서 하는 말하기에는 어떤 것이 있을까?

토론의 발언에는 입론과 반론이 있다. 입론은 자신의 주장을 펼치는 말하기이며, 반론은 상대방의 주장을 반박하는 말하기이다. 토론의 유형에 따라 입론 단계에서 교차 신문을 하기도 한다. 교차 신문은 상대방의 입론 내용을 따져 묻는 말하기이다.

토론에서 하는 발언의 종류와 성격

입론
찬성 또는 반대 측에서 자기의 주장이 타당함을 논리적으로 입증하는 말하기.

반론
상대측 주장이 타당하지 않음을 증명하기 위해 근거의 불충분함, 부정확함, 부적절함, 이유와 근거의 비연관성 등을 지적하는 말하기.

교차 신문
상대측이 입론에서 내세운 주장과 이유, 근거를 반박하기 위해 따져 묻는 말하기.

논제와 쟁점이란 무엇인가?

토론의 주제를 논제라고 하는데, 논제는 크게 사실 논제, 가치 논제, 정책 논제로 나뉜다. 사실 논제는 사실의 진위를 다투는 논제이고, ㉠가치 논제는 (ㅤㅤㅤㅤㅤㅤ)논제이며, 정책 논제는 어떤 정책의 도입, 폐지, 개선 등 정책의 실행 여부와 실행 방안에 관한 논제이다. 이 가운데 정책 논제를 다루는 토론에서 찬성 측은 정책의 변화를 주장하므로 그 변화가 필요하고 정당하다는 것을 증명해야 한다. 그리고 반대 측은 찬성 측의 주장이 정당하지 않음을 비판하는 역할을 맡는다.

쟁점은 찬성 측과 반대 측이 다투는 내용으로, 쟁점과 관련한 논의가 논쟁의 핵심이 된다. 쟁점 가운데 반드시 다루어야 하는 쟁점을 필수 쟁점이라고 한다. 정책 논제를 다루는 토론에서는 문제 해결 방안, 효과와 이익 등이 주요한 필수 쟁점이 된다.

01 ㉠ ( ) 안에 들어갈 내용과 관련하여 가치 논제의 개념을 글자 수 15~30자의 한 문장으로 서술하고, 가치 논제에 해당하는 논제 두 개를 만들어 적으시오.

(1) 가치 논제 개념

(2) 가치 논제의 예

(가) 사회자 : 안녕하십니까? 오늘은 '투표 연령을 낮추어야 한다.'라는 논제로 토론하겠습니다. 이번 토론은 반대 신문식 토론으로 진행됩니다. 참여자께서는 토론 규칙과 예의를 지켜 토론해 주시기 바랍니다.

　　그럼, 먼저 찬성 측 제1 토론자께서 (ⓐ)해 주시기 바랍니다.

찬성 1 : 투표 연령이란 유권자로서 투표할 수 있는 나이를 가리키는 말입니다. 그리고 국회 의원, 대통령 등 선출직 공직자를 뽑는 선거에서 투표할 수 있는 권리를 선거권이라고 합니다. 현재 우리나라에서 선거권은 만 19세 이상의 국민에게 주어집니다. 선거법에 따라 투표 연령을 만 19세 이상으로 정해 놓았기 때문입니다.

　　대통령이나 국회의원을 선출하는 일은 우리나라의 미래를 설계하는 것입니다. 국가의 정책과 계획을 결정하는 일에 미래의 주역인 청소년이 영향을 미치지 못한다는 것은 매우 심각한 모순입니다.

　　또한, 만 19세 미만의 청소년에게 선거권을 주지 않는 것은 국민의 한 사람으로서 누려야 할 기본적인 권리를 침해하는 일일 수 있습니다. 이 같은 인권 침해는 민주주의의 발전에도 걸림돌이 될 것입니다. 이러한 이유로 국가인권위원회에서는 투표 연령 기준을 현재의 만 19세 이상에서 만 18세 이상으로 낮추어야 한다고 권고한 바 있습니다.

　　투표 연령을 낮추게 되면 청소년이 자신과 관련된 교육, 입시 등의 정책에 더욱 관심을 두게 되고, 나아가 자신이 맞닥뜨릴 가까운 미래를 선택할 기회를 얻을 수 있게 될 것입니다. 그리고 대한민국 국민으로서 기본적인 권리인 참정권을 보장받을 수 있으므로 인권 침해의 우려에서도 벗어날 수 있게 될 것입니다.

　　오늘날 우리나라 청소년은 선거에 참여할 수 없기 때문에 우리나라의 정치나 정책에 무관심한 상황입니다. 투표 연령을 낮추면 청소년이 국가 정책과 정치에 관심을 가지게 하는 효과를 거둘 수 있습니다. 나아가 최근 들어 점차 낮아지고 있는 투표율을 높이는 효과까지 가져올 것으로 생각합니다.

　　따라서 저는 투표 연령을 낮추어야 한다는 (ⓑ)에 찬성합니다.

사회자 : 네, 잘 들었습니다. 그럼 이제 반대 측 제2 토론자께서 (ⓒ)해 주시기 바랍니다.

(나) 반대 1 : 찬성 측이 입론에서 설명하신 것처럼 현재 우리나라의 투표 연령은 만 19세 이상입니다. 이것은 법적인 근거가 있습니다. 우리나라 민법상 만 19세 미만의 미성년자는 '행위 무능력자'로 보기 때문에 혼인이나 재산상의 거래를 보호자의 동의 없이 할 수 없습니다. 이들은 아직 스스로 주체적인 판단을 내리기 어려운 나이라고 보기 때문에 교육으로써 올바른 판단을 배워 나가는 시기라고 정해 놓은 것입니다.

　　투표는 우리나라의 미래를 결정하는 매우 중요한 행위이므로 엄정하게 이루어져야 합니다. 그래서 우리나라 법에서는 아직 판단 능력이 성숙하지 않은 청소년의 투표 행위를 법으로 금지한 것입니다. 청소년 관련 정책은 청소년 자녀를 둔 부모님이 충분히 고려하여 투표할 것입니다.

　　또 미성년자에게 선거권을 제한하는 것은 인권 침해라고 볼 수 없습니다. 술이나 담배를 미성년자에게 팔지 않는 것이 인권 침해가 아닌 보호의 의미임을 인정하실 것입니다. 투표 연령 제한 또한 올바른 의사 결정에 어려움을 겪을 수 있는 미성년자를 보호하려는 의도이므로 인권 침해라고 볼 수 없습니다. 헌법재판소에서도 이런 점을 고려하여 2013년에 만 19세 미만의 선거권 제한에 합헌 결정을 내린 바 있습니다.

　　그리고 만일 현재와 같은 투표 연령 제한이 만 19세 미만의 인권을 침해하는 것이라고 한다면 투표 연령을 낮춘다고 해결될 수 있는 문제가 아닙니다. 투표 연령을 만 18세로 낮추어도 만 17세나 16세의 인권은 침해되는 것 아닙니까? 그렇다고 투표 연령에 제한을 없앨 수는 없습니다. 그러므로 투표 연령을 낮추어야 한다는 주장은 설득력이 없습니다.

　　선거권이 없어서 청소년이 정치나 정책에 무관심하다는 것은 적절하지 않은 의견입니다. 우리나라의 교육 제도를 고려할 때 만 19세 미만은 고등학생에 해당하는 시기입니다. 이 시기의 청소년은 교육으로 합리적인 의사 결정 방법을 배우게 됩니다. 정치나 정책에 무관심하다면 교육으로 해결해야 한다고 생각합니다.

　　만약 투표 연령을 만 18세 이하로 낮추면 잘못된 의사 결정으로 투표의 본질을 흐릴 수 있습니다. 따라서 지금처럼 투표 연령을 만 19세 이상으로 유지하여 투표 결과의 신뢰도를 확보하는 것이 타당하다고 생각합니다.

　　따라서 저는 투표 연령을 낮추어야 한다는 논제에 반대합니다.

02 다음은 (가)의 찬성 측 제1 토론자의 입론을 쟁점에 따라 정리한 것이다. 〈보기〉를 참고하여 ㉠~㉣에 들어갈 내용을 〈조건〉에 맞게 서술하시오.

┤ 보기 ├

정책 논제에서는 반드시 언급해야 할 쟁점이 있는데, 이를 필수 쟁점이라고 한다. 찬성 측과 반대 측은 '얼마나 심각한 문제인가?', '해결 방안은 무엇이고 실행 가능성이 있는가?' '문제 해결 방안의 실행에 따른 효과나 이익이 있는가? 등의 질문을 통해 쟁점을 찾고, 쟁점별로 논증을 구성해야 한다.

┤ 문제 ├

• 미래의 주역인 청소년이 미래의 정책을 결정하는 투표에 참여하지 못하는 것은 모순이다.
• 청소년의 인권이 침해될 수 있다.

〈해결방안〉

㉠ : _____

㉡ : _____

〈이익/효과〉

㉢ : _____

㉣ : _____

┤ 조건 ├

• ㉠~㉣의 글자 수는 50자 미만으로 작성할 것.
• 본문을 그대로 옮기지 말고 '(투표 연령을 낮추면) ~ (할) 수 있다.'의 형식을 활용하여 한 문장으로 작성할 것

03 〈보기〉를 참고하여 ⓐ~ⓒ에 들어갈 알맞은 말을 쓰시오.

┤ 보기 ├

• **논제** : 토론의 주제
• **논증** : 주장이나 판단의 옳고 그름을 논리적 근거를 들어 뒷받침하고 증명하는 것
• **논지** : 논하는 말이나 글의 취지
• **반대 신문** : 상대측 입론의 논리적 허점이나 오류, 자료나 논리 전개상의 문제 등을 제기하여 질문하는 것
• **반론** : 상대측의 입론을 논박하면서 자기편의 주장이 정당화함을 증명하는 것
• **입론** : 찬성과 반대 양측이 쟁점에 대한 견해를 확인하고, 이유와 근거를 분명히 밝혀 자신의 주장이 타당함을 논리적으로 입증하는 것

04 다음 중 토론의 논제로 적절하게 진술되지 <u>않은</u> 것을 <u>두 가지</u> 고르고, 그 이유를 <u>각각</u> 쓰시오.

(1) 선의의 거짓말은 필요하다.
(2) 인스턴트 음식은 건강에 해로운가?
(3) 인터넷 용어를 국어사전에 등재해야 한다.
(4) 고등학교 야간자율학습제도를 폐지해야 한다.
(5) 의무 투표제를 도입하고 투표율을 높여야 한다.

[05] 다음 글을 읽고 물음에 답하시오.

투표는 민주 시민의 소중한 권리입니다. 그런데 우리나라의 평균 투표율은 경제 개발 협력 기구(OECD) 회원국 평균에 비해 턱없이 낮습니다. 이런 상황을 개선하기 위해 우리나라도 '의무 투표제'를 시행해야 한다고 주장하는 사람이 많아지고 있습니다. 의무 투표제란 유권자가 의무적으로 투표에 참여하도록 하는 제도로, 투표 불참자에게는 벌금을 부과하거나 투표권을 박탈하는 등의 제재를 가합니다. 저희는 이러한 의무 투표제 도입에 찬성합니다.

그 이유는 첫째, 우리나라는 투표율이 낮아 투표 결과의 정당성을 충분히 확보하지 못하고 있기 때문입니다. 실제로 18, 19, 20대 총선의 투표율은 46.1, 54.2, 58.0퍼센트였습니다. 유권자 10명 중 4명 이상이 자신의 권리를 포기한 것이므로 선출된 정치인들이 국민의 대표로서 정당성을 얻었다고 보기 어렵습니다. 이는 국가의 의사 결정에 국민 모두의 의견을 반영하지 못하는 심각한 상황을 초래합니다.

둘째, 의무 투표제는 현실적으로 투표율을 증가시킬 수 있는 가장 확실한 제도입니다. 벨기에는 1893년 의무 투표제를 도입하여 30~40퍼센트였던 투표율을 90퍼센트대로 높였습니다. 호주는 2000년부터 2009년까지 십 년간 평균 투표율이 94.8퍼센트로 경제 개발 협력 기구(OECD) 회원국 중에서 1위를 기록했습니다. 호주에서는 정당한 사유 없이 투표를 하지 않으면 20호주 달러의 벌금을 부과하고 있습니다. 이렇게 벌금 등의 불이익을 제도화하여 투표를 독려하고, 사전 투표나 전자 투표 등을 확대한다면 투표를 하지 못하는 불가피한 상황에 처한 사람들도 투표에 쉽게 참여할 수 있습니다.

셋째, 의무 투표제는 국민의 정치적 관심을 높여 객관적이고 공정한 정책으로 대결하는 선거 문화를 만듭니다. 미국의 정치학자 아런트 레이파르트는 자신이 쓴 「불평등 참여」라는 글에서 의무 투표제를 실시하면 투표 참여에 소극적이던 저소득층을 투표장으로 유인하여 그들의 정치적 영향력을 증대하는 부수적인 효과가 있다고 밝혔습니다.

이처럼 의무 투표제는 사회적으로 효과가 큰 제도이므로 반드시 시행해야 합니다.

05 위 입론 내용을 바탕으로 다음 빈칸에 알맞은 내용을 작성하시오.

쟁점 / 논증	㉠	㉡	㉢
이유	투표율이 낮으면 투표 결과의 정당성을 충분히 확보할 수 없다.	현실적으로 투표율을 증가시킬 수 있는 가장 확실한 제도이다.	의무 투표제는 국민의 정치적 관심을 높여 객관적이고 공정한 정책으로 대결하는 선거 문화를 만든다.
근거	㉣	• 벨기에는 1893년 의무 투표제를 도입하여 30~40퍼센트였던 투표율을 90퍼센트대로 높였다. 정당한 사유 없이 투표를 하지 않으면 벌금을 부과하는 호주는 2000년부터 2009년까지 십 년간 평균 투표율이 94.8퍼센트를 기록했다. • ㉤	미국의 정치학자 아런트 레이파르트는 자신이 쓴 「불평등 참여」라는 글에서 의무 투표제를 실시하면 투표 참여에 소극적이던 저소득층을 투표장으로 유인하여 그들의 정치적 영향력을 증대하는 부수적인 효과가 있다고 밝혔다.

[06] 다음 글을 읽고 물음에 답하시오.

　저희는 의무 투표제를 도입하자는 의견에 반대합니다. 그 이유는 첫째, 투표율이 낮은 것도 국민의 민주적인 선택에 따른 결과이므로 선출된 정치인들이 정당성을 확보하지 못했다고 판단할 수 없기 때문입니다. 공직 선거법 제1조에서는 "국민의 자유로운 의사와 민주적인 절차에 의하여 공정히 행하여지도록"이라고 표현하며 선거의 목적을 밝히고 있습니다. 투표권을 포기하는 것 역시 국민의 의사 표현 방식이므로 결과의 정당성을 문제 삼을 수 없습니다.

　둘째, 의무 투표제가 아니더라도 투표율을 높일 수 있는 방안이 충분히 있습니다. 투표 시간의 연장, 장애인이나 노약자의 투표 지원, 수형자와 같이 법적으로 투표가 금지된 유권자를 위한 정책 마련 등으로 투표율을 높일 수 있습니다. 또 투표 불참자를 처벌하기보다는 투표 참여자에게 혜택을 주는 방안도 생각해 볼 수 있습니다.

　셋째, 의무 투표제가 국민의 정치적 관심을 높여 객관적이고 공정한 정책으로 대결하는 선거 문화를 만든다고 볼 수 없습니다. 브라질의 정치학자 데이비드 플라이셔는 "의무 투표제 아래에서는 유권자들이 후보의 공약도 모른 채 형식적으로 투표하는 경향이 있으므로 선거의 질을 높이려면 자유 투표제를 시행하는 것이 낫다."라고 말했습니다.

　이처럼 의무 투표제는 시행하여 얻는 효과가 불확실하므로 불필요한 제도입니다.

06 위 입론 내용을 바탕으로 다음 빈칸에 알맞은 내용을 작성하시오.

논증 ＼ 쟁점	문제의 심각성	문제의 해결 및 실행 가능성	효과 및 이익
이유	㉠	㉢	의무 투표제가 국민의 정치적 관심을 높여 객관적이고 공정한 정책으로 대결하는 선거 문화를 만든다고 볼 수 없다.
근거	㉡	• 투표 시간의 연장, 장애인이나 노약자의 투표 지원, 수형자와 같이 법적으로 투표가 금지된 유권자를 위한 정책 마련 등으로 투표율을 높일 수 있다. • 투표 불참자를 처벌하기보다는 투표 참여자에게 혜택을 주는 방안도 있다.	㉣

단원 종합평가

[01~04] 다음 글을 읽고 물음에 답하시오.

마을의 변화

'마을'은 '여러 집이 이웃하여 살아가는 동네', 곧 공동체의 촌락을 뜻한다. 과거의 살림집은 마당과 텃밭까지 포함하는 공간이었기에 생활의 영역은 마을까지 확장되었다. 이러한 구조는 농경 생활에 필수적인 이웃 간의 정보, 노동력, 생산품의 교환을 쉽게 해 주었다.

과거의 집과 달리 현대 도시 사회의 집은 개개인의 개별적인 공간으로 존재한다. 오늘날 우리는 개인 공간인 집을 나와 복도, 현관, 주차장 등의 공간을 빠르게 지나쳐 직장이나 학교에 가고, 또 어디론가 볼일을 보러 간다. 마을을 중심으로 여러 사람이 공간을 공유하던 과거와 달리 현대의 도시에는 이웃과 공유하는 공간이 매우 적고, 있더라도 비어 있는 때가 많다. 무엇이 달라졌기에 이렇게 변화한 것일까?

모여 사는 마을

마을은 두 가지 속성을 내포하고 있다. 우선 지역 사회를 기반으로 사람들 사이의 관계가 형성되어 있어야 하고, 물리적으로는 개인의 공간과 공공의 공간 사이에 중간적 성격의 공간이 있어야 한다. 이러한 공간을 '사이 공간'이라 하는데, 이는 통행을 목적으로 하는 공간이라기보다 주민들 사이에 사적 관계를 형성하는 공동의 영역이라 할 수 있다. 이 두 가지가 오랫동안 지속될 때 한 장소에 오래 머물러 사는 '정주성'이 형성된다. 이것은 집을 짓고 선택하는 과정과 밀접한 관계가 있다.

과거에는 개인이 자기가 살 집의 입지를 선정하고, 목수와 상호 합의하여 집을 지었다. 오랜 시간에 걸쳐 집들이 하나하나 들어차면서 마을이 생겨나고 그 사이사이를 따라 길이 저절로 만들어졌다. 개인의 주거 공간을 한정하는 담과 담 사이에는 길과 공터가 있었다. 전통 주거지의 길은 큰길에서 안길이 뻗어 나가고 또 그 길에서 샛길이 뻗어 나가는 식이었다. 사람들은 길이 곧게 뻗은 것을 흉하게 여겼는데, 특히 집으로 들어오는 길은 곧바로 보이지 않도록 구부러진 형태로 되어 있어야 길하다고 여겼다. 또한 집이 큰길 옆에 있는 것 역시 꺼린 탓에 전통 마을의 집은 실핏줄처럼 얽힌 불규칙한 길을 따라 자연스레 자리하였다. 이런 까닭에 근대 이전의 전통 마을에는 항상 구부러지거나 꺾인 불규칙한 형태의 골목길이 존재했고, 도시를 포함한 전통 주거지의 가로 체계는 격자형(十자형)이 아닌 가지형(丁자형)으로 나타났다.

과거에는 개인이 생활을 하는 집과 일을 하는 장소가 멀리 떨어져 있지 않았다. 그러므로 사람들은 매일 두 공간 사이를 오가며 그곳에서 다양한 일을 경험했다. 개인의 집과 집 사이의 거리도 가까워서 이웃과 친밀한 사회적 관계를 형성할 수 있었다. 자신의 생활 반경인 집 주변과 그 사이사이에서 사람들과 마주치도록 구성된 공간을 '마을'이라 불렀던 것이다.

방에서 나오면 마당이 있고, 대문을 열면 골목길을 만나며, 길을 돌고 돌다 보면 그 동네의 중심부로 나갈 수 있었기 때문에 마을 안을 이동하다 보면 여러 경로를 자연스럽게 거칠 수밖에 없었다. 굳이 의도하지 않더라도 사람들의 만남과 모임이 곳곳에서 발생하였고, 그들 사이에서는 요즘 흔히 말하는 '커뮤니티'가 형성되었다. 집의 형태는 따로따로였지만 집 안팎을 살펴보면 모여 살 수 있는 구조였다.

동질성과 사생활

오늘날의 대표적인 주거 형태인 아파트는 전통의 주거 형태인 주택과는 다른 특징을 보인다. 아파트는 한 단위 세대를 층층이 쌓아서 배치하는 적층(積層)을 기본으로 한다. 하나의 건물 내에 수평적, 혹은 수직적으로 균일한 주거 공간이 밀집해 있고, 거기에 동질성을 지닌 거주자가 모여 사는 것이 현대의 한국식 공동 주택이 지닌 특징이라 할 수 있다.

이러한 공동 주택의 등장은 공동체적 관계를 변화시키는 중요한 원인을 제공했다. 공동 주택, 즉 아파트에는 '사이 공간'이 없다. 아파트에 사는 사람들은 공동의 현관을 통과한 후 승강기 홀이나 복도를 거쳐 각자의 개인 공간으로 들어간다. 그곳은 사생활을 최대한 보장하는 공간이다. 주택의 형태나 외관만 보면 모두 같은 공간에 사는 유사한 집단으로 보이지만, 그 안에서의 생활 모습은 공유할 만한 것이 거의 없다.

사이 공간이 없기 때문에 그곳에 사는 사람들은 아파트 단지라는 인위적 마을에서 상징적인 결속성만을 확보하고 있을 뿐 단지 내외의 사람들과 충분히 소통하지 못한다. 단지 내에는 단지를 구획하는 울타리, 보안과 감시를 위해 설치한 시시 티브이(CCTV), 외부인을 통제하는 차단기, 비밀번호를 눌러야만 열 수 있는 견고한 출입문이 있을 뿐이다.

주거지의 울타리는 우리의 범주를 규정하는 '영역 만들기'의 역할을 한다. 단지 내부에 동질성을 지닌 사회 계층이 거주하는 것이 현대 주거지의 특징인데, 외부와 차별성을 갖는 고급 단지일수록 그 울타리가 견고하다. 그러나 외부와의 단절뿐만 아니라 단지 내부에서도 이웃과 만나기 위한 공간과 행위들은 찾아보기 어렵다. 좁은 공간에 수많은 세대가 다다닥 붙어 있어 겉으로는 삭막해 보이지만 일단 현관문만 열면 아늑한 주거 환경이 펼쳐진다. 반대로 현관문 하나만 잠그면 집 전체가 바깥세상과 완전히 격리된다. 가족만의 성역에는 누구라도 예고 없이 방문할 수 없고, 이웃이나 친척이라도 안에서 문을 열어 주었을 때에만 집 안으로 들어올 수 있다. 이러한 특징은 현대인의 개인주의적 성향과 잘 맞아떨어진다.

사생활 보호에는 이렇듯 철저하지만, 같은 단지 내에서 공동의 목표를 추구할 때에는 집단의 힘을 발휘하기도 한다. 특히 그것이 단지의 이익과 관련한 것이라면 입주자회나 부녀회 같은 커뮤니티를 구성하여 주저하지 않고 의사를 표현한다. 이러한 아파트 단지의 결속성과 질서는 이해관계의 일치에서 비롯된다. 개별 단위 세대들은 자신들이 집에 들인 비용을 지키기 위해 집단의 힘을 발휘한다.

전통 사회에서는 이웃의 손을 빌려 개별적으로 집을 지었고, 그것이 자연스럽게 마을의 한 요소가 되었다. 하지만 아파트는 불특정 다수를 위해 전문 건설업자들이 완성한 것이어서 개별 거주자들의 취향과 요구 사항이 반영되기 어렵다. 수천 세대, 심지어는 수만 호가 일시에 건설되어 수많은 사람이 하루아침에 한동네 사람이 되기도 한다.

이러한 변화에 따라 요즘에는 '단지'가 과거의 '마을'을 대신하는 공간 단위가 되었다. 오랜 시간에 걸쳐 만들어진 전통 마을과 달리 이러한 현대의 주거지는 급조된 마을이다.

공간과 사는 풍경

한 사람, 하나의 주거 공간이 차지하는 면적이 계속 증가해 왔음에도 불구하고, 사람들은 자신이 사는 공간이 과거보다 매우 좁고 답답하다고 느낀다. 사람들 사이의 소통이 활발했던 과거의 마을과 달리, 오늘날의 주거지에서는 사람과 사람 사이의 만남과 교류가 어렵기 때문이다.

많은 사람이 살고 있는 아파트 단지에는 개별 단위 세대 외에도 놀이터, 조경 시설, 주차장, 조그만 정자 등의 공간이 조성되어 있다. 하지만 단지 내에 보이는 사람들은 나이 지긋한 어르신들, 어린아이들을 데리고 나온 젊은 부모들, 잠시 짬을 내어 놀러 나온 아이들뿐이다. 요즘 사람들에게 이와 같은 외부 공간은 이동을 위해 지나가는 통행로에 불과하다. 이것이 담과 담 사이, 건물과 건물 사이를 지나며 서로를 자연스레 알아 갈 수 있었던 전통 마을과의 차이점이다.

주거 공간의 변화가 사람들이 사는 풍경에 미친 영향은 앞으로 만들어 갈 공간을 고민해야 하는 까닭이 된다. 공간의 모습을 고민하는 것은 어떤 삶을 살 것인가를 고민하는 것과 결코 다르지 않기 때문이다.

---

01 이 글을 통해 확인할 수 있는 내용이 <u>아닌</u> 것은?

① 과거와 현대의 마을 형성 방법

② 과거와 현대의 길에 대한 인식의 공통점과 차이점

③ 과거와 오늘날의 주거 모습 비교

④ 현대 한국식 공동 주택의 특징

⑤ 현대 공동 주택의 등장에 따른 공동체적 관계의 변화

02 이 글의 내용과 일치하지 <u>않는</u> 것은?

① 전통 사회에서는 이웃의 손을 빌려 개별적으로 집을 지었다.

② 과거의 마을은 오랜 시간에 걸쳐 자연스럽게 형성되었다.

③ 현대의 마을은 과거와 달리 급조되는 경우가 많다.

④ 현대의 아파는 사이 공간이 없으므로 인해 단지 내외의 사람들과 충분히 소통하지 못한다.

⑤ 과거와 달리 현대 사회의 마을은 실핏줄처럼 얽힌 불규칙한 길이 자연스럽게 자리한다.

03 이 글을 바탕으로 전통 마을의 사람들이 이웃을 만나는 경로를 정리한 것으로 가장 적절한 것은?

① 방 → 마당 → 골목길 → 대문 밖 → 동네 중심부

② 방 → 마당 → 대문 밖 → 골목길 → 동네 중심부

③ 마당 → 방 → 골목길 → 대문 밖 → 동네 중심부

④ 동네 중심부 → 마당 → 대문 밖 → 골목길 → 방

⑤ 방 → 마당 → 동네 중심부 → 골목길 → 대문 밖

04 이 글의 주요 내용을 정리한 것으로 적절하지 <u>않은</u> 것은?

① 마을의 뜻과 변화한 마을의 모습

② 과거 주거 형태의 특징

③ 오늘날 주거 형태의 특징

④ 현대 이기주의의 문제점과 해결 방안

⑤ 공간의 변화가 사람들의 사는 풍경에 미친 영향

[05~08] 다음 글을 읽고 물음에 답하시오.

(가) 선유의 글쓰기 계획

주제 : '인터넷에 지나치게 연결된 삶을 적절하게 연결된 삶으로 조절하자.'라는 내용으로 써야겠어.

목적 : 지나치게 많은 연결로 생기는 문제점을 근거로 내세워서 글을 써야겠어.

독자 : 고등학생을 대상으로 해야겠어.

매체 : 인터넷 매체의 특성을 고려하여 글을 써야겠어.

(나) 선유의 작문 초고

도서관에 한 학생이 혼자 앉아 있다. 자신이 열심히 공부하는 모습을 찍어 누리소통망[SNS]에 올리자마자 친구들이 '좋아요'라고 반응한다. 곧이어 부모님께서 용돈을 입금했다는 문자 메시지를 받고, 친구에게 생일 선물로 영화 예매권을 보낸다. 선물을 받은 친구는 즉시 고맙다는 문자 메시지를 보내온다. 혼자 있어도 혼자가 아니다.

인터넷 통신망으로 연결된 우리 삶은 더욱 풍요로워지고 있다. 개인과 개인은 물론이고 개인과 국가, 국가와 국가, 나아가 인간과 사물이 인터넷 통신망으로 연결되어 있다. 이에 따라 과거에는 인간의 힘으로 할 수 없었던 수많은 일을 손쉽게 해내고 있다. 하지만 오늘날을 지나치게 연결된 '과잉 연결 시대'라고 규정하면서 그 부작용을 우려하는 목소리도 커지고 있다. 따라서 과잉 연결로 인한 문제점을 살펴보고, 그 문제에 대응하는 방안을 주장하고자 한다.

먼저, 과잉 연결 사회에서는 우리의 삶이 범죄에 쉽게 노출될 수 있다. 경찰청 사이버안전국의 통계를 보면 2004년 77,099건이던 인터넷 관련 범죄가 2013년 155,366건으로 10년간 약 2배나 증가한 것을 알 수 있다. 또한, 한국인터넷진흥원의 개인정보침해신고센터 접수 자료에 따르면 2006년 23,333건이던 개인 정보 침해 상담 건수가 2015년에는 152,151건으로 약 6배 이상 증가하였다. 이는 정보 통신 기술이 발달하는 추세와 비례한다. 이러한 문제점을 예방하려면 우선 주민 등록 번호나 비밀번호 등의 개인 정보는 인터넷에 함부로 올리지 않아야 한다. 그리고 사생활이 담긴 사진이나 개인 기록 등은 반드시 공개 범위를 설정해 놓음으로써 정보가 마구 흘러 나가는 일이 없도록 주의해야 할 것이다.

다음으로 과잉 연결 사회는 우리를 단편적이고 불완전한 정보의 홍수에 빠지게 한다. '낯선 사람이 마른 해산물의 냄새를 맡게 한다. 그 냄새를 맡으면 바로 정신을 잃게 되니 절대로 맡아서는 안 된다.' 이 이야기는 실제로 몇 년 전 누리 소통망을 뜨겁게 달구었던 괴담이다. 물론 이 이야기는 사실무근임이 밝혀졌다. 어디서부터 시작된 이야기인지, 실제로 경험한 이야기인지 확인되지 않은 채 인터넷 세계를 떠돌아다니면서 사회적 혼란을 일으킨 사례라고 할 수 있다. 이처럼 인터넷상에서는 왜곡된 정보가 통신망을 타고 확대, 재생산되기도 한다. 그에 따른 혼란은 고스란히 개인이 감내해야 할 몫이다. 따라서 인터넷에서 얻은 정보는 반드시 정확하고 신뢰할 만한 것인지 비판적으로 판단하여 수용하는 자세를 지녀야 한다.

마지막으로 과잉 연결 사회는 인간과 인간 사이의 진정한 소통을 가로막는다. 나는 얼마 전 아파트 이웃들과 엘리베이터를 탄 적이 있다. 모두가 좁은 엘리베이터 안에서 각자의 휴대 전화를 들여다볼 뿐 침묵이 이어졌다. 사람들은 순서대로 엘리베이터에서 내렸지만 누가 어디 사는지, 어떤 이웃인지 전혀 관심을 두지 않았다. 거미줄처럼 연결된 인터넷 통신망에 빠져 현실 세계의 인간관계를 잃어 가는 모습이다. 이웃이나 친구, 가족과 함께 있는 순간만큼은 인터넷연결을 끊어 보자. 그러면 비로소 나와 가까운 사람들과 진정한 소통이 이루어질 수 있을 것이다.

과잉 연결 시대를 살아가는 우리는 위험하고, 혼란스럽고, 외롭다. 이렇게 많은 문제점이 있음에도 모든 연결을 끊는 것은 어렵다. 따라서 '과잉 연결'을 '적절한 연결'로 조절하는 지혜가 필요하다. '과유불급'이란 말처럼 과도한 연결이 오히려 해가 될 수 있음을 깨닫고 '위험한 편리'보다 '안전한 불편'을 선택해 보는 것은 어떨까?

– 출처 : ○○고등학교 홈페이지 '학생참여마당' 게시판

– 작성자 : ○○고등학교 1학년 1반 김선유

05 (가)와 같이 작문 계획을 세웠을 때, 근거로 활용할 수 없는 자료는?

⊙ **인터넷 신문 기사**

지난해 출처한 불분명한 괴소문으로 누리꾼을 떨게 했던 마른 해산물 괴담이 다시인터넷과 누리소통망(SNS)를 휩쓸고 있다.

이 괴담은 이미 지난해 5월에 한 차례 온라인을 떠들썩하게 했던 것으로 당시 전문가들은 괴담에서 언급한 마취제는 국내에서 취급하지 않고, 잠깐 냄새를 맡는다고 정신을 잃지는 않는다고 설명하며 괴담에 동요하지 말 것을 당부했다.

ⓛ **경찰청 통계 자료**

구분	총계			사이버 테러형 범죄			일반 사이버 범죄		
	발생	검거		발생	검거		발생	검거	
		건수	인원		건수	인원		건수	인원
2004	77,099	63,384	70,143	15,390	10,993	11,892	61,709	52,391	58,251
2005	88,731	72,421	81,338	21,389	15,874	17,371	67,342	56,547	63,967
2006	82,186	70,545	89,248	20,186	15,979	17,498	62,000	54,566	71,750
2007	88,847	78,890	88,549	17,671	14,037	15,302	71,176	64,853	73,247
2008	136,819	122,227	128,635	20,077	16,953	17,649	116,742	105,274	110,986
2009	164,536	147,069	160,656	16,601	13,152	13,619	147,935	133,917	147,037
2010	122,902	103,809	111,772	18,287	14,874	16,777	104,615	88,935	94,995
2011	116,961	91,496	95,79	13,396	10,299	11,399	103,565	81,197	84,396
2012	108,223	84,932	86,513	9,607	6,371	7,239	98,616	78,561	79,274
2013	155,366	86,105	92,621	10,407	4,532	5,514	144,959	81,573	87,107

사이버 범죄 발생·검거 현황

－경찰청 사이버안전국, 2014

ⓒ **책**

사생활 침해는 인터넷 시대에 겪게 되는 가장 대표적인 골칫거리라 할 수 있다. …… 이와 함께 정보의 안전성을 보장했던 물리적 제한 또한 사라졌다.

사생활 침해는 인터넷 시대에 겪게 되는 가장 대표적인 골칫거리라 할 수 있다. …… 이와 함께 정보의 안전성을 보장했던 물리적 제한 또는 사라졌다.

ⓔ **신문 사설**

현대인은 스마트폰에 중독되어 스마트폰을 늘 손에 쥐고 있고 스마트폰 사용 중에는 타인과 대화를 거의 하지 않는다. 심하면 가족, 친구 간의 소통이 불필요하다고 여긴다. 소통의 도구에서 출발한 스마트폰이 오히려 소통을 차단하는 지경으로 치닫고 있다. 도구에 의해 인간이 지배되는 현실, 스마트 시대의 역설이다.

ⓜ **텔레비전 뉴스**

집 안 곳곳에 달린 센서가 위기를 감지하는 즉시 의료 기관에 구조 요청을 해 줍니다.

－〈이비에스(EBS)〉, 2014년 10월 29일 방송

집안 곳곳에 달린 센서가 위기를 감지하는 즉시 의료기관에 구조 요청을 해 줍니다.

---

① ⊙   ② ⓛ   ③ ⓒ   ④ ⓔ   ⑤ ⓜ

06 윗글에 반영된 글쓰기 전략으로 적절한 것만을 〈보기〉에서 있는 대로 골라 묶은 것은?

┤ 보기 ├
ㄱ. 독자에게 질문을 던지는 형식으로 화제를 제시하고 있다.
ㄴ. 구체적인 수치를 제시하여 근거의 신뢰성을 높이고 있다.
ㄷ. 전문가의 의견을 인용하여 문제의 심각성을 강조하고 있다.
ㄹ. 글쓴이가 직접 경험한 사례를 제시하여 설득력을 높이고 있다.
ㅁ. 의문문으로 끝을 맺어 독자 스스로 결론을 내도록 하고 있다.

① ㄱ, ㄴ   ② ㄴ, ㄹ   ③ ㄷ, ㅁ   ④ ㄴ, ㄹ, ㅁ   ⑤ ㄷ, ㄹ, ㅁ

07 〈보기〉를 바탕으로 윗글을 점검한 내용으로 가장 적절한 것은?

┤ 보기 ├
• 글쓰기의 일반적 과정

과정	내용
내용 생성하기	• 글의 내용을 구체화할 수 있도록 다양한 자료 수집 • 신뢰성 있는 자료를 제시
조직하기	• 통일성과 응집성을 고려하여 내용 조직
표현하기	• 그림, 도표, 동영상 등의 보조 자료 적극 활용 • 다양한 표현 기법 활용

① 시각화된 보조 자료를 적극 활용하여 독자들의 이해를 돕고 있군.
② 한자성어와 속담을 활용하여 글의 화제를 간접적으로 제시하고 있군.
③ 누리 소통망에 떠돌던 괴담의 예시는 주제와 맞지 않아 통일성을 해치고 있군.
④ 신뢰성 있는 자료를 제시하기 위해 공신력(公信力)있는 기관의 통계 자료를 사례로 들었군.
⑤ 과잉 연결 시대에 대한 해결 방안을 제시하기 위해 한국인터넷진흥원 등 여러 곳에서 자료를 수집했군.

08 윗글과 관련하여 〈보기〉에 대해 설명한 것으로 가장 적절한 것은?

┤ 보기 ├

학교 논술 동아리에서 활동하고 있는 선유는 학교 누리집에 게시할 글을 쓰려고 한다.

〈선유의 자료 수집〉

자료1 : 인터넷 신문 기사
  – '마른 해산물 괴담'이 인터넷을 휩씀

자료 2 : 경찰청 통계 자료
  – 사이버 범죄 발생·검거 현황

자료 3 : 텔레비전 뉴스
  – 집안 센서가 의료기관 구조요청 가능

자료 4 : 책
  – 인터넷 시대의 사생활 침해 문제

〈선유가 쓴 글의 구조〉

핵심 주장 : 인터넷에 지나치게 연결된 삶을 적절하게 연결된 삶으로 조절하자.

세부 주장1 : 개인 정보는 인터넷에 함부로 올리지 않고, 사진이나 개인 기록은 반드시 공개 범위를 설정해 두어야 한다.	–	근거 : 개인 정보가 흘러나가면 범죄에 쉽게 노출될 수 있다.
세부 주장2 : 인터넷에서 얻은 정보는 비판적으로 판단하여 수용하여야 한다.	–	근거 : 인터넷 괴담과 같은 단편적이고 불완전한 정보로 인해 혼란을 겪고 있다.
세부 주장3 : 이웃이나 친구, 가족과 함께 있는 순간에는 인터넷 연결을 끊어야 한다.	–	근거 : 인터넷 연결에 열중하느라 상대방과 진정한 소통이 이루어지지 않고 있다.

① 자료1은 세부주장1의 근거 자료로 활용했어.

② 자료3은 근거의 신뢰성이 떨어져서 제외했네.

③ 세부 주장 3의 근거 자료로 자료4를 활용했군.

④ 개인 정보가 범죄에 노출되어 피해를 본 뉴스 동영상을 세부 주장1의 근거 자료로 추가해야겠어.

⑤ 인터넷 연결을 끊고 가족이 함께하는 시간이 늘어나 심리적 안정을 얻은 사례를 세부 주장2의 근거 자료로 추가하면 좋겠어.

[09~14] 다음 글을 읽고 물음에 답하시오.

사회자 : 안녕하십니까? 오늘은 ⑧'투표 연령을 낮추어야 한다.'라는 논제로 토론하겠습니다. 이번 토론은 반대 신문식 토론으로 진행됩니다. 참여자께서는 토론 규칙과 예의를 지켜 토론해 주시기 바랍니다.

〈중략〉 이제 반대 측 토론자께서 입론해 주시기 바랍니다.

반대 : ㉠찬성 측이 입론에서 설명하신 것처럼 현재 우리나라의 투표 연령은 만 19세 이상입니다. 이것은 법적인 근거가 있습니다. 우리나라 민법상 만 19세 미만의 미성년자는 '행위 무능력자'로 보기 때문에 혼인이나 재산상의 거래를 보호자의 동의 없이 할 수 없습니다. 이들은 아직 스스로 주체적인 판단을 내리기 어려운 나이라고 보기 때문에 교육으로써 올바른 판단을 배워 나가는 시기라고 정해 놓은 것입니다.

㉡투표는 우리나라의 미래를 결정하는 매우 중요한 행위이므로 엄정하게 이루어져야 합니다. 그래서 우리나라 법에서는 아직 판단 능력이 성숙하지 않은 청소년의 투표 행위를 법으로 금지한 것입니다. 청소년 관련 정책은 청소년 자녀를 둔 부모님이 충분히 고려하여 투표할 것입니다.

찬성 측 토론자께서는 미성년자에게 선거권을 제한하는 것은 인권 침해라고 하셨는데 그렇지 않습니다. 술이나 담배를 미성년자에게 팔지 않는 것이 인권 침해가 아닌 보호의 의미임을 인정하실 것입니다. 투표 연령 제한 또한 올바른 의사 결정에 어려움을 겪을 수 있는 미성년자를 보호하려는 의도이므로 인권 침해라고 볼 수 없습니다. 헌법재판소에서도 이런 점을 고려하여 2013년에 만 19세 미만의 선거권 제한에 합헌 결정을 내린 바 있습니다.

그리고 만일 현재와 같은 투표 연령 제한이 만 19세 미만의 인권을 침해하는 것이라고 한다면 투표 연령을 낮춘다고 해결될 수 있는 문제가 아닙니다. ㉢투표 연령을 만 18세로 낮추어도 만 17세나 16세의 인권은 침해되는 것 아닙니까? 그렇다고 투표 연령에 제한을 없앨 수는 없습니다. 그러므로 투표 연령을 낮추어야 한다는 주장은 설득력이 없습니다.

㉣선거권이 없어서 청소년이 정치나 정책에 무관심하다는 것은 적절하지 않은 의견입니다. 우리나라의 교육 제도를 고려할 때 만 19세 미만은 고등학생에 해당하는 시기입니다. 이 시기의 청소년은 교육으로 합리적인 의사 결정 방법을 배우게 됩니다. 정치나 정책에 무관심하다면 교육으로 해결해야 한다고 생각합니다.

만약 투표 연령을 만 18세 이하로 낮추면 잘못된 의사 결정으로 투표의 본질을 흐릴 수 있습니다. 따라서 지금처럼 투표 연령을 만 19세 이상으로 유지하여 투표 결과의 신뢰도를 확보하는 것이 타당하다고 생각합니다.

따라서 저는 투표 연령을 낮추어야 한다는 논제에 반대합니다.

사회자 : 네, 그럼 이제 찬성 측 토론자께서는 반대 신문을 하시되 반드시 질문의 형태로 해 주시기 바랍니다.

찬성 : 민법상 만 19세 미만은 행위 무능력자임을 근거로 제시하셨는데요. 만일 법적 미성년의 시기가 조정된다면 투표 연령도 낮출 수 있다고 생각하십니까?

반대 : ㉤생각해 볼 문제일 것 같습니다. 하지만 현행법상 미성년이 그렇게 정해져 있다는 점에 주목해야 합니다.

찬성 : 청소년 자녀를 둔 부모님이 청소년과 관련된 정책을 충분히 고려하여 투표할 것이라고 하셨습니다. 그런데 부모님의 생각과 자녀의 생각이 다르면 투표로 청소년이 의사를 표시할 수 없는 것 아닙니까?

반대 : 청소년보다는 성인인 부모님이 더욱 성숙한 판단을 내릴 수 있다는 것을 전제로 드린 말씀입니다.

찬성 : (ⓐ   )

09 ㉠~㉤에 대한 설명으로 가장 적절한 것은?

① ㉠ : 첫 토론자인 만큼 원활한 토론을 위해 쟁점이 될 개념에 대해 정의를 내리고 있다.

② ㉡ : 자신이 주장하려는 내용을 말하기 위해 누구나 '참'으로 인정할 만한 명제를 대전제로 제시하고 있다.

③ ㉢ : 자신의 생각이 올바른 것이라는 판단이 서지 않아 찬성 측 토론자의 의견을 묻고 있다.

④ ㉣ : 상대측 토론자의 주장에 대해 일부 동의하면서도 부적절한 부분에 대해 반론을 제기하고 있다.

⑤ ㉤ : 상대방의 반대 신문에 대해 일고의 가치도 없음을 분명히 하고 있다.

10 〈보기〉를 참고할 때, 가장 적절한 것은?

┌─ 보기 ─

   정책 논제에서는 반드시 언급해야 할 쟁점이 있는데, 이를 필수 쟁점이라고 한다. 양측이 언급해야 할 필수 쟁점은 '얼마나 심각한 문제인가', '해결 방안은 무엇이고 실행 가능성이 있는가', '문제 해결 방안의 실행에 따른 효과나 이익이 있는가' 등이 있다.

   반대 측은 ㉮심각한 문제가 아니다, ㉯찬성 측이 제시한 방안은 해결 방안이 되지 않고 실행 가능성이 없다. ㉰찬성 측이 제시한 문제 해결 방안을 실행해도 효과나 이익은 없다 등의 내용으로 논증을 구성해야 한다.

└─

① 2013년 헌법재판소의 선거권 제한 합헌 결정을 ㉰에 대한 근거로 삼고 있다.

② 미성년자의 투표 제한은 미성년자 보호이지 인권침해가 아니라는 논리로 ㉮를 대비하고 있다.

③ 만 18세 미만의 청소년들은 부모님이 대신 투표하는 것이 적절하다고 주장하여 ㉯를 실현하고 있다.

④ 미성년자에 대한 투표권 부여가 정치나 정책에 대한 청소년의 관심을 높일 수 있다는 주장을 통해 ㉰를 부정하고 있다.

⑤ 만 19세 이상에게 투표권을 부여하는 것이 투표 결과의 신뢰도를 확보한다는 전문가 의견을 ㉯에 대한 근거로 제시하고 있다.

11 양측 토론자의 생각에 대한 설명으로 적절하지 않은 것은?

① 반대 측 토론자는, 판단력이 성숙하지 않은 청소년은 투표를 엄정하게 치를 수 없다는 생각을 가지고 있군.

② 반대 측 토론자는 어떤 사안에 대해 현행법이 어떤 규정을 하면 개정되기 전까지는 판단의 근거가 되어야 한다고 생각하는군.

③ 찬성 측 토론자와 반대 측 토론자 모두 미성년자보다 부모님이 성숙한 판단력을 가지고 엄정하게 투표를 치를 것이라 생각하는군.

④ 찬성 측 토론자는 민법 규정 때문에서 만 19세 미만을 행위 무능력자로 볼 뿐이지 실제로는 성숙한 판단이 가능하다고 생각하는군.

⑤ 반대 측 토론자는 술 담배 구매 가능 연령 제한이 미성년자를 보호하려는 것이라는 걸 찬성 측 토론자도 동의할 것이라고 생각하는군.

12 ⓐ에 들어갈 만한 것으로 가장 타당한 것은?

① 청소년과 관련된 정책에 청소년이라는 이유로 의사를 표시할 수 없다는 것은 말도 안 됩니다.

② 그 전제가 참이 아니라면 반대 측 토론자의 주장 역시 참이 아니기 때문에 근거가 없는 셈입니다.

③ 판단력이 부족해서 엄정한 투표를 못하는 것은 청소년뿐만 아니라 일부 성인에게도 해당되는 것 아닙니까?

④ 부모님과 미성년 자녀가 모두 정책에 대해 성숙한 판단이 불가능하지만 서로 생각이 다르다면 그때는 누가 투표를 해야 합니까?

⑤ 그 전제대로라도 성인이 더 성숙한 판단이 가능하다는 것뿐이지 청소년 판단이 미숙하여 투표를 못 해야 하는 건 아니지 않습니까?

13 위 토론에서 확인할 수 있는 사회자의 역할로 가장 적절한 것은?

① 토론이 열리게 된 배경을 설명한다.

② 토론자들이 지켜야 할 규칙을 안내한다.

③ 토론자들의 발언을 요약하여 논의 진행을 돕는다.

④ 토론 중 미흡한 내용에 대해 추가적인 발언을 요구한다.

⑤ 토론의 논제를 소개하고 토론자들의 발언 순서를 지정한다.

14 다음 중 ⓐ과 성격이 가장 유사한 논제는?

① 청소년에 인스턴트 음식은 건강에 해롭다.

② 청소년은 선의의 거짓말에 대해 긍정적으로 생각한다.

③ 청소년 시기의 건강한 이성 교제는 바람직하다.

④ 청소년 시기에는 인성 교육이 필요하다.

⑤ 청소년의 아르바이트 보호법을 제정해야 한다.

5

문학의 수용과
생산

(1) 정읍사(어느 행상의 아내) /
십년을 경영하여(송순)
(2) 춘향전
(3) 눈(김수영)

정읍사

– 어느 행상인의 아내 –

기원의 대상, 초월적 존재
ᄃᆞᆯ하 노피곰 도ᄃᆞ샤
　　호격조사　　강조 접미사 → 소망을 강조하기 위해 사용
'–시라'라는 어미를 통해 기원적 어조 형성
어긔야 머리곰 비취오시라
　　　　　　후렴구, 여음구로 운율을 형성할 뿐 의미를 지니지 않음

어긔야 어강됴리
'저자'의 옛말. '저자'는 시장을 예스럽게 이르는 말 → 남편은 행상인으로 추측됨

아으 다롱디리

져재 녀러 신고요
진 데, 위험한 곳
　　　　'–ㄹ셰라': '–할까 두려워라'라는 뜻의 종결어미
어긔야 즌 ᄃᆡ를 드ᄃᆡ욜셰라
　　　　　　남편이 위험에 처하느니 차라리 다 놓고 왔으면 하는 소망이 드러남

어긔야 어강됴리

어느이다 노코시라
내 임(자신과 임을 동일시함)

어긔야 내 가논 ᄃᆡ 졈그롤셰라
　　　　　자신과 임을 동일시 함

어긔야 어강됴리

아으 다롱디리

– 「악학궤범」 –

|현대어 풀이

달님이시여, 높이높이 돋으시어
아, 멀리멀리 비치시라!
어긔야 어강됴리
아으 다롱디리
시장에 가 계신가요.
아, 진 곳을 디딜까 두려워라!

어긔야 어강됴리
어느 것이나 다 놓아 버리십시오.
아, 내 임 가는 그 길 저물까 두려워라!
어긔야 어강됴리
아으 다롱디리

|배경설화

정읍은 전주(全州)의 속현이다. 정읍 사람이 행상을 나가서 오래되어도 돌아오지 않자 그 처가 산 위의 돌에 올라가 남편을 기다리면서, 남편이 밤길을 가다 해를 입을까 두려워함을 진흙물의 더러움에 부쳐서 이 노래를 불렀다. 세상에 전하기는 고개에 올라가면 망부석이 있다고 한다.

– 「고려사 악지」에서 –

⊙ **핵심정리**

갈래	고대 가요, 서정시, 망부가
성격	기원적, 서정적, 여성적
주제	• 행상 나간 남편의 안전을 기원함. • 남편의 무사 귀환을 바라는 여인의 간절한 마음
특징	• 현전하는 유일한 백제의 국문 노래로 시조 형식의 원형을 보여 줌. • 비유적 표현과 대조적 이미지를 활용하여 정서를 나타냄. • 의인법, 돈호법, 영탄법의 수사법을 반복하여 정서를 강조함.

확인학습 ....

01 '정읍사'의 화자는 편과의 추억을 떠올리며 그리움을 심화시키고 있다. ○☐ ×☐

02 '정읍사'의 화자는 남편이 있는 곳을 알게 된 후 마음의 안정을 찾고 있다. ○☐ ×☐

03 '정읍사'의 화자는 남편에게 위해가 될 수 있는 상황에 대해 두려움을 느끼고 있다. ○☐ ×☐

04 '정읍사'는 대상에게 말을 건네는 형식을 통해 화자의 정서를 드러낸다. ○☐ ×☐

05 '정읍사'의 화자는 자연물에게 화자 자신의 소망을 기원하고 있다. ○☐ ×☐

06 '정읍사'는 명령형 종결 어미를 통해 화자의 의지를 강하게 드러내고 있다. ○☐ ×☐

07 '정읍사'는 화자의 감정과 비교되는 소재를 통해 화자의 정서를 드러내고 있다. ○☐ ×☐

08 '정읍사'는 분연체 형식을 통해 화자가 전달하고자 하는 바를 명확하게 드러낸다. ○☐ ×☐

십 년을 경영ᄒ여

– 송순 –

(십 년(十年)을 경영(經營)ᄒ여 초려 삼간(草廬三間) 지여 내니)
( ): 안분지족, 안빈낙도의 삶의 자세가 드러남   초가, 짚이나 갈대 따위로 지붕을 인 집

나 ᄒ 간 ᄃᆞᆯ ᄒ 간에 청풍(淸風) ᄒ 간 맛져 두고
나와 달, 청풍이 어우러지는 물아일체의 경지. 의인법

강산(江山)은 들일 ᄃᆡ 업스니 둘러 두고 보리라
강산을 병풍에 비유함

– 「청구영언」 –

⊙ 핵심정리

갈래	평시조, 정형시, 서정시
성격	풍류적, 전원적, 낭만적
주제	• 자연 귀의와 안빈낙도 • 자연과 더불어 사는 물아일체의 삶
특징	• 근경에서 원경으로 이동하면서 시상을 전개함. • 의인법과 비유적 표현을 사용하여 물아일체의 모습을 나타냄.

확인학습 ··

01 '십년을 경영하여'는 4음보의 운율로 구성되어 있다.   ○☐ ×☐

02 '십년을 경영하여'의 화자는 십 년의 시간을 들여 집을 지은 것으로 보아 정성이 지극하다고 할 수 있다.   ○☐ ×☐

03 '십년을 경영하여'의 화자는 자연과 자신을 동일시 여긴다.   ○☐ ×☐

04 '십년을 경영하여'는 음성상징어를 통해 효과적으로 주제를 드러낸다.   ○☐ ×☐

05 '십년을 경영하여'는 소재를 길게 나열하여 웃음을 유발한다.   ○☐ ×☐

06 '십년을 경영하여'는 원관념을 다른 소재에 빗대어 표현하고 있다.   ○☐ ×☐

■ 목표 활동

( ): 반복을 통해 소망의 간절함을 표현함

(창(窓) 내고쟈 창(窓)을 내고쟈) 이내 가슴에 창(窓) 내고쟈

답답함을 해소해 주는 통로

(고모장지 셰살장지 들장지 열장지에 암돌져귀 수돌져귀 비목걸새 크나큰 쟝도리로 둑닥 바가 이내 가슴에 창(窓)

( ): 구체적인 소재를 나열함(열거법) → 현실의 고통을 해학으로 극복하려는 태도

내고쟈)

잇다감 하 답답홀 제면 여다져 볼가 ᄒ노라

– 「청구영언」 –

⊙ 어휘풀이

- **장지** 방과 방 사이, 또는 방과 마루 사이에 칸을 막아 끼우는 문.
- **돌져귀** 돌쩌귀. 문짝을 문설주에 달아 여닫는 데에 쓰는 두 개의 쇠붙이.

(1) 「창 내고쟈 창을 내고쟈」에서 '창'이 의미하는 바를 화자의 처지와 관련지어 말해 보자.

| 예시 답안 |

화자는 마음이 답답한 부정적인 상황에 놓여 있다. 창은 이러한 화자의 답답한 마음을 해소할 수 있는 수단으로서 제시되어 있다.

(2) 「십 년을 경영ᄒ여」와 「창 내고쟈 창을 내고쟈」를 비교해 보자.

| 예시 답안 |

	십 년을 경영ᄒ여	창 내고쟈 창을 내고쟈
공통점	• 3장, 4음보의 형식으로 되어 있음. • 작가의 소망이 담겨 있음.(작가가 지향하는 모습이 나타남.)	
차이점	• 양반 사대부가 지음. • 내용을 추상적·관념적으로 제시함.	• 평시조에서 중장이 길어진 형식임. • 작자층을 알 수 없음. • 일상생활의 소재를 활용하여 내용을 구체적으로 제시함.

[01~04] 다음 글을 읽고 물음에 답하시오.

(가)

들하 노피곰 도두샤
어긔야 머리곰 비취오시라
어긔야 어강됴리
아으 다롱디리
㉠ 져재 녀러 신고요
어긔야 ㉡ 즌 딜룰 드딕욜셰라
어긔야 어강됴리
어느이다 노코시라
어긔야 ㉢ 내 가논 딜 졈그룰셰라
어긔야 어강됴리
아으 다롱디리

– 어느 행상인의 아내, 「정읍사」 –

(나) 정읍은 전주의 속현(屬縣)이다. 이 고을 사람이 행상을 떠나 오래도록 돌아오지 않으므로, 그 아내가 산 위의 바위에 올라 남편이 간 곳을 바라보며, 남편이 밤길을 오다가 해를 입지나 않을까 염려하여 진흙의 더러움에 의탁하여 이 노래를 불렀다. 세상이 전하기를, 오른 고개에 망부석이 있다 한다.

– 「정읍사」의 배경설화 –

01 (가)의 화자가 다음과 같은 일기를 썼다고 했을 때, 적절하지 <u>않은</u> 것은?

> ① 시장에 가서 장사를 하겠다며 나간 남편이 떠난 지 오늘로 10일째 되는 날이다. ② 남편이 어디 있는지 알 길이 없어 답답한 마음에 오늘은 산 위에 올라가 보았다. 때마침 두둥실 떠 있는 보름달은 내 마음을 더 싱숭생숭하게 만들었다. 평소 보름달에 소원을 자주 빌었던 나는 오늘도 ③ 달이 높이 떠서 우리 남편의 머리 위를 환하게 비춰 달라고 기도를 하였다. 달이 우리 남편을 지켜 줄 것이라는 생각이 들었지만 ④ 며칠째 연락이 없는 남편이 혹시 위험에 처한 것은 아닌지 걱정이 되기도 하였다. 한편으로는 ⑤ 남편은 위험에 처하더라도 슬기롭게 극복했으리라 생각이 들어서 안심이 되기도 하였다.

02 (나)를 활용하여 (가)를 감상한 내용으로 적절하지 <u>않은</u> 것은?

① 남편이 돌아오지 않게 된 원인에 대해 부인은 원망과 질책을 하고 있다.
② 남편이 돌아오지 않은 이유는 밤길에 위험을 당했기 때문일 수도 있을 것이다.
③ 정읍에 사는 어느 여인이 남편을 기다리다가 망부석이 되었다고 볼 수 있을 것이다.
④ 산 위에 올라 남편이 간 곳을 바라보는 부인의 모습에서 인고의 여인상을 볼 수 있을 것이다.
⑤ 산 위에서 달을 부르는 형식을 통해 남편을 염려하는 부인의 모습을 효과적으로 드러내었다.

03 (나)를 참고하여, (가)의 ㉠~㉢에 대해 이해한 내용으로 적절하지 <u>않은</u> 것은?

① **수진**: ㉠은 〈보기〉를 참고할 때, '시장(市場)에'로 해석하는 게 자연스러워.

② **희원**: ㉡은 '진흙'과 같이 남편이 오는 길에 입을 수 있는 '해(害)'를 의미해.

③ **민승**: 맞아, 그 맥락에서 보면 ㉡은 도적을 만나거나, 오다가 다치는 등 남편이 입을 수 있는 부정적 상황으로 의미를 확장할 수 있어.

④ **정용**: 〈보기〉를 고려할 때 ㉢의 '내'의 해석이 좀 어색한데, 이는 부부일심동체라는 걸 생각하면 '부부의 인생길'로 해석하는 것도 가능하다고 봐.

⑤ **우혁**: 그렇다면 ㉡과 ㉢이 의미하는 것이 서로 유사성을 지닌다고 볼 수 있겠어.

04 〈보기〉를 참고하여 (가)를 감상한 내용으로 적절하지 <u>않은</u> 것은?

> ┤ 보기 ├
>
> '정읍사'는 "고려사"에 의하면 정읍의 한 행상인이 행상하러 나갔다가 오랫동안 돌아오지 않으므로 그의 아내가 망부석에 올라가 남편이 돌아올 길을 바라보며 혹시 밤길을 가다가 해를 입지나 않을까 두려워하여 지어 부른 노래라고 한다. 비유와 상징을 사용한 시어를 통해 임의 안전을 기원하는 노래로 볼 수 있다.

① '돌'은 초월적 존재로, 남편의 무사 귀환을 소망하는 화자에게 기원의 대상이 되고 있군.

② '비취오시라'는 밝게 비춰 달라는 것으로, 남편의 안전과 행복에 대한 화자의 염원을 담은 것이로군.

③ '져재'는 '시장에'로 해석되며, 물질적 욕망으로 남편에게 닥칠 위험을 경계하는 화자의 마음을 암시하고 있군.

④ '즌 딕'는 위험한 곳을 비유하는 것으로, 화자에게는 부정적인 장소로 여겨지고 있군.

⑤ '졈그롤셰라'는 어둠의 이미지를 지닌 것으로, 광명의 상징인 '돌'과 대비되고 있군.

[05~08] 다음 글을 읽고 물음에 답하시오.

십 년(十年)을 경영(經營)ᄒ여 초려삼간(草廬三間) 지여 내니
나 ᄒ 간 ᄃᆯ ᄒ 간에 청풍(淸風) ᄒ 간 맛져 두고
강산(江山)은 들일 ᄃᆡ 업스니 둘러 두고 보리라.

05 이 시의 갈래상 특징으로 적절하지 <u>않은</u> 것은?

① 종장의 첫 어절은 3음절로 이루어 져 있다.
② 특별한 의미가 없는 여음구를 사용하고 있다.
③ 3장 6구 45자 내외의 형식으로 이루어져 있다.
④ 각 장을 네 마디씩 끊어 읽는 4음보의 율격을 가진다.
⑤ 주로 사대부들이 자신들의 생각이나 감정을 나타냈다.

06 이 시에 대한 설명으로 적절하지 <u>않은</u> 것은?

① 자연을 소유의 대상으로 생각하지 않았던 동양의 자연관이 잘 드러나 있다.
② 초장에는 십 년 후에는 자연 속에서 살아가고 싶어 하는 화자의 바람이 드러나 있다.
③ 중장에는 '달'과 '청풍'과 같은 자연을 집에 들여놓고 함께 살아가겠다는 자연 친화적 삶이 나타나 있다.
④ 종장에는 '강산'마저도 곁에 두고 자연에 몰입하려는 삶의 자세가 나타나 있다.
⑤ 자연을 정복의 대상이 아니라 친화(親和)의 대상으로 여기는 태도가 드러나 있다.

07 이 시의 표현상의 특징으로 적절한 것은?

① 이상 세계에 대한 동경을 노래하고 있다.
② 자연을 화자와 동일한 인격체처럼 표현하고 있다.
③ 자연의 변화를 표현하여 화자의 미래를 암시하고 있다.
④ 인간과 자연의 대비를 통해 주제 의식을 부각하고 있다.
⑤ 자연의 실상에 어울리는 다양한 색채어를 사용하고 있다.

08 중장과 종장의 시상 전개 방식을 바르게 설명한 것은?

① 시간의 흐름에 따라 시상을 전개하고 있다.
② 중장에서는 과거의 삶을, 종장에서는 미래의 삶을 그리고 있다.
③ 중장에서 묻고, 종장에서 답을 하는 문답식으로 이루어졌다.
④ 중장은 근경(近景)을, 종장은 원경(遠景)을 표현하여 조화를 이루고 있다.
⑤ 중장에서는 상승 이미지를, 종장에서는 하강 이미지를 사용하여 주제를 강조하고 있다.

[09~10] 다음 글을 읽고 물음에 답하시오.

窓(창) 내고쟈 창을 내고쟈 이 내 가슴에 창 내고쟈
고모장지 세살장지 들장지 열장지 암돌져귀 수돌져귀 배목걸새 크나큰 쟝도리로 둑닥 바가 이 내 가슴에 창 내고쟈
잇다감 하 답답할제면 여다져 볼가 흐노라.

09 위 시조의 특징에 대한 설명으로 틀린 것은?

① 산문 정신과 서민 의식이 고양되면서 발생함.
② 반복, 열거, 과장의 수사법이 쓰임
③ 평민 특유의 해학성이 돋보인다.
④ 서민의 일상어를 과감하게 사용
⑤ 4음보의 음보율을 철저히 지키는 정형성을 보인다.

10 이와 같은 작품의 국문학상 특징에 대한 설명으로 옳지 않은 것은?

① 일상 생활의 발랄함이 잘 나타나 있다.
② 평시조의 일부 장이 4음보의 율격에서 벗어나 장형화 되었다.
③ 주로 중인과 양반들에 의해 창작 향유되었다.
④ 일상적이고 직설적인 언어를 통한 강렬한 표현이 주를 이루고 있다.
⑤ 풍자와 반어가 주 내용을 이루어 골계미와 해학미를 구사하고 있다.

[11~19] 다음 글을 읽고 물음에 답하시오.

ㄱ둘하 노피곰 도두샤
어긔야 머리곰 비취오시라
어긔야 어강됴리
아으 다롱디리
져재 녀러신고요
어긔야 즌 디를 드디욜셰라
어긔야 어강됴리
어느이다 노코시라
어긔야 내 가논 디 졈그롤셰라
어긔야 어강됴리
아으 다롱디리

11 이 시에 대한 설명으로 적절하지 <u>않은</u> 것은?

① 현재 전해지는 유일한 백제 노래이다.
② 반어적 진술을 통해 주제를 강조하고 있다.
③ 청자에게 말을 건네는 방식을 활용하고 있다.
④ 여음구를 제외하면 시조와 유사한 형식을 띠고 있다.
⑤ 상승의 이미지를 활용하여 화자의 정서를 드러내고 있다.

12 이 시를 창작한 시인의 창작 노트이다. 이 시에 반영된 것은?

- 창작 노트 -
* 묻고 답하는 형식을 통해 시상을 전개해 나가야겠군. ·· ①
* 극단적인 상황을 설정하여 화자의 소망을 강조해야겠군. ································· ②
* 상징적인 소재를 활용하여 이상적인 세계를 제시해야겠군. ····························· ③
* 시간의 흐름에 따라 화자의 심리 변화가 잘 드러나도록 해야겠군. ··············· ④
* 남편에게 닥칠 수 있는 부정적인 상황을 특정 소재를 통해 표현해야겠군. ···· ⑤

13 〈보기〉는 백제 시가에 대한 설명이다. 윗글과 〈보기〉의 시가를 비교 감상하는 태도로 적절하지 <u>않은</u> 것은?

┤ 보기 ├

'정읍사'는 행상 일을 하고 돌아오는 남편의 안위를 걱정한다는 점에서 누구나 공감할 만한 작품이다. 부역을 떠난 남편을 그리워하는 '선운산', 도적에게 납치된 여성이 남편이 즉시 구해 주지 않음을 풍자한 '방등산' 등은 모두 남편과 아내의 관계를 배경으로 한다. 또한 '지리산'이라는 작품도 있는데, 이것도 남편을 버리고 왕을 따르라는 강요를 받은 여성이 남편을 그리워하며 지은 것이다. 이 작품들은 '정읍사' 이외에는 구체적인 노랫말이 남아 있지 않지만, 부부 사이에 이별을 제재로 삼아 대개 '산'과 '읍'을 단위로 한 지역성을 중심으로 이루어졌던 백제 시가의 자취를 보여 준다.

① '정읍사'와는 달리 '지리산'에는 외부의 압력이 이별의 원인으로 작용하고 있군.

② '정읍사'와 '방등산'은 아내와 남편의 관계에 따라 기다림의 태도에 차이가 있군.

③ '정읍사'와 다른 백제 시가들은 모두 여성을 화자로 내세워 시상을 전개하고 있군.

④ '정읍사'와 다른 작품의 제목에 나오는 지역들이 오늘날까지 어떤 모습으로 발전해 왔는지 살펴볼 필요가 있군.

⑤ '정읍사'와 다른 백제 시가에 나오는 여성 화자의 성격이 후대의 시가에도 이어지는지 조사해 봐야겠군.

14 윗글에 대한 설명으로 적절하지 <u>않은</u> 것은?

① 현전하는 유일한 백제 가요이다.

② 주술적 성격을 지닌 개인적 서정을 담은 노래이다.

③ 후렴구를 제외하면 시조 형식과 유사해 시조 형식의 기원이 되는 작품이다.

④ 한글로 기록되어 전하는 고대가요 중 가장 오래된 작품이다.

⑤ 구전되어 오다가 조선시대에 이르러 한글에 문헌에 기록된 작품이다.

15 윗글에서 사용된 표현상의 특징에 대한 설명으로 적절한 것은?

① 자문자답의 형식으로 시상을 전개하고 있다.

② 시각적 이미지를 통해 주제를 형상화하고 있다.

③ 대조적 심상을 활용하여 대상의 속성을 예찬하고 있다.

④ 명령적 어조를 활용하여 화자의 강한 의지를 표출하고 있다.

⑤ 설의적 표현으로 대상에 대한 화자의 정서를 표출하고 있다.

16 윗글에서 알 수 있는 화자에 대한 설명으로 적절하지 <u>않은</u> 것은?

① 대상과의 만남을 확신하고 있다.
② 화자는 대상의 안위를 염려하고 있다.
③ 자신의 상황을 부정적으로 인식하고 있다.
④ 대상의 부재로 인한 상실감을 느끼고 있다.
⑤ 화자는 초월적 존재에게 소원을 빌고 있다.

17 ㉠에 대한 화자의 인식으로 적절하지 <u>않은</u> 것은?

① 남편을 지켜줄 수 있는 광명의 상징으로 여기고 있다.
② 자신의 소망을 이루어 줄 수 있는 숭고한 대상으로 여기고 있다.
③ 두 사람의 사랑을 지켜주고 화자의 인생을 밝혀주는 존재로 인식하고 있다.
④ 높이 떠서 만물을 비추는 절대적인 권력을 가지는 존재로 인식하고 있다.
⑤ 자신과 남편과의 거리감을 좁혀줄 수 있는 천지신명과 같은 존재로 인식하고 있다.

18 윗글에 대한 해석으로 적절하지 <u>않은</u> 것은?

① '돌하'는 '하'는 높임의 호격조사로 '달'을 화자의 소원을 이루어줄 수 있는 존재로 인식하고 있다.
② '머리곰'의 '곰'은 강세 접미사로 남편이 있는 곳까지 '멀리멀리' 달빛이 비치기 바라는 화자의 마음을 강조하고 있다.
③ 후렴구의 감탄사 '아으'에는 남편을 원망하는 화자의 마음이 집약되어 표출되고 있다.
④ '드듸욜셰라'의 'ㄹ셰라'라는 의문형 어미를 사용하여 남편에게 나쁜 일이 생길까 걱정하는 마음이 드러난다.
⑤ 후렴구를 제외한 구절을 배열하면 시조와 유사한 형식이 보이고 있다.

19 윗글의 상황에 어울리는 한자성어가 <u>아닌</u> 것은?

① 오매불망(寤寐不忘)　　② 전전반측(輾轉反側)　　③ 학수고대(鶴首苦待)
④ 노심초사(勞心焦思)　　⑤ 절치부심(切齒腐心)

[01~04] 다음 글을 읽고, 물음에 답하시오.

(가)

㉠들하 노피곰 도두샤
어긔야 머리곰 비취오시라
어긔야 어강됴리
아으 다롱디리
져재 녀러 신고요
어긔야 즌 딜를 드딀욜셰라
어긔야 어강됴리
어느이다 노코시라
어긔야 내 가논 딜 졈그를셰라
어긔야 어강됴리
아으 다롱디리

– 작자미상, 「정읍사」 –

(나)

펄펄 나는 저 꾀꼬리
암수 서로 다정한데
외로울사 이 내 몸은
누구와 함께 돌아갈꼬

– 유리왕, 「황조가」 –

(다)

임이여, 물을 건너지 마오.
임은 그예 물을 건너시네.
물에 빠져 돌아가시니
가신 임을 어이할꼬

– 백수광부의 처, 「공무도하가」 –

01 (가)와 (나)에 대한 설명으로 가장 적절한 것은?

① (가)는 (나)와 달리 여음구를 통해 시에 운율을 부여하고 있다.
② (가)와 (나)는 모두 시적 화자의 정서와 대비되는 소재를 사용하여 애상적 정서를 표현하고 있다.
③ (나)는 (가)와 달리 특정한 청자를 설정하여 말을 건네는 방식을 취하고 있다.
④ (나)는 (가)와 달리 특정한 청자를 설정하여 말을 건네는 방식을 취하고 있다.
⑤ (나)는 (가)와 달리 시적 화자의 감정이 이입되어 있는 소재를 기원의 대상으로 삼고 있다.

02 (가)에 나타난 화자의 정서와 가장 유사한 것은?

① 갑 업슨 淸風(청풍)이요, 님즈 업슨 明月(명월)이라 / 이 중에 病(병) 업슨 이 몸이 分別(분별) 업시 늙으리라.

– 성혼 –

② 굼벙이 매암이 되야 노래 도쳐 노라올라 / 노프나 노픈 남게 소릭는 죠커니와 / 그 우희 거믜줄 이시니 그를 조심ᄒ여라

– 작자미상 –

③ 곳이 진다 ᄒ고 새들아 슬허마라 / 바람에 훗놀리니 곳의 탓 아니로다 / 가노라 희짓는 봄을 새와 므슴ᄒ리오

– 송순 –

④ 동지(冬至)ㅅ돌 기나긴 밤을 한 허리를 버혀 내여 / 춘풍(春風) 니불 아레 서리서리 너헛다가 / 어론님 오신날 밤이여든 구뷔구뷔 펴리라

– 황진이 –

⑤ 十年(십 년)을 經營(경영)ᄒ야 草廬三間(초려삼간) 지어닉니 / 나 흔 間(간) 들 흔 間(간)에 淸風(청풍) 흔 間(간) 맛쳐 두고 / 江山(강산)은 들일 듸 업스니 둘러 두고 보리라

– 송순 –

03 (가)와 〈보기〉를 비교한 것으로 적절하지 **않은** 것은?

┤ 보기 ├

달님이시여, 이제
서방까지 가셔서
무량수불 전에
일러다가 사뢰소서.
다짐 깊으신 부처님 우러르며
두 손 곧추 모아
원왕생 원왕생
그리는 이 있다고 사뢰소서.
아아, 이 몸 남겨 두고
사십팔대원 이루실까?

– 광덕, 「원왕생가」 –

① 윗글과 〈보기〉는 모두 기원의 정서를 나타내고 있다.
② 윗글과 〈보기〉는 모두 화자가 직접적으로 드러나 있다.
③ 윗글과 〈보기〉는 모두 부정적 상황에 대한 염려가 드러나 있다.
④ 윗글과 달리 〈보기〉는 불교적 세계관이 드러나 있다.
⑤ 윗글과 달리 〈보기〉는 시적 대상에 대한 원망이 드러나 있다.

04 〈보기〉는 '문학 상징 사전'의 일부이다. 〈보기〉를 참고하여 ㉮를 이해한 것으로 가장 적절한 것은?

┌── ┤ 보기 ├──┐
│ ＊ 달   │
│ 1. 높이 떠 있음 – 기원, 숭고, 찬양   │
│ 2. 어둠을 밝힘 – 희망, 순수, 결백, 보호   │
│ 3. 차고 기우는 속성을 지님 – 소멸, 부활, 재생   │
└──┘

① 높이 떠 있다는 점에 주목하면, 남편이 아내에게 찬양의 대상이라는 것을 나타낸다.

② 어둠을 밝힌다는 점에 주목하면, 남편의 결백을 아내에게 전달하는 역할을 하고 있다.

③ 어둠을 밝힌다는 점에 주목하면, 남편이 안전하게 돌아오도록 보호하는 의미를 담고 있다.

④ 차고 기우는 속성을 지니고 있다는 점에 주목하면, 남편이 부활하여 화자에게 돌아올 것임을 암시해준다.

⑤ 차고 기우는 속성을 지니고 있다는 점에 주목하면, 남편에 대한 화자의 마음이 예전과 달라졌음을 나타낸다.

[05~08] 다음 글을 읽고, 물음에 답하시오.

(가)

십 년(十年)을 경영(經營)ᄒ여 초려 삼간(草廬三間) 지여 내니

나 ᄒᆞᆫ 간 달 ᄒᆞᆫ 간에 청풍(淸風) ᄒᆞᆫ 간 맛져 두고

강산(江山)은 들일 듸 업스니 둘러 두고 보리라

- 송순 -

(나)

창(窓) 내고쟈 창(窓)을 내고쟈 이내 가슴에 창(窓) 내고쟈

고모장지 셰살장지 들장지 열장지에 암돌져귀 수돌져귀 빈목걸새 크나큰 쟝도리로 둑닥 바가 이내 가슴에 창(窓) 내고쟈

잇다감 하 답답홀 제면 여다져 볼가 ᄒ노라

- 작자미상 -

(다)

살어리 살어리랏다, 청산에 살어리랏다.

머루랑 다래랑 먹고 청산에 살어리랏다.

우러라 우러라 새여, 자고 니러 우러라 새여.

널라와 시름 한 나도 자고 니러 우니로라.

- 작자미상, 「청산별곡」 -

05 (가)의 표현상 특징으로 적절하지 <u>않은</u> 것은?

① 의인법을 통해 자연을 인격체로 나타내고 있다.

② 근경(近景)과 원경(遠景)이 조화를 이루고 있다.

③ 청자에게 직접 말을 건네는 듯한 어투를 사용하고 있다.

④ 기발한 발상을 사용하여 작가의 인생관을 드러내고 있다.

⑤ 동일한 시구를 반복적으로 사용하여 운율을 형성하고 있다.

06 (가)와 (나)에 대한 설명으로 가장 적절한 것은?

① (가)는 (나)와 달리 주로 서민들이 향유하던 문학이다.

② (가)와 (다)는 모두 안빈낙도의 가치관을 보여주고 있다.

③ (가)는 (나)와 달리 초장, 중장, 종장의 세 구성을 보이고 있다.

④ (가)와 (나)는 모두 현실적으로 불가능한 발상을 활용하여 시적화자가 소망하는 것을 말하고 있다.

⑤ (나)는 (가)와 달리 사물에 인격을 부여하여 시적 화자의 정서를 함축적으로 드러내고 있다.

07 (가)와 〈보기〉의 밑줄 친 부분에 공통적으로 나타난 것은?

┤ 보기 ├

연잎에 밥 싸 두고 반찬을랑 장만 마라.
　　닻 들어라 닻 들어라
청약립(靑篛笠)은 써 있노라 녹사의(綠蓑衣) 가져오느냐
　　지국총 지국총 어사와
<u>무심한 백구는 내 좇는가 제 좇는가.</u>

－ 윤선도, 「어부사시사(魚父四時詞)」－

① 자연에 대한 인간의 숭배
② 인간의 폭력적인 자연 정복
③ 인간과 자연이 하나되는 물아일체
④ 자연의 아름다운 경치에 대한 예찬
⑤ 문명 발전으로 희생되는 자연에 대한 안타까움

08 〈보기〉는 (가)의 작가가 쓴 다른 작품의 일부분이다. 이 시를 바탕으로 〈보기〉를 감상할 때, ⓐ의 뜻을 바르게 이해한 것은?

┤ 보기 ├

人間(인간)을 ᄯᅥ나와도 ⓐ <u>내 몸이 겨를 업다.</u>
이것도 보려 ᄒ고 져것도 드르려코
ᄇᄅᆷ도 혀려 ᄒ고 ᄃᆞᆯ도 마즈려코
밤으란 언제 줍고 고기란 언제 낙고
柴扉(시비)란 뉘 다드며 딘 곳츠란 뉘 쓸려뇨.

－ 송순, 「면앙정가(俛仰亭歌)」에서 －

① 자연과 친화하느라 여유가 없다.
② 자연에 와서도 나라 걱정하느라 정신이 없다.
③ 자연 속에서 살아남기 위해 부지런히 일한다.
④ 자연 속에서도 생계 유지 비용이 많이 발생한다.
⑤ 자연을 인간의 삶의 터전으로 만드느라 많이 바쁘다.

[09~12] 다음 글을 읽고 물음에 답하시오.

(가)

둘하 노피곰 도두샤
어긔야 머리곰 비취오시라
어긔야 어강됴리
아으 다롱디리
㉠져재 녀러신고요
어긔야 즌 딕룰 드딕욜셰라
어긔야 어강됴리
어느이다 노코시라
어긔야 내 가논 딕 졈그룰셰라
어긔야 어강됴리
아으 다롱디리

– 어느 행상인의 아내, 「정읍사」 –

(나)

비 갠 긴 둑에 풀빛 고운데
㉡남포에서 임 보내며 슬픈 노래 부르네.
대동강 물이야 언제 마르리.
해마다 이별 눈물 푸른 물을 보태나니.

– 정지상, 「송인」 –

(다)

십 년(十年)을 경영(經營)ᄒ여 초려삼간(草廬三間) 지여 내니,
나 ᄒᆞᆫ 간, 둘 ᄒᆞᆫ 간에 청풍(淸風)ᄒᆞᆫ 간 맛져 두고,
강산(江山)은 들일 듸 업스니 둘러 두고 보리라.

09 (가)의 화자의 상황을 드러내기에 가장 적절한 한자 성어는?

① 연목구어(緣木求魚)
② 만시지탄(晩時之歎)
③ 망운지정(望雲之情)
④ 학수고대(鶴首苦待)
⑤ 안분지족(安分知足)

10 ㉠과 ㉡에 대한 설명으로 가장 적절한 것은?

① ㉠과 ㉡ 모두 '임'과 화자에게 고통을 주는 공간이다.

② ㉠과 ㉡ 모두 '임'과 화자 사이에 추억이 깃든 공간이다.

③ ㉠은 '임'이 지향하는 공간이고, ㉡은 화자가 지향하는 공간이다.

④ ㉠은 '임'이 생계를 유지하는 공간이고, ㉡은 화자가 슬픔을 느끼는 공간이다.

⑤ ㉠은 '임'에게 희망을 주는 공간이고, ㉡은 화자에게 절망을 안기는 공간이다.

11 시적 화자가 자연을 대하는 관점과 태도가 (다)와 다른 것을 고르면?

① 화풍(和風)이 문득 불어 녹수(綠水)를 건너오니 / 청향(清香)은 잔에 지고 낙홍(落紅)은 옷에 진다.

– 정극인, 「상춘곡」 –

② 연잎에 싸두고 반찬일랑 장만 마라 / 청약립(青蒻笠)은 써 있노라, 녹사의(綠蓑衣) 가져오냐 / 무심(無心)한 백구(白鷗)는 내 좇는가 제 좇는가.

– 윤선도, 「어부사시사」 –

③ 연하(煙霞)로 집을 사고 풍월(風月)로 벗을 사마 / 태평성대(太平聖代)에 병(病)으로 늘거 가네 / 이 중에 바라는 일은 허물이나 업고자

– 이황, 「도산십이곡」 –

④ 가을 바람에 괴로이 읊조리나 / 세상에 알아주는 이 없네 / 창밖엔 밤 깊도록 비가 내리는데, / 등불 앞의 마음은 만리 밖을 달리네

– 최치원, 「추야우중」 –

⑤ 보리밥 풋나물을 알맞게 먹은 후에 / 바위 끝 물가에 슬카지 노니노라 / 그 남은 여남은 일이야 부럴줄이 있으랴.

– 윤선도, 「만흥」 –

12 〈보기〉의 ⓐ~ⓔ 중, (다)의 '초려삼간'과 가장 유사한 의미를 담은 시어는?

┌─────── 보기 ───────

秋江(추강)에 ⓐ밤이 드니 ⓑ물결이 추노미라.
ⓒ낙시 드리치니 고기 아니 무노미라.
無心(무심)흔 ⓓ달빗만 싯고 ⓔ뷘 빗 저어 오노미라.

– 월산 대군 –

└──────────────────

① ⓐ   ② ⓑ   ③ ⓒ   ④ ⓓ   ⑤ ⓔ

서술형 심화문제

[01~05] 다음을 읽고 물음에 답하시오.

(가) 돌하 @<u>노피곰</u> 도드샤
어긔야 ⓑ<u>머리곰</u> 비취오시라
어긔야 어강됴리
아으 다롱디리
져재 ㉠<u>녀러</u> 신고요
어긔야 즌 딕를 ©<u>드딕욜셰라</u>
어긔야 어강됴리
어느이다 ㉡<u>노코시라</u>
어긔야 내 가논 딕 ⓓ<u>졈그롤셰라</u>
어긔야 어강됴리
아으 다롱디리

– 작자미상, 「정읍사」 –

(나) 펄펄 나는 저 꾀꼬리
암수 서로 다정한데
외로울사 이 내 몸은
누구와 함께 ㉢<u>돌아갈꼬</u>

– 유리왕, 「황조가」 –

---

01 ㉠~㉢중 주체가 시적 화자인 것을 모두 고르면?

02 @, ⓑ의 '곰'과 ©, ⓓ의 '~ㄹ셰라'에 담긴 화자의 마음을 〈조건〉에 맞게 서술하시오.

┤ 조건 ├
- 시적 대상이 드러나게 서술할 것.
- 20자 이내의 한 문장으로 서술할 것.

03 (가)의 작품이 오랜 시간이 지난 오늘날에도 향유될 수 있는 이유를 〈조건〉에 맞게 서술하시오.

┤ 조건 ├
- 내용적인 측면이 드러나도록 서술할 것.
- 전승 과정이 드러나도록 서술할 것.

04 〈보기〉의 설명에 해당되는 구절을 (가)에서 찾아 쓰시오.

┤ 보기 ├

　　(가)는 아내가 남편이 장사를 마치고 돌아오는 길에 어떤 위험에 처하지 않을까 노심초사하며 전전긍긍하고 있는 것이다. 이러한 두려움을 의구형 어미를 통해 잘 드러내고 있다.

05 (가)의 시어 중 〈보기〉의 설명에 해당하는 시어를 찾아 쓰시오.

┤ 보기 ├

　　남편의 신분을 짐작할 수 있게 해주는 시어

[06~07] 다음을 읽고 물음에 답하시오.

(가)

십 년(十年)을 경영(經營)ᄒ여 초려 삼간(草廬三間) 지여 내니
나 ᄒᆞᆫ 간 ᄃᆞᆯ ᄒᆞᆫ 간에 청풍(淸風) ᄒᆞᆫ 간 맛져 두고
강산(江山)은 들일 듸 업스니 둘러 두고 보리라

(나)

창(窓) 내고쟈 창(窓)을 내고쟈 이내 가슴에 창(窓) 내고쟈
고모장지 셰살장지 들장지 열장지에 암돌져귀 수돌져귀 빈목걸새 크나큰 쟝도
리로 둑닥 바가 이내 가슴에 창(窓) 내고쟈
잇다감 ⊙한 답답홀 제면 여다져 볼가 ᄒ노라

06 (가)의 주제를 '물아일체(物我一體)'라고 할 때, '물(物)'에 해당하는 시어를 세 가지 찾아 쓰시오. (단, 본문에 있는 말로 찾아 써야 하며, 4개 이상 쓸 경우 앞에서 세 번째까지만 채점함.)

07 (나)의 밑줄 친 ⊙의 문맥적 의미를 두 글자로 쓰시오.

춘향전

- 작자 미상 -

[앞부분 줄거리] 퇴기 월매와 성 참판 사이에서 태어난 성춘향은 뛰어난 용모와 글재주를 갖추고 있었다. 남원 부사의 아들 이몽
_{춘향은 신분적인 한계를 지닌 인물임}　　　　　　　　　　　　　　　　　　　　_{신분과 무관한 개인의 능력}

룡은 광한루에 나갔다가 춘향에게 첫눈에 반하고, 그날로 둘은 백년가약을 맺는다. 그러나 몽룡이 교지를 받은 아버지를 따라 한양

으로 가게 되면서 몽룡과 춘향은 이별해야 할 처지에 놓이고, 몽룡은 춘향에게 꼭 데리러 오겠노라 약속을 하고 떠난다. 이후 새로

부임한 변 사또가 춘향에게 수청을 강요하고 춘향은 이를 거절하다 옥에 갇힌다. 몽룡은 장원 급제 후 암행어사가 되어 신분을 숨긴

채 거지꼴로 춘향을 찾아온다. 춘향은 월매에게 몽룡을 부탁하고, 몽룡에게는 자신이 죽으면 시신을 잘 거두어 달라고 말한다.
　　　　　　　　　　　　　　　　　　　　　　　　　　　　　　　　　　　　_{죽음에 이르더라도 신분의 제약으로부터 벗어나 사랑을 이루고자 하는 마음이 드러남}

춘향이는 어둠침침 한밤중에 서방님을 번개같이 얼른 보고 옥방에 홀로 앉아 탄식하는 말이,

"밝은 하늘은 사람을 낼 제 대체로 공평하건만 나의 신세는 무슨 죄로 이팔청춘에 임 보내고 모진 목숨 살아 이 형
　　　　　　　　　　　　　　　_{자신의 처지를 한탄하는 춘향}

문 이 형장 무슨 일인고. 옥중 고생 서너 달에 밤낮 없이 임 오시기만 바라더니 이제는 임의 얼굴 보았으나 희망 없이
　　_{춘향은 몽룡의 정체를 파악하지 못함}

되었구나. 죽어 황천에 돌아간들 옥황님께 무슨 말을 자랑하리."

애고애고 설워 울 제, 맥이 빠져 반생반사(半生半死)하는구나.
　　　　　　　　　　　　_{거의 죽게 되어 생사를 알 수 없게 된 지경 → 춘향의 현재 처지를 나타냄}

어사또 춘향 집으로 와서 그날 밤을 새려 하고 문 안 문밖 염문할새 질청(秩廳)에 가 들으니 이방이 승발 불러 하는

말이,

"여보소. 들으니 어사또가 새문 밖 이씨라더니 아까 삼경에 등불 켜 들고 춘향 어미 앞세우고 왔던 다 떨어진 옷과
　　　　　　　　_{어사또에 대한 소문이 퍼졌음}　　　　　　　　　　　　　　　　　　_{몽룡을 알아본 눈치 빠른 이방}

갓을 쓴 손님이 아마도 수상하니, 내일 사또 잔치 끝에 잘 구별하여 별 탈이 없도록 십분 조심하소."

어사또가 그 말을 듣고,

"그놈들 알기는 아는데."

하고 또 장청(將廳)에 가 들으니 행수 군관 거동 보소.
　　　　_{장수들이 모여 있는 곳}　　　　　　　_{서술자의 개입으로, 판소리계 소설임이 드러나는 운문 투의 어조가 드러남}

"여러 군관님네. 아까 옥 주변 서성이던 걸인이 실로 괴이하더만. 아마도 분명 어사인 듯하니 용모 그린 것 내어놓
　　　　　　　　　　　_{몽룡이 어사또임을 알아봄. 앞으로 일어날 사건을 예고함}

고 자세히 보소."

어사또가 듣고,

"그놈들 모두 귀신이로다."

하고 현사(縣舍)에 가 들으니 호장 역시 그러하다. 육방(六房) 염문 다 한 후에 춘향 집으로 돌아와서 그 밤을 샌 연후

_{호장이 사무를 보는 곳}

에, 이튿날 출근 끝에 가까운 읍의 수령들이 모여든다. <u>운봉 영장, 구례, 곡성, 순창, 옥과, 진안, 장수 원님</u>이 차례로

_{본관의 생일잔치에 참여하는 지방 관헌들}

모여든다. 왼쪽에 행수 군관 오른쪽에 청령, 사령이 있고 본관 사또는 주인이 되어 한가운데 있어 하인 불러 분부하되,

"관청색(官廳色) 불러 다담(茶啖)을 올리라. 육고자(肉庫子) 불러 큰 소를 잡고, 예방(禮房) 불러 악공을 대령하고,

승발 불러 천막을 대령하라. 사령 불러 잡인을 금하라."

이렇듯 요란할 제 온갖 깃발이며 삼현 육각 풍류 소리 공중에 떠 있고, 연두저고리 다홍치마 입은 기생들은 흰 손

비단 치마 높이 들어 춤을 추고, 지화자 둥덩실 하는 소리에 <u>어사의 마음이 심란하구나.</u>

_{탐욕스러운 본관 사또의 생일잔치를 비판적으로 인식함}

"여봐라 사령들아. 너의 사또에게 여쭈어라. 먼 데 있는 <u>걸인</u>이 좋은 잔치에 왔으니 술과 안주나 좀 얻어먹자고 여

_{신분을 속인 채 걸인 흉내를 내는 몽룡}

쭈어라."

저 사령의 거동 보소.

"우리 사또님이 걸인을 금하였으니, 어느 양반인지는 모르오만 그런 말은 내지도 마오."

_{어사또를 잔치에 끌어들이는 역할을 하는 인물}

등을 밀쳐 내니 <u>어찌 아니 명관(名官)인가.</u> 운봉 영장이 그 거동을 보고 본관 사또에게 청하는 말이,

_{편집자적 논평으로, 사령이 명관이 아님을 반어적으로 표현함.}

"저 걸인의 의관은 남루하나 양반의 후예인 듯하니 말석에 앉히고 술잔이나 먹여 보냄이 어떠하뇨?"

본관 사또 하는 말이,

"<u>운봉의 소견대로 하오마는.</u>"

_{몽룡이 잔치에 참여하는 것이 꺼려지지만 운봉의 뜻을 마지못해 받아들임}

'마는' 하는 끝말을 내뱉고는 <u>입맛이 사납겠다.</u> 어사또 속으로,

_{편집자적 논평}

'<u>오냐, 도적질은 내가 하마. 오라는 네가 받아라.</u>'

_{음식을 실컷 얻어먹고, 어사출두하여 본관을 벌하겠다는 의도를 나타낸 말로, 복선에 해당함.}

운봉 영장이 분부하여,

"저 양반 듭시라고 하여라."

어사또 들어가 단정히 앉아 좌우를 살펴보니, 당 위의 모든 수령 다담상을 앞에 놓고 <u>진양조</u>가 높아 가는데, 어사

_{가장 느린 곡조로 소리가 우렁차고 씩씩하게 펴짐}

또의 상을 보니 <u>어찌 아니 통분하랴.</u> <u>모서리 떨어진 개상판에 닥나무 젓가락, 콩나물, 깍두기, 막걸리 한 사발 놓았구</u>

_{편집자적 논평} _{아주 형편없는 음식 차림. 몽룡을 푸대접하고 있음}

나. <u>상을 발길로 탁 차 던지며</u> 운봉 영장의 <u>갈비를 가리키며,</u>

_{잔치 분위기를 깰 의도} _{'갈비': 동음이의어를 활용한 언어유희}

"<u>갈비 한 대 먹고지고.</u>"

_{몽룡이 범상한 인물이 아님을 나타냄}

"다리도 잡수시오."

하고는 운봉 영장이 하는 말이,

"이러한 잔치에 풍류로만 놀아서는 맛이 적사오니 차운(次韻) 한 수씩 하여 보면 어떠하오?"

"그 말이 옳다."

하니 운봉 영장이 운을 낼 제 높을 고(高) 자, 기름 고(膏) 자 두 자를 내어 놓고 차례로 운을 달아 시를 짓는다. 이때

어사또 하는 말이,

"걸인이 어려서 한시(漢詩)깨나 읽었더니 좋은 잔치 당하여서 술과 안주를 포식하고 그냥 가기 민망하니 차운 한

수 하사이다."

운봉 영장이 반겨 듣고 필연(筆硯)을 내어 주니, 좌중 사람들이 다 짓지도 않았는데 <u>순식간에 글 두 귀를 지었으되,</u>

편집자적인 논평으로, 판소리 문체가 반영되어 있음

<u>백성들의 형편을 생각하고 본관 사또의 정체를 감안하여 지었겠다.</u>

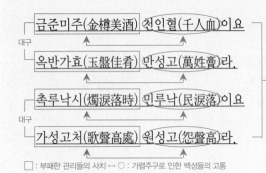

<u>금준미주(金樽美酒) 천인혈(千人血)이요</u>

<u>옥반가효(玉盤佳肴) 만성고(萬姓膏)라.</u>

<u>촉루낙시(燭淚落時) 민루낙(民淚落)이요</u>

<u>가성고처(歌聲高處) 원성고(怨聲高)라.</u>

□ : 부패한 관리들의 사치 ↔ ○ : 가렴주구로 인한 백성들의 고통

· 칠언절구(한 행이 7자이고 4행으로 구성됨.)의 한시임.
· 부패한 관리에 대한 비판과 고통받는 백성에 대한 안쓰러움이 드러남. →
  인간 존중 사상
· 작품 전개상 극적 긴장감을 고조하는 시로서 새로운 사건이 전개될 것을
  암시함.

이 글 뜻은,

<u>금동이의 아름다운 술</u>은 일천 <u>백성의 피</u>요

가렴주구를 일삼는 탐관오리를 비판함　　　　　　백성들의 희생

<u>옥소반의 아름다운 안주</u>는 <u>일만 백성의 기름</u>이라.

촛불 눈물 떨어질 때 <u>백성 눈물</u> 떨어지고

백성들의 애환과 삶의 고통

노랫소리 높은 곳에 <u>원망 소리</u> 높았더라.

탐욕스러운 정치권력에 대한 비판과 원망

이렇듯이 지었으되 <u>본관 사또는 몰라보는데</u> 운봉 영장은 글을 보며 속으로,

어리석은 본관 사또를 풍자함

'<u>아뿔싸, 일이 났다.</u>'

운봉 영장이 한시의 내용을 보고 암행어사의 출두를 예견함 → 운봉 영장의 성격 : 눈치가 빠름

이때 어사또가 하직하고 간 연후에 각 아전들을 분부하되,

"야야, 일이 났다."
부패와 잘못이 드러날 것을 걱정하는 운봉

공방 불러 돗자리 단속, 병방 불러 역마(驛馬) 단속, 관청색 불러 다담상 단속, 옥형방 불러 죄인 단속, 집사 불러

형구(刑具) 단속, 형방 불러 장부 단속, 사령 불러 숙직 단속. 한참 이리 요란할 제 사정 모르는 저 본관 사또가,

"여보 운봉은 어디를 다니시오?"
운봉과 달리 어사또의 출현을 짐작하지 못하는 본관 사또

"소피 보고 들어오오."

본관 사또가 술주정이 나서 분부하되,

"춘향을 급히 올리라."

⊙ 어휘풀이

- **교지** 조선 시대에, 임금이 사품 이상의 벼슬아치에게 준 인사에 관한 명령.
- **염문하다** 사정이나 형편 따위를 몰래 물어보다.
- **승발** 지방 관아의 구실아치 밑에서 허드렛일을 맡아보던 사람.
- **행수** 한 무리의 우두머리.
- **육방** 조선 시대에 승정원 및 각 지방 관아에 둔 여섯 부서.
- **사령** 조선 시대에 각 관아에서 심부름하던 사람.
- **관청색** 조선 시대에 수령(守令)의 음식물을 맡아보던 구실아치.
- **다담** 손님을 대접하기 위하여 내놓은 차와 과자 따위.
- **육고자** 관아에 육류를 바치던 노비.
- **삼현** 육각 피리가 둘, 대금, 해금, 장구, 북이 각각 하나씩 편성되는 풍류.
- **남루하다** 옷 따위가 낡아 해지고 차림새가 너저분하다.
- **말석** 좌석의 차례에서 맨 끝 자리.

- **오라** 도둑이나 죄인을 묶을 때에 쓰던, 붉고 굵은 줄.
- **통분하다** 원통하고 분하다.
- **개상판** 상다리 모양이 개의 다리처럼 휜 막치 소반. '개다리소반'의 잘못.
- **차운** 남이 지은 시의 운자(韻字)를 따서 시를 지음. 또는 그런 방법.
- **필연** 붓과 벼루를 아울러 이르는 말.
- **아전** 조선 시대에 중앙과 지방의 관아에 속한 구실아치.
- **역마** 조선 시대에 각 역참에 갖추어 둔 말.
- **옥형방** 옥에 가두는 소송 관계를 맡아보던 구실아치.
- **형구** 형벌을 가하거나 고문을 하는 데에 쓰는 여러 가지 기구.
- **숙직** 관청, 회사, 학교 따위의 직장에서 밤에 교대로 잠을 자면서 지키는 일. 또는 그런 사람.
- **소피** '오줌'을 완곡하게 이르는 말.

확인학습

01 이 글은 등장인물 간의 대화를 통해 사건의 긴박감을 조성하고 있다. ○☐ ×☐

02 이 글은 '애고애고'라는 음성상징어를 활용하여 설망하는 춘향의 저지를 효과적으로 표현히고 있다. ○☐ ×☐

03 이 글은 '관청색, 다담, 육고자' 등의 한자어를 사용하여 화려한 사또의 잔치 분위기를 드러내고 있다. ○☐ ×☐

04 이 글은 서술자의 잦은 개입으로 사건의 진행을 지연시키고 있다. ○☐ ×☐

05 이 글은 우연한 사건으로 인해 등장 인물간의 대립이 극한에 이르고 있다. ○☐ ×☐

06 이 글은 새로운 인물이 등장할 때마다 행동 묘사를 길게 함으로써 인물의 성격을 드러낸다. ○☐ ×☐

07 이 글의 사또는 운봉과 달리 한시를 읽고 어사또의 출두를 눈치 챘다. ○☐ ×☐

08 이 글의 어사또는 사또의 학정을 비판하기 위해 시를 지었다. ○☐ ×☐

09 이 글에 삽입된 한시는 본관 사또의 학정을 압축적으로 드러내고 있다. ○☐ ×☐

10 이 글에 삽입된 한시는 비유법을 효과적으로 활용하여 의미를 전달하고 있다. ○☐ ×☐

이때에 어사또, 부하들과 내통한다. 서리를 보고 눈길을 보내니 서리, 중방 거동 보소. 역졸을 불러 단속할 제 <u>이</u> <u>리 가며 수군, 저리 가며 수군수군</u>. 서리, 역졸 거동 보소. 외올망건 공단 모자 새 패랭이 눌러쓰고, 석 자 감발 새 짚
<small>어사출두를 알리는 신호를 '수군수군'과 같은 의성어로 표현함</small>

신에 한삼(汗衫) 고의 산뜻하게 차려입고, 육모 방망이 사슴 가죽끈을 손목에 걸어 쥐고, 여기서 번쩍 저기서 번쩍,

남원읍이 우글우글. 청파 역졸 거동 보소. <u>달 같은 마패를 햇빛같이 번쩍 들어,</u>
<small>마패를 달과 햇빛에 비유하여 고통받는 백성을 환하게 밝혀줄 것임을 드러내고 옥에 갇힌 춘향도 빛을 찾게 될 것을 암시함</small>

"암행어사 출두야."

<u>외치는 소리에 강산이 무너지고 천지가 뒤집히는 듯 초목금수(草木禽獸)인들 아니 떨랴.</u> 남문에서,
<small>암행어사의 위세를 과장하여 표현함</small>

"출두야."

북문에서,

"출두야."

<u>동서문 출두 소리 청천(靑天)에 진동하고,</u>
<small>과장법</small>

"모든 아전들 들라."

외치는 소리에 육방이 넋을 잃어,

"공형이오."

등채로 휘닥딱.

"애고, 죽겠다."

"공방, 공방."

공방이 자리 들고 들어오며,

<u>"안 하겠다던 공방을 하라더니 저 불속에 어찌 들랴."</u>
<small>공방을 스스로 맡았다기보다 억지로 떠맡게 되었음</small>

등채로 휘닥딱.

"애고, 박 터졌네."

좌수(座首) 별감(別監) 넋을 잃고 이방, 호방 혼을 잃고 나졸들이 분주하네. 모든 수령 도망갈 제 거동 보소. 인궤

잃고 강정 들고, 병부(兵符) 잃고 송편 들고, 탕건 잃고 용수 쓰고, 갓 잃고 소반 쓰고. 칼집 쥐고 오줌 누기. 부서지

는 것은 거문고요 깨지는 것은 북과 장고라. 본관 사또가 똥을 싸고 <u>멍석 구멍 생쥐 눈 뜨듯 하고,</u> 안으로 들어가서,
<small>비유적인 표현으로 웃음을 유발하는 해학적 표현</small>

<u>"어, 추워라. 문 들어온다 바람 닫아라. 물 마르다 목 들여라."</u>
<small>어휘를 도치한 언어유희로, 해학적인 표현임</small>

관청색은 상을 잃고 문짝을 이고 내달으니, 서리, 역졸 달려들어 후닥딱.

"애고, 나 죽네."

이때 어사또 분부하되,

( ): 몽룡이 아버지를 존경하고 있음이 드러남
("이 골은 대감이 좌정하시던 골이라. 훤화를 금하고 객사(客舍)로 옮겨라.")
몽룡의 아버지가 이 고을의 원님으로 있었음

자리에 앉은 후에,

"본관 사또는 봉고파직하라."

분부하니,

"본관 사또는 봉고파직이오."

사대문(四大門)에 방을 붙이고 옥형리 불러 분부하되,

"네 고을 옥에 갇힌 죄수를 다 올리라."

호령하니 죄인을 올린다. 다 각각 죄를 물은 후에 죄가 없는 자는 풀어 줄새,

저 계집은 무엇인고?
춘향을 알면서도 춘향의 절개를 시험하려는 몽룡

형리 여쭈오되,

"기생 월매의 딸이온데 관청에서 포악한 죄로 옥중에 있삽내다."

"무슨 죄인고?"

형리 아뢰되,

"본관 사또 수청 들라고 불렀더니 수절이 정절이라. 수청 아니 들려 하고 사또에게 악을 쓰며 달려든 춘향이로소이다."
당대 보편적인 여성이 따라야 했던 윤리. 보편적 윤리를 지킴으로써 기녀의 신분이 아님을 드러내고자 함

어사또 분부하되,

"너 같은 년이 수절한다고 관장(官長)에게 포악하였으니 살기를 바랄쏘냐. 죽어 마땅하되 내 수청도 거역할까?"

춘향이 기가 막혀,

"내려오는 관장마다 모두 명관(名官)이로구나. 어사또 들으시오. 층암절벽(層巖絕壁) 높은 바위가 바람 분들 무너
반어적인 표현   지조와 절개가 굳은 춘향의 모습을 상징

지며, 청송녹죽(青松綠竹) 푸른 나무가 눈이 온들 변하리까. 그런 분부 마옵시고 어서 바삐 죽여 주오."
춘향이 자신을 비유적으로 표현함

하며,

"향단아, 서방님 어디 계신가 보아라. 어젯밤에 옥 문간에 와 계실 제 천만당부 하였더니 어디를 가셨는지 나 죽는
본관의 횡포로 죽게 된 자신의 장례를 부탁했던 일

줄 모르는가."

어사또 분부하되,

"얼굴 들어 나를 보라."

하시니 춘향이 고개 들어 위를 살펴보니, 걸인으로 왔던 낭군이 분명히 어사또가 되어 앉았구나. <u>반 웃음 반 울음에,</u>
그동안 겪은 일에 대한 서러움과 몽룡을 만난 반가움이 교차됨

"얼씨구나, 좋을시고 어사 낭군 좋을시고. 남원 읍내 <u>가을</u>이 들어 떨어지게 되었더니, 객사에 봄이 들어 <u>이화춘풍</u>
춘향이 어렵고 고난을 겪던 시기

<u>(李花春風)</u> 날 살린다. 꿈이냐 생시냐? 꿈을 깰까 염려로다."
① 배꽃과 봄바람(새로운 좋은 세월) ② 이몽룡('이화(李花)'에 이몽룡의 성과 같은 '이(李)'가 있음에 착안함. → 중의적인 의미

한참 이리 즐길 적에 춘향 어미 들어와서 가없이 즐겨하는 말을 어찌 다 설화(說話)하랴.

춘향의 높은 절개 광채 있게 되었으니 어찌 아니 좋을쏜가. 어사또 남원의 공무 다한 후에 <u>춘향 모녀와 향단이를</u>
행복한 결말에 다다른 춘향의 가족

서울로 데려갈새, 위의(威儀)가 찬란하니 세상 사람들이 누가 아니 칭찬하랴. 이때 춘향이 남원을 하직할새, 영귀(榮

貴)하게 되었건만 고향을 이별하니 일희일비(一喜一悲)가 아니 되랴.

놀고 자던 <u>부용당</u>아.
춘향이 지내던 곳

너 부디 잘 있거라.

광한루 오작교며

영주각(瀛州閣)도 잘 있거라.

'봄풀은 해마다 푸르건만

떠난 객은 돌아오지 않는다.'라고 이른 시(詩)는

나를 두고 이름이라.

다 각기 이별할 제

길이길이 무고하옵소서.

다시 보기 기약 없네.

( ) : 고전소설의 행복한 결말 구조
(이때 어사또는 좌도와 우도의 읍들을 순찰하여 민정을 살핀 후에, 서울로 올라가 임금께 절을 하니 판서, 참판,

참의 들이 입시하시어 보고서를 살핀다. 임금께서 크게 칭찬하시며 즉시 이조 참의 대사성을 봉하시고 춘향으로 정

렬부인을 봉하신다. 은혜에 감사드리고 물러나 부모께 뵈오니 성은(聖恩)을 못 잊어 하시더라. 이때 이조 판서, 호조

판서, 좌의정, 우의정, 영의정 다 지내고 퇴임한 후에 <u>정렬부인으로</u> 더불어 백년동락(百年同樂)할새, 정렬부인에게
더 이상 기녀가 아니라 신분이 상승한 존재임

삼남사녀(三男四女)를 두었으니 모두가 총명하여 그 부친보다 낫더라. 일품 관직이 대대로 이어져 길이 전하더라.)

⊙ 어휘풀이

- **서리** 관아에 속하여 말단 행정 실무에 종사하던 구실아치.
- **역졸** 역에 속하여 심부름하던 사람.
- **외올망건** 외올로 뜬 망건. '외올'은 여러 겹이 아닌 단 하나의 올.
- **감발** 버선이나 양말 대신 발에 감는 좁고 긴 무명천.
- **고의** 남자의 여름 홑바지.
- **육모** 방망이 역졸·포졸들이 쓰던 여섯 모가 진 방망이.
- **초목금수** 풀과 나무와 날짐승과 길짐승을 아울러 이르는 말. 온갖 생물을 이른다.
- **공형** 조선 시대에 각 고을의 세 구실아치. 호장, 이방, 수형리를 이른다.
- **등채** 전투에 필요한 장비로 갖추었던 채찍.
- **좌수** 조선 시대에 지방의 자치 기구인 향청(鄕廳)의 우두머리.
- **별감** 조선 시대에 지방의 수령을 보좌하던 자문 기관인 유향소에 속한 직책.
- **인궤** 관아에서 쓰는 도장을 넣어 두던 상자.
- **병부** 조선 시대에 군대를 동원하는 표지로 쓰던 동글납작한 나무패.
- **탕건** 벼슬아치가 갓 아래 받쳐 쓰던 관(冠)의 하나.

- **용수** 싸리나 대오리로 만든 둥글고 긴 통. 술이나 장을 거르는 데 쓴다.
- **훤화** 시끄럽게 지껄이며 떠듦.
- **봉고파직하다** 어사나 감사가 못된 짓을 많이 한 고을의 원을 파면하고 관가의 창고를 봉하여 잠그다.
- **관장** 관가의 장(長)이란 뜻으로, 시골 백성이 고을 원을 높여 이르던 말.
- **층암절벽** 몹시 험한 바위가 겹겹으로 쌓인 낭떠러지.
- **청송녹죽** 푸른 소나무와 푸른 대나무.
- **설화하다** 있지 아니한 일에 대하여 사실처럼 재미있게 말하다.
- **위의** 위엄이 있고 엄숙한 태도나 차림새.
- **영귀하다** 지체가 높고 귀하다.
- **일희일비** 한편으로는 기쁘고 한편으로는 슬퍼함. 또는 기쁨과 슬픔이 번갈아 일어남.
- **민정** 백성들의 사정과 생활 형편.
- **입시하다** 대궐에 들어가서 임금을 뵙다.
- **정렬부인** 조선 시대에 정조와 지조를 굳게 지킨 부인에게 내리던 칭호.

⊙ 핵심정리

갈래	고전 소설, 판소리계 소설
성격	해학적, 풍자적
주제	• 신분적 제약을 극복한 초월적 사랑(계급적 갈등을 극복하는 인간 해방 사상) • 압박과 회유를 물리친 지조와 정절 • 백성을 수탈하고 아녀자를 괴롭힌 탐관오리의 징벌
특징	• 근원 설화에서 출발하여 판소리로 불리다가 소설로 정착된 판소리계 소설임. • 다양한 계층에서 향유되어 문체와 주제 면에서 다양한 계층적 특성이 드러남.

확인학습

01 이 글의 어사또는 본관 사또를 벌한 것에 대한 보상을 받았다. ○☐ ×☐

02 이 글의 어사또는 반전을 위해 춘향이에게 마음에 없는 말을 하고 있다. ○☐ ×☐

03 이 글의 춘향이는 죽음을 앞두고 있다고 생각하는 순간에 어사또를 찾고 있다. ○☐ ×☐

04 이 글의 춘향이는 죽여 달라고 하면서도 자신의 가족에 대한 걱정을 드러내고 있다. ○☐ ×☐

05 이 글에서 이몽룡과 춘향 사이에서 난 자식들은 총명함에 있어서 부모에게 미치지 못했다. ○☐ ×☐

06 이 글은 서술자가 객관적인 시선에서 다른 인물을 평하고 있다. ○☐ ×☐

07 이 글은 상징적 배경을 통해 갈등이 해소될 것임을 암시하고 있다. ○☐ ×☐

08 이 글은 서술자가 고백적 어조를 통해 자신의 내면을 드러내고 있다. ○☐ ×☐

09 이 글은 서술자가 등장인물의 말과 행동뿐만 아니라 내면까지 드러내고 있다. ○☐ ×☐

10 고향을 떠나는 춘향이의 시는 대화체로 처음 고향을 떠나는 설렘을 표현하고 있다. ○☐ ×☐

[01~07] 다음 글을 읽고 물음에 답하시오.

　이렇듯 요란할 제 온갖 깃발이며 삼현육각 풍류 소리 공중에 떠 있고, 붉은 옷 붉은 치마 입은 기생들은 흰 손 비단 치마 높이 들어 춤을 추고, 지화자 둥덩실 하는 소리에 어사의 마음이 심란하구나.

　"여봐라 사령들아. 너의 사또에게 여쭈어라. 먼 데 있는 걸인이 좋은 잔치에 왔으니 술과 안주나 좀 얻어먹자고 여쭈어라."

　저 사령의 거동 보소.

　"우리 사또님이 걸인을 금하였으니, 어느 양반인지는 모르오만 그런 말은 내지도 마오."

　등을 밀쳐 내니 어찌 아니 명관(名官)인가. 운봉 영장이 그 거동을 보고 본관 사또에게 청하는 말이,

　"저 걸인의 의관은 남루하나 양반의 후예인 듯하니 말석에 앉히고 술잔이나 먹여 보냄이 어떠하뇨?"

　본관 사또 하는 말이,

　"운봉의 소견대로 하오마는."

　'마는' 하는 끝말을 내뱉고는 입맛이 사납겠다. 어사또 속으로,

　'오냐. 도적질은 내가 하마. 오라는 네가 받아라.'

　운봉 영장이 분부하여,

　"저 양반 듭시라고 하여라."

　어사또 들어가 단정히 앉아 좌우를 살펴보니, 당 위의 모든 수령 다담상을 앞에 놓고 진양조가 높아 가는데, 어사또의 상을 보니 어찌 아니 통분하랴. 모서리 떨어진 개상판에 닥나무 젓가락, 콩나물, 깍두기, 막걸리 한 사발 놓았구나. 상을 발길로 탁 차 던지며 운봉 영장의 갈비를 가리키며,

　⊙"갈비 한 대 먹고지고."

　"다리도 잡수시오."

　하고는 운봉이 하는 말이,

　"이러한 잔치에 풍류로만 놀아서는 맛이 적사오니 차운(次韻) 한 수씩 하여 보면 어떠하오?"

　"그 말이 옳다."

　하니 ⓛ운봉이 운을 낼 제 '높을 고(高)' 자, '기름 고(膏)' 자 두 자를 내어 놓고 차례로 운을 달아 시를 짓는다. 이때 어사또 하는 말이,

　"걸인이 어려서 한시(漢詩)깨나 읽었더니 좋은 잔치 당하여서 술과 안주를 포식하고 그냥 가기 민망하니 차운 한 수 하사이다."

　운봉 영장이 반겨 듣고 필연(筆硯)을 내어 주니, 좌중 사람들이 다 짓지도 않았는데 순식간에 글 두 귀를 지었으되, 백성들의 형편을 생각하고 본관 사또의 정체를 감안하여 지었것다.

[A]
금준미주(金樽美酒)는 천인혈(千人血)이요
옥반가효(玉盤佳肴)는 만성고(萬姓膏)라
촉루낙시(燭淚落時) 민루낙(民淚落)이요
가성고처(歌聲高處) 원성고(怨聲高)라

이 글 뜻은

금동이의 아름다운 술은 일만 백성의 피요
옥소반의 아름다운 안주는 일만 백성의 기름이라.
촛불 눈물 떨어질 때 백성 눈물 떨어지고
노랫소리 높은 곳에 원망소리 높았더라.

이렇듯이 지었으되 본관 사또는 몰라보는데 운봉 영장은 글을 보며 속으로,

'아뿔싸. 일이 났다.'

이때 어사또가 하직하고 간 연후에 각 아전들을 분부하되,

"야야. 일이 났다."

공방 불러 돗자리 단속, 병방 불러 역마(驛馬) 단속, 관청색 불러 다담상 단속, 옥형방 불러 죄인 단속, 집사 불러 형구(刑具) 단속, 형방 불러 장부 단속, 사령 불러 숙직 단속. 한참 이리 요란할 제 사정 모르는 저 본관 사또가,

"여보 운봉은 어디를 다니시오?"

"소피 보고 들어오오."

〈중략〉

"암행어사 출도야."

외치는 소리에 강산이 무너지고 천지가 뒤집히는 듯 초목금수(草木禽獸)인들 아니 떨랴. 남문에서,

"출도야."

북문에서,

"출도야."

동서문 출도 소리 청천(靑天)에 진동하고,

"모든 아전들 들라."

외치는 소리에 육방(六房)이 넋을 잃어,

"공형이오."

등채로 휘닥딱.

"애고 죽겠다."

"공방, 공방."

공방이 자리 들고 들어오며,

"안 하겠다던 공방을 하라더니 저 불속에 어찌 들랴."

등채로 휘닥딱.

"애고 박 터졌네."

좌수(座首), 별감(別監) 넋을 잃고 이방, 호방 혼을 잃고 나졸들이 분주하네. 모든 수령 도망갈 제 거동 보소. 인궤 잃고 강정 들고, 병부(兵符) 잃고 송편 들고, 탕건 잃고 용수 쓰고, 갓 잃고 소반 쓰고, 칼집 쥐고 오줌 누기. 부서지는 것은 거문고요 깨지는 것은 북과 장고라. 본관 사또가 똥을 싸고 멍석 구멍 새앙쥐 눈 뜨듯하고, 안으로 들어가서,

"어 추워라. 문 들어온다 바람 닫아라. 물 마르다 목 들여라."

관청색은 상을 잃고 문짝을 이고 내달으니, 서리, 역졸 달려들어 후닥딱.

"애고 나 죽네."

이때 어사또 분부하되,

"이 골은 대감이 좌정하시던 골이라. 잡소리를 금하고 객사(客舍)로 옮겨라."

자리에 앉은 후에,

"본관 사또는 봉고파직하라."

분부하니,

"본관 사또는 봉고파직이오."

사대문(四大門)에 방을 붙이고 옥형리 불러 분부하되,

"네 골 옥에 갇힌 죄수를 다 올리라."

호령하니 죄인을 올린다. 다 각각 죄를 물은 후에 죄가 없는 자는 풀어 줄새,

"저 계집은 무엇인고?"

형리 여쭈오되,

"기생 월매의 딸이온데 관청에서 포악한 죄로 옥중에 있삽내다."

"무슨 죄인고?"

형리 아뢰되,

"본관 사또 수청 들라고 불렀더니 ⓐ수절이 정절이라. 수청 아니 들려 하고 사또에게 악을 쓰며 달려든 춘향이로소이다."

어사또 분부하되,

ⓒ"너 같은 년이 수절한다고 관장(官長)에게 포악하였으니 살기를 바랄쏘냐. 죽어 마땅하되 내 수청도 거역할까?"

춘향이 기가 막혀,

ⓔ"내려오는 관장마다 모두 명관(名官)이로구나. 어사또 들으시오. ⓜ층암절벽 높은 바위가 바람 분들 무너지며, 청송 녹죽 푸른 나무가 눈이 온들 변하리까. 그런 분부 마옵시고 어서 바삐 죽여 주오."

하며,

"향단아, 서방님 어디 계신가 보아라. 어젯밤에 옥 문간에 와 계실 제 천만당부 하였더니 어디를 가셨는지 나 죽는 줄 모르는가."

어사또 분부하되,

"얼굴 들어 나를 보라."

하시니 춘향이 고개 들어 위를 살펴보니, 걸인으로 왔던 낭군이 분명히 어사또가 되어 앉았구나. 반 웃음 반 울음에,

"얼씨구나 좋을시고 어사 낭군 좋을시고. 남원 읍내 가을이 들어 떨어지게 되었더니, 객사에 봄이 들어 이화춘풍(李花春風) 날 살린다. 꿈이냐 생시냐? 꿈을 깰까 염려로다."

한참 이리 즐길 적에 춘향 어미 들어와서 가없이 즐겨하는 말을 어찌 다 설화(說話)하랴.

춘향의 높은 절개 광채 있게 되었으니 어찌 아니 좋을쏜가. 어사또 남원 공무 다한 후에 춘향 모녀와 향단이를 서울로 데려갈새, 위의(威儀)가 찬란하니 세상 사람들이 누가 아니 칭찬하랴. 이때 춘향이 남원을 하직할새, 영귀(榮貴)하게 되었건만 고향을 이별하니 일희일비(一喜一悲)가 아니 되랴.

[B]
놀고 자던 부용당아.
너 부디 잘 있거라.
광한루 오작교며
영주각(瀛州閣)도 잘 있거라.
봄풀은 해마다 푸르건만
떠난 객은 돌아오지 않는다고 이른 시(詩)는
나를 두고 이름이라.
다 각기 이별할 제
길이길이 무고하옵소서.
다시 보기 기약 없네.

이때 어사또는 좌도와 우도의 읍들을 순찰하여 민정을 살핀 후에, 서울로 올라가 임금께 절을 하니 판서, 참판, 참의들이 입시하시어 보고서를 살핀다. 임금께서 크게 칭찬하시며 즉시 이조 참의 대사성을 봉하시고 춘향으로 정렬부인을 봉하신다. 은혜에 감사드리고 물러 나와 부모께 뵈오니 성은(聖恩)을 못 잊어 하시더라. 이때 이조 판서, 호조 판서, 좌의정, 우의정, 영의정 다 지내고 퇴임한 후에 정렬부인으로 더불어 백년동락(百年同樂)할새, 정렬부인에게 삼남삼녀(三男三女)를 두었으니 모두가 총명하여 그 부친보다 낫더라. 일품 관직이 대대로 이어져 길이 전하더라.

01 윗글에 대한 설명으로 가장 적절한 것은?

① 소설로 창작된 이후에 판소리 사설로 발전하여 서민들의 예술 장르로 정착되었다.

② 열녀 설화, 관탈민녀 설화, 망부석 설화, 효녀 설화 등의 요소가 가미되어 이야기의 흥미를 배가시켰다.

③ 탐관오리의 횡포, 여성의 정절에 대한 강조, 적자와 서자의 차별 등과 같은 사회상이 반영되어 있다.

④ 신분을 초월한 남녀 간의 사랑 혹은 불의한 권력자에 대한 하층민의 항거 등과 같은 주제 의식을 지니고 있다.

⑤ 초인적 능력을 지닌 주인공의 활약에 의한 비현실적이고 환상적인 요소, 권선징악 등과 같은 장치가 나타난다.

02 윗글의 특징을 설명한 것으로 적절하지 <u>않은</u> 것은?

① 서술자의 편집자적 논평이 자주 나타남

② 개성적 인물을 등장시켜 사건 전개의 필연성을 부여함

③ 탐관오리에 대한 풍자가 뚜렷하게 형상화됨

④ 신분을 초월한 남녀 간의 사랑 이면에 인간 평등사상을 고취함

⑤ 판소리의 영향으로 운문체와 산문체가 섞여 있는 판소리계 소설임

03 윗글을 통해 알 수 있는 당대의 사회상으로 적절하지 <u>않은</u> 것은?

① 여성의 정절을 중시하는 사회였다.

② 자유연애 사상이 확산되며 신분해방이 이루어졌다.

③ 탐관오리들의 가혹한 정치 때문에 백성들이 괴로움을 당하였다.

④ 양반, 평민, 천민 등으로 계급을 구분하는 신분 제도가 있었다.

⑤ 암행어사라는 벼슬이 있었고, 이를 통해 부패한 수령들을 감찰하였다.

04 ⓐ의 언어유희가 나타나는 것만을 〈보기〉에서 있는 대로 고른 것은?

> ┤ 보기 ├
>
> ㄱ. 매미 맵다 울고 쓰르라미 쓰다 우니 / 산나물이 매운가 술이 쓴가.
>
> ㄴ. 창을 내고 싶구나, 창을 내고 싶구나. 이내 가슴에 창을 내고 싶구나.
>
> ㄷ. 남편 모양 볼작시면 삽살개 뒷다리요 / 자식 거동 볼작시면 털벗은 솔개미라
>
> ㄹ. 날 사랑하던 끝에 남 사랑하시는가 / 무정하야 그러한가 유정하야 그러한가

① ㄱ   ② ㄱ, ㄹ   ③ ㄴ, ㄷ   ④ ㄴ, ㄷ, ㄹ   ⑤ ㄱ, ㄴ, ㄷ, ㄹ

05 [A]와 [B]에 대한 설명으로 적절하지 않은 것은?

① [A]가 사회적 비판의식을 담고 있다면, [B]는 개인적 감회를 담고 있다.

② [A]에 대상에 대한 분노가 내포되어 있다면, [B]에는 자신에 대한 자책감이 내포되어 있다.

③ [A]는 현실의 상황을 나열하는 방식으로, [B]는 대상에게 말을 건네는 방식으로 시상을 전개하고 있다.

④ [A]는 비유를 통하여 글쓴이의 생각을 드러내고 있다면, [B]는 인용을 통해 글쓴이의 상황을 드러내고 있다.

⑤ [A]가 사건 전개에 있어서 긴장감을 고조시킨다면, [B]는 인물의 처지와 관련하여 조성된 긴장감이 해소된 상황을 담고 있다.

06 ㉠~㉤에 대한 설명으로 가장 적절한 것은?

① ㉠ : 어휘의 배치 순서를 바꿈으로써 웃음을 유발하는 언어유희에 해당한다.

② ㉡ : 서술자가 인물의 언행 등에 대해 직접 자신의 의견을 밝히는 편집자적 논평에 해당한다.

③ ㉢ : 공사(公私)를 구별하여 춘향을 처벌하려는 어사의 의지를 보여주는 표현이다.

④ ㉣ : 어사의 부당한 언사에 대한 반감을 반어적으로 드러낸 표현이다.

⑤ ㉤ : 백성들을 괴롭히는 탐관오리의 가혹한 정치는 결코 바뀌지 않음을 비유적으로 나타낸 표현이다.

07 윗글을 읽은 독자의 반응으로 적절하지 않은 것은?

① 이몽룡은 한시를 통해 변 사또의 잘못된 행실을 비판하고 백성의 고통을 표현했어.

② 춘향은 자연물에 빗대어 자신의 굳은 절개를 표현하고 어사또의 수청 요구를 거절했어.

③ 변 사또가 춘향에게 수청을 요구한다는 점에서 관탈민녀형 설화의 모티프를 찾아볼 수 있어.

④ 춘향이 정렬부인이 되고자 한 것으로 보아 윗글의 주제는 '천민의 신분상승 욕구'라고 할 수 있어.

⑤ 변 사또의 봉고파직은 불의한 지배 계층에 대한 당대 서민들의 비판의식이 반영된 결과로 볼 수 있어.

[08~12] 다음 블로그 글을 읽고 물음에 답하시오.

〈앞부분 줄거리〉

⊙숙종 즉위 초, 전라도 남원에 사는 퇴기 월매는 성 참판과의 사이에서 춘향을 낳아 정성껏 기른다. 남원 부사로 부임한 아버지를 따라 한양에서 온 이몽룡은 단옷날, 광한루에 나왔다가 그네를 타는 춘향을 보고 첫눈에 반한다. 그날로 둘은 사랑에 빠져 백년가약을 맺는다. 그러나 이몽룡의 아버지가 동부승지로 임명되어 가족이 모두 남원을 떠나게 되자, 이몽룡은 후일을 기약하며 춘향을 두고 한양으로 떠난다.

그 후, 남원 부사로 부임한 변학도가 춘향을 불러내어 수청을 강요한다. 하지만 춘향은 수청 요구를 거부하고 결국 옥에 갇혀 고초를 겪는다. 한편 한양으로 올라갔던 이몽룡은 전라도 어사가 되어 ⑥남원에 내려오는 길에 농부들에게서 남원의 변 사또가 가혹한 정치를 일삼고 있다는 사실과 춘향이 옥에 갇혔다는 소식을 듣는다. 그리고 걸인의 행색으로 월매와 춘향을 만나는데, 춘향은 내일 죽게 될 자신의 처지보다 이몽룡을 걱정하며 월매에게 이몽룡을 부탁한다.

가까운 읍의 수령들이 모여든다. 운봉 영장, 구례, 곡성, 옥과 진안, 장수 원님이 차례로 모여든다. 왼쪽에 행수, 군관 오른쪽에 청령, 사령이 있고 본관 사또는 주인이 되어 한가운데 있어 하인 불러 분부하되,

"관청색(官廳色) 불러 다담(茶啖)을 올리라. 육고자 불러 큰 소를 잡고, 예방(禮房) 불러 악공을 대령하고, 승발 불러 천막을 대령하라. 사령 불러 잡인을 금하라."

이렇듯 요란할 제 온갖 깃발이며 삼현육각 풍류 소리 공중에 떠 있고, 붉은 옷 붉은 치마 입은 기생들은 흰 손 비단 치마 높이 들어 춤을 추고, 지화자 둥덩실 하는 소리에 ⓐ어사의 마음이 심란하구나.

"여봐라 사령들아. 너의 사또에게 여쭈어라. 먼 데 있는 걸인이 좋은 잔치에 왔으니 술과 안주나 좀 얻어먹자고 여쭈어라."

저 사령의 거동 보소.

"우리 사또님이 걸인을 금하였으니, 어느 양반인지는 모르오만 그런 말은 내지도 마오."

등을 밀쳐 내니 ⓑ어찌 아니 명관(名官)인가. 운봉 영장이 그 거동을 보고 본관 사또에게 청하는 말이,

ⓒ"저 걸인의 의관은 남루하나 양반의 후예인 듯하니 말석에 앉히고 술잔이나 먹여 보냄이 어떠하뇨?"

본관 사또 하는 말이,

"운봉의 소견대로 하오마는."

'마는' 하는 끝말을 내뱉고는 ⓒ입맛이 사납겠다. 어사또 속으로,

'오냐. 도적질은 내가 하마. 오라는 네가 받아라.'

운봉 영장이 분부하여,

"저 양반 듭시라고 하여라."

어사또 들어가 단정히 앉아 좌우를 살펴보니, 당 위의 모든 수령 다담상을 앞에 놓고 진양조가 높아 가는데, 어사또의 상을 보니 어찌 아니 통분하랴. 모서리 떨어진 개상판에 닥나무 젓가락, 콩나물, 깍두기, 막걸리 한 사발 놓았구나. 상을 발길로 탁 차 던지며 운봉 영장의 갈비를 가리키며,

㉣"갈비 한 대 먹고지고."

"다리도 잡수시오."

하고는 운봉이 하는 말이,

"이러한 잔치에 풍류로만 놀아서는 맛이 적사오니 차운(次韻) 한 수씩 하여 보면 어떠하오?"

"그 말이 옳다."

하니 운봉이 운을 낼 제 '높을 고(高)' 자, '기름 고(膏)' 자 두 자를 내어 놓고 ⓓ차례로 운을 달아 시를 짓는다. 이때 어사또 하는 말이,

"걸인이 어려서 한시(漢詩)깨나 읽었더니 좋은 잔치 당하여서 술과 안주를 포식하고 그냥 가기 민망하니 차운 한 수 하사이다."

운봉 영장이 반겨 듣고 필연(筆硯)을 내어 주니, 좌중 사람들이 다 짓지도 않았는데 순식간에 글 두 귀를 지었으되, ⓔ백성들의 형편을 생각하고 본관 사또의 정체를 감안하여 지었을 것이다.

┌─금준미주(金樽美酒)는 천인혈(千人血)이요
│ 옥반가효(玉盤佳肴)는 만성고(萬姓膏)라
│ 촉루낙시(燭淚落時) 민루낙(民淚落)이요
│ 가성고처(歌聲高處) 원성고(怨聲高)라
│
[A] 이 글 뜻은
│
│ 금동이의 아름다운 술은 일만 백성의 피요
│ 옥소반의 아름다운 안주는 일만 백성의 기름이라.
│ 촛불 눈물 떨어질 때 백성 눈물 떨어지고
└─노랫소리 높은 곳에 원망 소리 높았더라.

이렇듯이 지었으되 본관 사또는 몰라보는데 운봉 영장은 글을 보며 속으로,
'아뿔싸. 일이 났다.'
이때 어사또가 하직하고 간 연후에 각 아전들을 분부하되,
"야야. 일이 났다."
㉤공방 불러 돗자리 단속, 병방 불러 역마(驛馬) 단속, 관청색 불러 다담상 단속, 옥형방 불러 죄인 단속, 집사 불러 형구(刑具) 단속, 형방 불러 장부 단속, 사령 불러 숙직 단속. 한참 이리 요란할 제 사정 모르는 저 본관 사또가,
"여보 운봉은 어디를 다니시오?"
"소피 보고 들어오오."

08 윗글에 대한 설명으로 적절하지 <u>않은</u> 것은?

① 해학과 풍자를 통해 심리적 긴장을 이완시키고 있다.
② 사농공상(士農工商)의 질서를 지키려는 춘향이 갈등을 겪고 있다.
③ 판소리계 소설로 조선 후기 서민 의식의 성장을 확인할 수 있다.
④ 당대에는 여성의 지조와 절개를 중시하는 사회였음을 알 수 있다.
⑤ 신분의 차이가 있는 남녀의 사랑은 인정받기 어려웠음을 알 수 있다.

09 윗글을 연극으로 연출할 때 연출자의 생각으로 가장 적절하지 <u>않은</u> 것은?

① 변 사또의 생일잔치를 최대한 사치스럽게 표현하여 백성을 수탈하는 탐관오리의 면모를 부각해야겠군.
② 이몽룡의 옷은 찢어지거나 더러운 양반 의상으로 하되 태도는 당당하고 위엄 있는 목소리를 내도록 연기지도를 해야겠어.
③ 이몽룡을 바라보는 변 사또는 못마땅한 표정을 짓거나 무시하는 표정을 짓도록 주문해야겠어.
④ 이몽룡이 받은 상차림은 보잘 것 없게, 변 사또와 주변 원님들 앞에 놓인 상차림은 성대하게 차려 서로 대조가 되게 해야겠어.
⑤ 이몽룡이 쓴 한 시를 읽은 운봉이 차분하게 아전들에게 차례차례 무엇인가를 지시하는 시늉을 하도록 해야겠어.

10 ㉠~㉤에 대한 설명으로 적절하지 <u>않은</u> 것은?

① ㉠ : 시·공간적 배경이 구체적으로 드러나 이야기의 사실성을 이끌어 내고 있다.

② ㉡ : 이몽룡이 남원 오는 길에 농부들에게 춘향의 소식을 들은 설정은 필연성를 바탕으로 의도적으로 설정된 내용이다.

③ ㉢ : 이몽룡에게 호의를 베풀어 사건 전개를 이끄는 역할을 수행하고 있다.

④ ㉣ : 사람의 갈비뼈와 고기의 갈비를 연결한 동음이의어를 활용한 언어유희로 볼 수 있다.

⑤ ㉤ : 상황을 사실적으로 재현하고 생동감을 불러일으키며 문장에 리듬감을 형성한 부분으로 볼 수 있다.

11 다음은 윗글의 [A]와 관련한 학습활동이다. 〈학습지〉의 내용 중, 적절하지 <u>않은</u> 것은?

> **선생님** : 고전소설에서는 글 가운데 시가 삽입되는 경우가 많습니다. [A]의 표현상의 특징과 기능에 대해 정리해 봅시다.
>
> 〈학습지〉
>
> | [A]의
표현상의 특징 | • '술'을 '피'에 '안주'를 '기름'에 대응시키는 등, 사물을 백성들의 고통에 비유한 은유법이 사용되었다. ·· ① |
> |---|---|
> | | • 첫 번째 구와 두 번째 구, 세 번째 구와 네 번째 구가 각각 대구를 이루어 운율을 형성하고 있다. ·· ② |
> | [A]의 기능 | • 이몽룡의 신분을 엿볼 수 있게 하여 운봉과 변 사또를 두려움에 떨게 한다. ······· ③ |
> | | • 사건의 극적 긴장감을 고조시켜 새로운 사건 전개를 예고하고 있다. ················· ④ |
> | | • 민중의 분노를 대변하여 탐관오리가 가렴주구(苛斂誅求)하는 정치 현실을 비판함으로써 작품의 주제를 강화하고 있다. ·· ⑤ |

12 ⓐ~ⓔ 중, 〈보기〉의 밑줄 친 것에 해당하지 <u>않는</u> 것은?

> **┤ 보기 ├**
>
> <u>편집자적 논평</u>이란 서술자가 진행 중인 사건이나 인물의 언행 등에 대해 의견을 밝히거나 평가하는 것을 말하는데, 서술자가 이야기를 재미있게 이끌거나 독자의 동의나 이해를 구할 때, 또는 관심을 끌기 위하여 사건이나 인물에 대해 논평을 하기도 하는데 이러한 편집자적 논평은 고전 소설에 빈번하게 나타난다.

① ⓐ   ② ⓑ   ③ ⓒ   ④ ⓓ   ⑤ ⓔ

[13~19] 다음 블로그 글을 읽고 물음에 답하시오.

왼쪽에 행수, 군관 오른쪽에 청령, 사령이 있고 본관 사또는 주인이 되어 한가운데 있어 하인 불러 분부하되,

"관청색(官廳色) 불러 다담(茶啖)을 올리라. 육고자 불러 큰 소를 잡고, 예방(禮房) 불러 악공을 대령하고, 승발 불러 천막을 대령하라. 사령 불러 잡인을 금하라."

이렇듯 요란할 제 온갖 깃발이며 삼현육각 풍류 소리 공중에 떠 있고, 붉은 옷 붉은 치마 입은 기생들은 흰 손 비단 치마 높이 들어 춤을 추고, 지화자 둥덩실 하는 소리에 어사의 마음이 심란하구나.

"여봐라 사령들아. 너의 사또에게 여쭈어라. 먼 데 있는 걸인이 좋은 잔치에 왔으니 술과 안주나 좀 얻어먹자고 여쭈어라."

저 사령의 거동 보소.

"우리 사또님이 걸인을 금하였으니, 어느 양반인지는 모르오만 그런 말은 내지도 마오."

ⓐ등을 밀쳐 내니 어찌 아니 명관(名官)인가. 운봉 영장이 그 거동을 보고 본관 사또에게 청하는 말이,

"저 걸인의 의관은 남루하나 양반의 후예인 듯하니 말석에 앉히고 술잔이나 먹여 보냄이 어떠하뇨?"

본관 사또 하는 말이,

"운봉의 소견대로 하오마는."

ⓑ'마는' 하는 끝말을 내뱉고는 입맛이 사납겠다. 어사또 속으로, / '오냐. 도적질은 내가 하마. 오라는 네가 받아라.'

운봉 영장이 분부하여, / "저 양반 듭시라고 하여라."

어사또 들어가 단정히 앉아 좌우를 살펴보니, 당 위의 모든 수령 다담상을 앞에 놓고 진양조가 높아 가는데, 어사또의 상을 보니 어찌 아니 통분하랴. 모서리 떨어진 개상판에 닥나무 젓가락, 콩나물, 깍두기, 막걸리 한 사발 놓았구나. 상을 발길로 탁 차 던지며 운봉 영장의 갈비를 가리키며,

"갈비 한 대 먹고지고."

"다리도 잡수시오." 하고는 운봉이 하는 말이,

"이러한 잔치에 풍류로만 놀아서는 맛이 적사오니 차운(次韻) 한 수씩 하여 보면 어떠하오?"

"그 말이 옳다." / 하니 운봉이 운을 낼 제 '높을 고(高)' 자, '기름 고(膏)' 자 두 자를 내어 놓고 차례로 운을 달아 시를 짓는다. 이때 어사또 하는 말이,

"걸인이 어려서 한시(漢詩)깨나 읽었더니 좋은 잔치 당하여서 술과 안주를 포식하고 그냥 가기 민망하니 차운 한 수 하사이다."

운봉 영장이 반겨 듣고 필연(筆硯)을 내어 주니, 좌중 사람들이 다 짓지도 않았는데 순식간에 글 두 귀를 지었으되, 백성들의 형편을 생각하고 본관 사또의 정체를 감안하여 지었것다.

> 금준미주(金樽美酒)는 천인혈(千人血)이요
> 옥반가효(玉盤佳肴)는 만성고(萬姓膏)라
> 촉루낙시(燭淚落時) 민루낙(民淚落)이요
> 가성고처(歌聲高處) 원성고(怨聲高)라

[A] 이 글 뜻은

> 금동이의 아름다운 술은 일만 백성의 피요
> 옥소반의 아름다운 안주는 일만 백성의 기름이라.
> 촛불 눈물 떨어질 때 백성 눈물 떨어지고
> 노랫소리 높은 곳에 원망 소리 높았더라.

이렇듯이 지었으되 본관 사또는 몰라보는데 운봉 영장은 글을 보며 속으로,

'아뿔싸. 일이 났다.'

〈중략〉

"암행어사 출도야."

ⓒ외치는 소리에 강산이 무너지고 천지가 뒤집히는 듯 초목금수(草木禽獸)인들 아니 떨랴. 남문에서,

"출도야." / 북문에서, "출도야."

동서문 출도 소리 청천(靑天)에 진동하고,

"모든 아전들 들라."

외치는 소리에 육방(六房)이 넋을 잃어,

"공형이오." / 등채로 휘닥딱.

"애고 죽겠다." / "공방, 공방."

공방이 자리 들고 들어오며,

"안 하겠다던 공방을 하라더니 저 불속에 어찌 들랴."

등채로 휘닥딱. / "애고 박 터졌네."

좌수(座首), 별감(別監) 넋을 잃고 이방, 호방 혼을 잃고 나졸들이 분주하네. 모든 수령 도망갈 제 거동 보소. 인궤 잃고 강정 들고, 병부(兵符) 잃고 송편 들고, 탕건 잃고 용수 쓰고, 갓 잃고 소반 쓰고. 칼집 쥐고 오줌 누기. 부서지는 것은 거문고요 깨지는 것은 북과 장고라. 본관 사또가 똥을 싸고 멍석 구멍 새앙쥐 눈 뜨듯하고, 안으로 들어가서,

㉮어 추워라, 문 들어온다 바람 닫아라. 물 마르다 목 들여라."

관청색은 상을 잃고 문짝을 이고 내달으니, 서리, 역졸 달려들어 후닥딱.

〈중략〉

"저 계집은 무엇인고?"

형리 여쭈오되, / "기생 월매의 딸이온데 관청에서 포악한 죄로 옥중에 있삽내다."

"무슨 죄인고?"

형리 아뢰되,

"본관 사또 수청 들라고 불렀더니 수절이 정절이라. 수청 아니 들려 하고 사또에게 악을 쓰며 달려든 춘향이로소이다."

어사또 분부하되,

"너 같은 년이 수절한다고 관장(官長)에게 포악하였으니 살기를 바랄쏘냐. 죽어 마땅하되 내 수청도 거역할까?"

춘향이 기가 막혀,

"내려오는 관장마다 모두 명관(名官)이로구나. 어사또 들으시오. 층암절벽 높은 바위가 바람 분들 무너지며, ⓓ청송녹죽 푸른 나무가 눈이 온들 변하리까. 그런 분부 마옵시고 어서 바삐 죽여 주오." 하며,

"향단아, 서방님 어디 계신가 보아라. 어젯밤에 옥 문간에 와 계실 제 천만당부하였더니 어디를 가셨는지 나 죽는 줄 모르는가."

어사또 분부하되,

"얼굴 들어 나를 보라." 하시니 춘향이 고개 들어 위를 살펴보니, 걸인으로 왔던 낭군이 분명히 어사또가 되어 앉았구나. 반 웃음 반 울음에,

"얼씨구나 좋을시고 어사 낭군 좋을시고. 남원 읍내 가을이 들어 떨어지게 되었더니, ⓔ객사에 봄이 들어 이화춘풍(李花春風) 날 살린다. 꿈이냐 생시냐? 꿈을 깰까 염려로다."

㉯한참 이리 즐길 적에 춘향 어미 들어와서 가없이 즐겨하는 말을 어찌 다 설화(說話)하랴.

춘향의 높은 절개 광채 있게 되었으니 어찌 아니 좋을쏜가. 어사또 남원 공무 다한 후에 춘향 모녀와 향단이를 서울로 데려갈새, 위의(威儀)가 찬란하니 세상 사람들이 누가 아니 칭찬하랴. 이때 춘향이 남원을 하직할새, 영귀(榮貴)하게 되었건만 고향을 이별하니 일희일비(一喜一悲)가 아니 되랴.

놀고 자던 부용당아.

너 부디 잘 있거라.

광한루 오작교며

영주각(瀛州閣)도 잘 있거라.

'봄풀은 해마다 푸르건만

떠난 객은 돌아오지 않는다'고 이른 시(詩)는

나를 두고 이름이라.

다 각기 이별할 제

길이길이 무고하옵소서.

다시 보기 기약 없네.

13 윗글에 대한 설명으로 가장 적절한 것은?

① 공간의 이동으로 갈등의 다양한 양상을 보여주고 있다.

② 시대적 배경을 구체적으로 제시하여 사건의 실제성을 부각하고 있다.

③ 환상적인 요소를 사용하여 인물의 비범한 능력을 드러내고 있다.

④ 인물의 진술을 통해 과거 사건의 내력을 요약적으로 제시하고 있다.

⑤ 인물의 외양을 우스꽝스럽게 묘사하여 인물에 대한 동정심을 유발하고 있다.

14 [A]에 대한 설명으로 적절하지 <u>않은</u> 것은?

① 주변의 사물을 활용하여 백성들의 고통을 비유적으로 표현하고 있다.

② 시의 내용을 통해 앞으로 일어날 새로운 사건을 예고하며 극적 긴장감을 높이고 있다.

③ 본관 사또와 달리 시를 이해하지 못하는 운봉과 같은 관리들의 어리석음을 비판하고 있다.

④ 한시 원문을 풀이하는 과정에서 백성의 수를 변화시킴으로써 당시 백성들의 아픔을 강조하고 있다.

⑤ '술'과 '안주'로 대변되는 사치스러운 생활을 위해 백성의 '눈물'과 '원망'은 아랑곳하지 않는 관리들을 비판하고 있다.

15 ⓐ~ⓔ에 대한 설명으로 적절하지 <u>않은</u> 것은?

① ⓐ : 서술자가 직접 개입하여 등장 인물의 행위를 비판하고 있다.

② ⓑ : 등장 인물의 불쾌하고 못마땅한 심리를 비유적으로 표현하고 있다.

③ ⓒ : 과장된 표현을 통해 등장 인물의 정체가 공개된 상황의 극적 반전을 보여주고 있다.

④ ⓓ : 자연물의 속성을 이용하여 등장 인물의 굳은 의지를 드러내고 있다.

⑤ ⓔ : 갈등의 해소로 인한 등장 인물의 심리를 비유적 표현을 통해 드러내고 있다.

16 〈보기〉를 참고할 때 표현 방법이 ㉮와 가장 유사한 것은?

┌─ 보기 ┤

　　언어유희(言語遊戱)는 말소리나 글자를 이용하여 재미있게 꾸미는 표현을 말한다. 언어유희에는 동음이의어를 활용하는 방법, 비슷한 음운을 반복하는 방법, 말의 배치 순서를 바꾸는 방법, 발음의 유사성을 이용하는 방법 등이 있다.

① 술 먹고 수란 먹고, 갓 쓰고 갓모 쓰네.

② 그만 정신없다 보니 말이 빠져서 이가 헛나와 버렸네.

③ 거 신 것을 그리 많이 먹어, 그놈은 낳더라도 안 시건방질까 몰라.

④ 개잘량이라는 '양'자에 개다리소반이라는 '반'자 쓰는 양반이 나오신단 말이오.

⑤ 올라간 이 도령인지 삼 도령인지 그놈의 자식은 한 번 간 후 소식이 없으니.

17 ㉯와 〈보기〉를 비교할 때 드러나는 특징으로 가장 적절한 것은?

┌─ 보기 ┤

　　[중중머리 장단] 어디 가야 여기 있다 도사령아 큰 문 잡아라. 어사 장모님 행차헌다 요새도 삼문간이 이리 억세냐 우루루루 들어 갈 터이니 어제 저녁에 어사또 전에 괄세를 너무 허여 놓으니 예의 염치가 없어라고 동헌 마당에서 발명헌다 얼씨구나 우리 사위 풍신이 저렇거든 만고 충신이 안될까 여보시오 어사 사위 남원에 월매 월매 내 눈치 뉘 눈치라고 어산 줄을 내 모를가 천기누설을 안허려고 너무 괄시를 허였더니 속 모르고 노여웠지 얼씨구나 내 딸이야 위에서 부신 물이 발치까지 내린다고 내 속에서 너 낳았거든 만고 열녀가 안될까 빙설 옥결 열녀춘향 천인되기가 장관 나의 장관 겹쳐 장관 아주 장관 영장관 절로 늙은 고목 끝에 시절 연화가 피었네 얼씨구절씨구 지화자 좋네 (후략)

　　－ 작자미상, 「춘향가」 －

① 〈보기〉는 인물의 대사가 구체적으로 제시된 데 반해 ㉯는 서술자의 요약적 논평이 제시되었다.

② 〈보기〉는 이 글의 주제를 직접적으로 제시한데 반해 ㉯는 간접적으로 제시하고 있다.

③ 〈보기〉는 월매의 성격을 자세히 제시하는 반면에, ㉯는 춘향의 성적을 간접적으로 드러내고 있다.

④ 〈보기〉는 양반층이 향유하는 문화의 소산인데 반해 ㉯는 서민층이 향유하는 문화의 소산이다.

⑤ 〈보기〉는 인물의 '기쁨'이라는 정서에, ㉯는 인물의 '무덤덤함'이라는 정서에 초점을 맞추고 있다.

18 윗글에 대한 설명으로 적절한 것을 〈보기〉에서 <u>모두</u> 고른 것은?

┤ 보기 ├

ㄱ. 배경 묘사를 통해 인물의 심리를 암시하고 있다.

ㄴ. 대화와 행동 묘사를 통해 내용 전개가 이루어지고 있다.

ㄷ. 과장된 비유를 사용하여 상황의 급박함을 드러내고 있다.

ㄹ. 서술자가 직접 개입하여 장면을 설명하는 부분이 나타나 있다.

① ㄱ, ㄴ   ② ㄱ, ㄷ   ③ ㄴ, ㄷ   ④ ㄴ, ㄹ   ⑤ ㄷ, ㄹ

19 윗글을 바탕으로 영화를 제작한다고 가정할 때, 매체의 특성을 고려하여 주의할 사항을 잘 파악한 것만을 〈보기〉에서 있는 대로 고른 것은?

┤ 보기 ├

ㄱ. 암행어사 출도 장면에서는 빠른 장면 전환을 통해 상황의 긴박함을 전달할 수 있도록 한다.

ㄴ. 잔치 장면에서는 조용하고 장엄한 배경 음악을 통해 잔치 주인공의 위엄을 잘 나타내도록 한다.

ㄷ. 화려한 잔치 광경을 보는 어사또의 얼굴을 화면 가까이 클로즈업하여 근심 어린 표정이 잘 드러나도록 한다.

ㄹ. 춘향이 남원을 떠나는 장면에서는 춘향 역의 배우가 기쁨과 아쉬움이 동시에 드러나는 표정을 연기하도록 한다.

① ㄱ, ㄴ   ② ㄱ, ㄷ   ③ ㄴ, ㄹ   ④ ㄱ, ㄷ, ㄹ   ⑤ ㄴ, ㄷ, ㄹ

[01~08] 다음 글을 읽고 물음에 답하시오.

(가)

가시리 가시리잇고 나는
ᄇ리고 가시리잇고 나는
위 증즐가 大平聖代(대평셩ᄃ)

날러는 엇디 살라 ᄒ고
ᄇ리고 가시리잇고 나는
위 증즐가 大平聖代(대평셩ᄃ)

잡ᄉ와 두어리마ᄂᄂ
선ᄒ면 아니 올셰라.
위 증즐가 大平聖代(대평셩ᄃ)

셜온 님 보내ᄋ노니 나는
가시ᄂ 듯 도셔 오쇼셔 나는
위 증즐가 大平聖代(대평셩ᄃ)

– 작자미상, 「가시리」 –

(나) "관청색(官廳色) 불러 다담(茶啖)을 올리라. 육고자 불러 큰 소를 잡고, 예방(禮房) 불러 악공을 대령하고, 승발 불러 천막을 대령하라. 사령 불러 잡인을 금하라." 이렇듯 요란할 제 온갖 깃발이며 삼현육각 풍류 소리 공중에 떠 있고, 붉은 옷 붉은 치마 입은 기생들은 흰 손 비단 치마 높이 들어 춤을 추고, ⓐ지화자 둥덩실 하는 소리에 어사의 마음이 심란하구나.

"여봐라 사령들아. 너의 사또에게 여쭈어라. 먼 데 있는 걸인이 좋은 잔치에 왔으니 술과 안주나 좀 얻어먹자고 여쭈어라." 저 사령의 거동 보소. "우리 사또님이 걸인을 금하였으니, 어느 양반인지는 모르오만 그런 말은 내지도 마오." 등을 밀쳐 내니 ⓑ어찌 아니 명관(名官)인가. 운봉 영장이 그 거동을 보고 본관 사또에게 청하는 말이, "저 걸인의 의관은 남루하나 양반의 후예인 듯하니 말석에 앉히고 술잔이나 먹여 보냄이 어떠하뇨?" 〈중략〉 ⓒ운봉이 운을 낼 제 '높을 고(高)' 자, '기름 고(膏)' 자 두 자를 내어 놓고 차례로 운을 달아 시를 짓는다. 이때 어사또 하는 말이, "걸인이 어려서 한시(漢詩) 깨나 읽었더니 좋은 잔치 당하여서 술과 안주를 포식하고 그냥 가기 민망하니 차운 한 수 하사이다." 운봉 영장이 반겨 듣고 필연(筆硯)을 내어 주니, 좌중 사람들이 다 짓지도 않았는데 순식간에 글 두 귀를 지었으되, ⓓ백성들의 형편을 생각하고 본관 사또의 정체를 감안하여 지었것다.

> 금준미주(金樽美酒)는 천인혈(千人血)이요
> 옥반가효(玉盤佳肴)는 만성고(萬姓膏)라
> 촉루낙시(燭淚落時) 민루낙(民淚落)이요
> 가성고처(歌聲高處) 원성고(怨聲高)라

이렇듯이 지었으되 본관 사또는 몰라보는데 운봉 영장은 글을 보며 속으로,
'아뿔싸. 일이 났다.'

〈중략〉

좌수(座首), 별감(別監) 넋을 잃고 이방, 호방 혼을 잃고 나졸들이 분주하네. ⓔ모든 수령 도망갈 제 거동 보소. 인궤 잃고 강정 들고, 병부(兵符) 잃고 송편 들고, 탕건 잃고 용수 쓰고, 갓 잃고 소반 쓰고, 칼집 쥐고 오줌 누기. 부서지는 것은 거문고요 깨지는 것은 북과 장고라. 본관 사또가 똥을 싸고 멍석 구멍 새앙쥐 눈 뜨듯하고, 안으로 들어가서, "ⓕ어 추워

라, 문 들어온다 바람 닫아라, 물 마르다 목 들여라." 관청색은 상을 잃고 문짝을 이고 내달으니, 서리, 역졸 달려들어 후 닥딱. "애고 나 죽네."〈중략〉

"저 계집은 무엇인고?" 형리 여쭈오되, "기생 월매의 딸이온데 관청에서 포악한 죄로 옥중에 있삽내다." "무슨 죄인 고?" 형리 아뢰되, "본관 사또 수청 들라고 불렀더니 수절이 정절이라. 수청 아니 들려 하고 사또에게 악을 쓰며 달려든 춘향이로소이다." 어사또 분부하되, "ⓐ너 같은 년이 수절한다고 관장(官長)에게 포악하였으니 살기를 바랄쏘냐. 죽어 마 땅하되 내 수청도 거역할까?" 춘향이 기가 막혀, "ⓑ내려오는 관장마다 모두 명관(名官)이로구나. 어사또 들으시오. 충암 절벽 높은 바위가 바람 분들 무너지며, 청송녹죽 푸른 나무가 눈이 온들 변하리까. 그런 분부 마옵시고 어서 바삐 죽여 주 오." 하며, 〈중략〉

이때 어사또는 좌도와 우도의 읍들을 순찰하여 민정을 살핀 후에, 서울로 올라가 임금께 절을 하니 판서, 참판, 참의들 이 입시하시어 보고서를 살핀다. 임금께서 크게 칭찬하시며 즉시 이조 참의 대사성을 봉하시고 춘향으로 정렬부인을 봉하 신다. 은혜에 감사드리고 물러 나와 부모께 뵈오니 성은(聖恩)을 못 잊어 하시더라. 이때 이조 판서, 호조 판서, 좌의정, 우의정, 영의정 다 지내고 퇴임한 후에 정렬부인으로 더불어 백년동락(百年同樂)할새, 정렬부인에게 삼남삼녀(三男三女) 를 두었으니 모두가 총명하여 그 부친보다 낫더라. 일품 관직이 대대로 이어져 길이 전하더라.

- 작자미상, 「춘향전」 -

01 (가)에 대한 설명으로 적절한 것은?

① 3음보로 '가시리/ 가시리잇고/ 나는'으로 끊어 읽는다.
② 유교사회의 충절과 정절의 중요성을 주제로 하고 있다.
③ 원망의 감정에서 점차 체념, 소망으로 변하는 화자의 마음이 드러난다.
④ 화자는 죽은 임에 대한 슬픔을 간결하고 절제된 방식으로 표현하고 있다.
⑤ 시적상황에 대해 적극적으로 대응하는 고려시대 여성의 태도가 잘 드러난다.

02 (가)의 후렴구에 대한 설명으로 적절하지 않은 것은?

① 시의 안정감과 통일성을 부여한다.
② 리듬과 반복의 음악적 기능을 한다.
③ 매 연마다 화자의 슬픔을 점충적으로 확장하는 기능을 한다.
④ '太平盛代(대평성딕)'는 궁중악으로 편입되는 과정에서 발생한 것으로 추정된다.
⑤ '위 증즐가'는 감탄사와 악기 소리의 의성어로 악률을 맞추기 위해 삽입된 것이다.

03 (나)와 같은 고전소설의 전형적 특징으로 적절한 것은?

① 서술자가 전지적인 시점에서 사건을 진행한다.
② 판소리 사설을 소설화하여 창과 아니리로 구분된다.
③ 정렬부인이 된 춘향이가 자신의 과거를 이야기 하는 입체적 구성 방식을 취하고 있다.
④ 춘향이와 이몽룡처럼 우리 주변에서 많이 볼 수 있는 필부필녀(匹夫匹女)가 주인공이다.
⑤ 변사또의 생일날에 암행어사 출도로 춘향이를 구할 수 밖에 없는 필연적 상황을 구성한다.

04 (나)에서 편집자적 논평이 드러난 것끼리 묶은 것은?

① ⓐ, ⓑ, ⓒ   ② ⓐ, ⓑ, ⓓ   ③ ⓐ, ⓒ, ⓕ

④ ⓒ, ⓔ, ⓕ   ⑤ ⓔ, ⓖ, ⓗ

05 (나)의 한시 에 대한 설명으로 적절하지 않은 것은?

① 첫 번째와 두 번째 구가 대구를 이룬다.

② 가렴주구(苛斂誅求)의 정치현실에 대해 비판하고 있다.

③ 높을 고(高)자, 기름 고(膏)자라는 운자에 맞추어진 시어다.

④ 주(酒)는 피를, 효(肴)는 기름을 비유한다는 점에서 직유법이 사용되었다.

⑤ 사건의 극적 긴장감을 고조시키며 새로운 사건의 전개를 예고하고 있다.

06 〈보기〉에서 (나)의 ⓕ에 나타난 표현방식끼리 묶은 것은?

┤ 보기 ├

㉮ 이 도령인지 삼 도령인지 그 놈의 자식은 한번 간 후 다시 돌아오지 않으니

– 「춘향전」 –

㉯ 아, 이 양반이 허리 꺾어 절반인지, 개다리소반인지, 꾸레미전에 백반인지

– 「봉산탈춤」 –

㉰ 변씨 집의 자제와 손들이 허생을 보니 거지였다. 실띠의 술이 빠져 너덜너덜하고, 갓신의 뒷굽의 자빠졌으며, 쭈그러진 갓에 허름한 도포를 걸치고

– 「허생전」 –

㉱ 범은 북곽 선생을 여지없이 꾸짖었다. "내 앞에 가까이 오지 말아라. 내 들건대 유(儒 : 선비, 유학)는 유(諛 : 아첨하다)라 하더니 과연 그렇구나.

– 「호질」 –

㉲ 놀부 심사 볼 작시면 초상난데 춤추기, 불붙는데 부채질하기, 해산하는 데 개 닭잡기, 집에서 몹쓸 노릇하기, 우는 아해 볼기치기, 갓난 아해 똥먹이기

– 「흥부전」 –

① ㉮, ㉯, ㉰   ② ㉮, ㉯, ㉱   ③ ㉮, ㉰, ㉱

④ ㉯, ㉰, ㉲   ⑤ ㉰, ㉱, ㉲

07 (나)에서 웃음을 유발하는 까닭을 다음과 비교하여 감상한 것으로 적절하지 <u>않은</u> 것은?

> 말뚝이 : (가운데쯤 나와서) 쉬이. (음악과 춤 멈춘다.) 양반 나오신다아! 양반이라고 하니까 노론(老論), 소론(少論), 호조(戶曹), 병조(兵曹), 옥당(玉堂)을 다 지내고 삼 정승(三政丞), 육판서(六判書)를 다 지낸 퇴로 재상(退老宰相)으로 계신 양반인 줄 아지 마시오. 개잘량이라는 '양'자에 개다리소반이라는 '반'자 쓰는 양반이 나오신단 말이오.
>
> 양반들 : 야아, 이놈, 뭐야아!
>
> 말뚝이 : 아, 이 양반들, 어찌 듣는지 모르갔소. 노론, 소론, 호조, 병조, 옥당을 다 지내고 삼정승, 육판서 다 지내고 퇴로 재상으로 계신 이 생원네 삼 형제분이 나오신다고 그리 하였소.
>
> 양반들 : (합창) 이 생원이라네. (굿거리 장단으로 모두 춤을 춘다. 도령은 때때 형들의 면상을 치며 논다. 끝까지 그런 행동을 한다.)
>
> – 작자미상, 「봉산탈춤」 –

① (나)와 〈봉산 탈춤〉은 모두 부정적인 인물을 풍자하고 있어.

② (나)에서는 변 사또가 해학의 대상이 되고, 〈봉산 탈춤〉은 말뚝이가 풍자의 대상이지.

③ 대상을 과장하거나 왜곡하여 웃음을 준다는 점에서 (나)와 〈봉산 탈춤〉은 공통적인 한국문학의 특성을 지니고 있어.

④ 〈봉산 탈춤〉은 (나)와 달리 탈춤이라는 점도 중요해. 등장인물이 쓰고 나오는 우스꽝스러운 모습의 탈도 인물을 희화화하는 데 한몫하고 있거든.

⑤ 〈봉산 탈춤〉에서는 말뚝이라는 등장인물의 대사를 통해 양반들을 조롱하고 있고 (나)에서는 인물들의 행동을 통해 부정적인 측면을 희화화하고 있지.

08 (가), (나)를 다음과 비교해 볼 때 적절하지 <u>않은</u> 것은?

> | 片片黃鳥 | 포롱포롱 나는 저 (ㄱ)꾀꼬리 |
> |---|---|
> | 雌雄相依 | 암수 서로 의지하고 있네 |
> | 念我之獨 | 외로울사 (ㄴ)이 내 몸은 |
> | 誰其與歸 | (ㄷ)그 누구와 함께 돌아갈꼬 |
>
> – 유리왕, 「황조가」 –

① (ㄷ)은 (가)에서는 '님'으로 (나)의 춘향이 입장에서는 '어사또'로 볼 수 있다.

② 〈황조가〉와 (가)의 화자는 모두 이별이라는 시적상황에 대한 정서를 드러내고 있다.

③ 위 시 〈황조가〉의 (ㄱ)은 화자가 느끼는 정서를 부각하는 객관적 상관물로 볼 수 있다.

④ (나)의 춘향이가 이몽룡과 재회하는 장면에서 위 시와 (가)를 통해 그 정서를 표현할 수 있다.

⑤ (가)의 화자는 (ㄴ)과 대응되고 (나)의 춘향이와 어사또가 행복하게 사는 모습은 (ㄱ)으로 표현될 수 있다.

〈앞부분 줄거리〉

  숙종 즉위 초. 전라도 남원에 사는 퇴기 월매는 성 참판과의 사이에서 춘향을 낳아 정성껏 기른다. 남원 부사로 부임한 아버지를 따라 한양에서 온 이몽룡은 단옷날. 광한루에 나왔다가 그네를 타는 춘향을 보고 첫눈에 반한다. 그날로 둘은 사랑에 빠져 백년가약을 맺는다. 그러나 이몽룡의 아버지가 동부승지로 임명되어 가족이 모두 남원을 떠나게 되자. 이몽룡은 후일을 기약하며 춘향을 두고 한양으로 떠난다. 그 후. 남원 부사로 부임한 변학도가 춘향을 불러내어 수청을 강요한다. 하지만 춘향은 수청 요구를 거부하고 결국 옥에 갇혀 고초를 겪는다. 한편 한양으로 올라갔던 이몽룡은 전라도 어사가 되어 남원에 내려오는 길에 농부들에게서 남원의 변 사또가 가혹한 정치를 일삼고 있다는 사실과 춘향이 옥에 갇혔다는 소식을 듣는다. 그리고 걸인의 행색으로 월매와 춘향을 만나는데. 춘향은 내일 죽게 될 자신의 처지보다 이몽룡을 걱정하며 월매에게 이몽룡을 부탁한다.

  가까운 읍의 수령들이 모여든다. 운봉 영장, 구례, 곡성, 옥과 진안, 장수 원님이 차례로 모여든다. 왼쪽에 행수, 군관 오른쪽에 청령, 사령이 있고 본관사또는 주인이 되어 한가운데 있어 하인 불러 분부하되,

  "㉠관청색(官廳色) 불러 다담(茶啖)을 올리라. 육고자 불러 큰 소를 잡고, 예방(禮房) 불러 악공을 대령하고, 승발 불러 천막을 대령하라. 사령 불러 잡인을 금하라."

  이렇듯 요란할 제 온갖 깃발이며 삼현육각 풍류 소리 공중에 떠 있고, 붉은 옷 붉은 치마 입은 기생들은 흰 손 비단 치마 높이 들어 춤을 추고, 지화자 둥덩실 하는 소리에 어사의 마음이 심란하구나.

  "여봐라 사령들아. 너의 사또에게 여쭈어라. 먼 데 있는 걸인이 좋은 잔치에 왔으니 술과 안주나 좀 얻어먹자고 여쭈어라."

  저 사령의 거동 보소.

  "우리 사또님이 걸인을 금하였으니, 어느 양반인지는 모르오만 그런 말은 내지도 마오."

  ㉡등을 밀쳐 내니 어찌 아니 명관(名官)인가. 운봉 영장이 그 거동을 보고 본관 사또에게 청하는 말이,

  "저 걸인의 의관은 남루하나 양반의 후예인 듯하니 말석에 앉히고 술잔이나 먹여 보냄이 어떠하뇨?"

  본관 사또 하는 말이,

  "운봉의 소견대로 하오마는."

  '마는' 하는 끝말을 내뱉고는 입맛이 사납겠다. 어사또 속으로,

  '㉢오냐, 도적질은 내가 하마, 오라는 네가 받아라.'

  운봉 영장이 분부하여,

  "저 양반 듭시라고 하여라."

  어사또 들어가 단정히 앉아 좌우를 살펴보니, 당 위의 모든 수령 다담상을 앞에 놓고 진양조가 높아 가는데, 어사또의 상을 보니 어찌 아니 통분하랴. ㉣모서리 떨어진 개상판에 닥나무 젓가락, 콩나물, 깍두기, 막걸리 한 사발 놓았구나. 상을 발길로 탁 차 던지며 운봉 영장의 갈비를 가리키며,

  "갈비 한 대 먹고지고."

  "다리도 잡수시오."

  하고는 운봉이 하는 말이,

  "이러한 잔치에 풍류로만 놀아서는 맛이 적사오니 차운(次韻) 한 수씩 하여 보면 어떠하오?"

  "그 말이 옳다."

  하니 운봉이 운을 낼 제 '높을 고(高)' 자, '기름 고(膏)' 자 두 자를 내어 놓고 차례로 운을 달아 시를 짓는다. 이때 어사또 하는 말이,

  "걸인이 어려서 한시(漢詩)깨나 읽었더니 ㉤좋은 잔치 당하여서 술과 안주를 포식하고 그냥 가기 민망하니 차운 한 수 하사이다."

  운봉 영장이 반겨 듣고 필연(筆硯)을 내어 주니, 좌중 사람들이 다 짓지도 않았는데 순식간에 글 두 귀를 지었으되, 백성들의 형편을 생각하고 본관 사또의 정체를 감안하여 지었겠다.

금준미주(金樽美酒)는 천인혈(千人血)이요
옥반가효(玉盤佳肴)는 만성고(萬姓膏)라
촉루낙시(燭淚落時) 민루낙(民淚落)이요
가성고처(歌聲高處) 원성고(怨聲高)라

이 글 뜻은,

[A]
┌─ 금동이의 아름다운 술은 일만 백성의 피요
│ 옥소반의 아름다운 안주는 일만 백성의 기름이라.
│ 촛불 눈물 떨어질 때 백성 눈물 떨어지고
└─ 노랫소리 높은 곳에 원망소리 높았더라.

이렇듯이 지었으되 본관 사또는 몰라보는데 운봉 영장은 글을 보며 속으로,
'아뿔싸. 일이 났다.'

---

09 ㉠~㉤에 대한 설명으로 적절하지 <u>않은</u> 것은?

① ㉠ : 본관사또의 사치스러운 생일잔치의 준비 상황을 세부적으로 드러내고 있다.

② ㉡ : 본관사또와 상반되는 의미를 지닌 단어를 사용하여 인물에 대한 비판을 드러내고 있다.

③ ㉢ : 우선은 실컷 먹고, 본관사또의 잘잘못은 나중에 가리고 처벌하겠다는 의미를 내포하고 있다.

④ ㉣ : 겉으로만 요란해 보이는 잔치에 차려진 음식이 생각보다 부실함을 드러내서 본관사또의 실정을 부각하고 있다.

⑤ ㉤ : 본관사또의 생일잔치를 좋은 잔치로 보고, 형편없는 음식상을 받아놓고 포식했다며 반어적으로 표현하고 있다.

10 [A]와 작품의 주제 의식이 가장 <u>먼</u> 작품은?

① 슬프다 외딴 살이 어찌 좋으리 / 험하고 험한 산골짝에서 / 평지에 살면 더없이 좋으련만 / 가고 싶어도 벼슬아치 두렵다네.

– 김창협, 「산민(山民)」 –

② 참새야 어디서 오가며 나느냐 / 일 년 농사는 아랑곳하지 않고, / 늙은 홀아비 홀로 갈고 맸는데 / 밭의 벼며 기장을 다 없애다니.

– 이제현, 「사리화(沙里花)」 –

③ 새로 짜낸 무명이 눈결같이 고왔는데 / 이방 줄 돈이라고 황두가 뺏아가네 / 누전 세금 독촉이 성화같이 급하구나 / 삼월 중순 세곡선(稅穀船)이 서울로 떠난다고

– 정약용, 「탐진촌요(耽津村謠)」 –

④ 몸을 사리는 것이 대장부이랴. / 훌륭한 제 주인을 얻지 못하니 / 명마는 속절없이 귀 수그리네. / 뉘라서 알리오 초야에 묻힌 사람 / 웅심이 하루에도 천 리를 달리는 줄.

– 임제, 「잠령민정(蠶嶺閔亭)」 –

⑤ 밭고랑에서 이삭 줍는 시골 아이의 말이 / 하루 종일 동서로 다녀도 바구니가 안 찬다네 / 올해에는 벼 베는 사람들도 교묘해져서 / 이삭 하나 남기지 않고 관가 창고에 바쳤다네.

– 이달, 「습수요(拾穗謠)」 –

11 한국 문학의 특성을 탐구하는 과정에서 〈보기〉와 같은 자료를 수집하였다. 〈보기〉와 윗글을 관련지어 설명한 것으로 적절하지 <u>않은</u> 것은?

┤ 보기 ├

　조선후기 서민 의식의 발달로 고조된 백성들의 비판 의식은 여러 문학 작품을 통해서 형상화되었다. 그 형상화의 수법의 하나는 부정적 대상의 실체를 폭로함으로써 웃음을 유발하는 풍자(諷刺)이며, 이는 서민들이 향유하는 예술 장르에서 빈번히 나타난다. 아래의 사설시조는 두꺼비, 파리, 송골매의 대응 관계를 통해 자기보다 힘이 센 존재에게는 꼼짝 못하고 힘없는 백성들을 괴롭히는 당시 위정자들의 부정적인 면을 우스꽝스러운 모습으로 꼬집고 있으며 이를 향유하는 서민들에게는 통쾌한 기분을 제공한다.

　두꺼비가 파리를 물로 두엄 위에 뛰어 올라가 앉아
　건너편 산을 바라보니 흰 송골매가 떠 있기에 가슴이 섬뜩하여 펄쩍 뛰어 내닫다가 두엄 아래 자빠졌구나.
　마침 날랜 나였기에 망정이지 다쳐서 멍들 뻔했구나.

① 소설 작품뿐만 아니라 시가 작품에서도 '웃음'이라는 요소가 나타난다고 할 수 있겠군.
② 희화화의 대상이 되어 웃음을 유발하고 있는 두꺼비는 변사또에 대응된다고 할 수 있겠군.
③ 부정적 대상의 실체를 폭로한다는 점에서 두 작품 모두 서민들에게는 통쾌함을 준다고 할 수 있군.
④ 보잘 것 없는 존재가 끝까지 자신의 권위와 자존심을 내세운다는 점에서도 두꺼비와 변 사또는 닮았군.
⑤ 두꺼비나 변 사또가 유발하는 웃음은 부정적 대상의 실체를 폭로한다는 점에서 모두 풍자에 의한 웃음이라고 할 수 있군.

12 윗글과 〈보기〉에 대한 설명으로 가장 적절한 것은?

┤ 보기 ├

　일찍이 윤 직원 영감은 그의 소싯적 윤 두꺼비 시절에, 자기 부친 말대가리 윤용규가 화적의 손에 무참히 맞아죽은 시체 옆에 서서, 노적이 불타느라고 화광이 충천한 하늘을 우러러,
　"이놈의 세상, 언제나 망하려느냐? 우리만 빼놓고 어서 망해라!"
　하고 부르짖은 적이 있겠다요. 이미 반세기 전, 그리고 그것은 당시의 나한테 불리한 세상에 대한 격분된 저주요, 겸하여 웅장한 투쟁의 선언이었습니다.

[작품 보충] 1930년대 서울 평민 출신의 대지주인 윤 직원 영감은 인색하고 자기만 아는 부자이다. 윤 직원은 일제가 화적을 막아 준 것을 고맙게 생각하며 일제와 결탁한다.

　　　　　　　　　　　　　　　　　　　　　　　　　　　　　　　　　- 채만식, 「태평천하」 -

① 윗글은 〈보기〉와 달리 인물에 대한 부정적 인식을 가지고 있다.
② 윗글은 〈보기〉와 달리 해학적 요소에 비해 풍자적 요소가 두드러진다.
③ 〈보기〉는 윗글과 달리 인물의 과장된 행위를 통해 인물의 본질을 드러낸다.
④ 윗글과 〈보기〉 모두 반어적 표현을 통해 인물에 대한 서술자의 부정적 인식을 드러낸다.
⑤ 〈보기〉는 윗글과 달리 서술자가 경어체를 사용함으로써 인물에 대한 존중을 표현하고 있다.

[13~15] 다음 글을 읽고 물음에 답하시오.

이때 어사또가 하직하고 간 연후에 각 아전들을 분부하되,

"야야. 일이 났다."

[A]공방 불러 돗자리 단속, 병방 불러 역마(驛馬) 단속, 관청색 불러 다담상 단속, 옥형방 불러 죄인 단속, 집사 불러 형구(刑具) 단속, 형방 불러 장부 단속, 사령 불러 숙직 단속. 한참 이리 요란할 제 사정 모르는 저 본관 사또가,

"여보 운봉은 어디를 다니시오?"

"소피 보고 들어오오."

본관 사또가 술주정이 나서 분부하되,

"춘향을 급히 올리라."

이때에 어사또 부하들과 내통한다. 서리를 보고 눈길을 보내니 서리, 중방 거동 보소. 역을 불러 단속할 제 이리 가며 수군, 저리 가며 수군수군. 서리, 역졸 거동 보소. 외올망건 공단 모자 새 패랭이 눌러쓰고, 석 자 감발 새 짚신에 한삼(汗衫) 고의 산뜻하게 차려입고, 육모 방망이 사슴 가죽끈을 손목에 걸어 쥐고, 여기서 번쩍 저기서 번쩍, 남원읍이 우글우글. 청파 역졸 거동 보소. 달 같은 마패를 햇빛같이 번쩍 들어,

"암행어사 출도야."

외치는 소리에 강산이 무너지고 천지가 뒤집히는 듯 초목금수(草木禽獸)인들 아니 떨랴. 남문에서,

"출도야." / 북문에서, / "출도야."

동서문 출도 소리 청천(靑天)에 진동하고,

"모든 아전들 들라."

외치는 소리에 육방(六房)이 넋을 잃어,

"공형이오." / 등채로 휘닥딱. / "애고 죽겠다."

"공방, 공방."

공방이 자리 들고 들어오며,

"안 하겠다던 공방을 하라더니 저 불속에 어찌 들랴."

등채로 휘닥딱.

"애고 박 터졌네."

좌수(座首), 별감(別監) 넋을 잃고 이방, 호방 혼을 잃고 나졸들이 분주하네. 모든 수령 도망갈 제 거동 보소. [B]인궤 잃고 강정 들고, 병부(兵符) 잃고 송편 들고, 탕건 잃고 용수 쓰고, 갓 잃고 소반 쓰고. 칼집 쥐고 오줌 누기. 부서지는 것은 거문고요 깨지는 것은 북과 장고라. 본관사또가 똥을 싸고 멍석 구멍 새앙 쥐 눈 뜨듯 하고, 안으로 들어가서,

"어 추워라. 문 들어온다 바람 닫아라. 물 마르다 목 들여라."

관청색은 상을 잃고 문짝을 이고 내달으니, 서리, 역졸 달려들어 후닥딱.

"애고 나 죽네."

이때 어사또 분부하되,

"이 골은 대감이 좌정하시던 골이라. 잡소리를 금하고 객사(客舍)로 옮겨라."

자리에 앉은 후에,

"본관 사또는 봉고파직하라." / 분부하니,

"본관 사또는 봉고파직이오."

사대문(四大門)에 방을 붙이고 옥형리 불러 분부하되,

"네 골 옥에 갇힌 죄수를 다 올리라."

호령하니 죄인을 올린다. 다 각각 죄를 물은 후에 죄가 없는 자는 풀어 줄새,

13 윗글에 대한 설명으로 가장 적절한 것은?

① 신분 격차에 따른 계층 간의 갈등을 묘사하고 있다.
② 인물의 탐욕스러운 면모를 구체적 행동으로 드러내고 있다.
③ 부패한 집권층을 대표하는 인물들을 희화화하여 제시하고 있다.
④ 권위 있는 인물의 중재를 통해서 인물 간의 갈등이 해소되고 있다.
⑤ 부정적인 현실 상황을 극복하는 인물의 노력을 간접적으로 나타내고 있다.

14 [A]와 [B]에 대한 설명으로 적절하지 않은 것은?

① [A]와 [B]에는 모두 여러 가지를 나열하는 표현 방법이 사용되었다.
② [A]와 달리 [B]에는 인물들의 행동을 우스꽝스럽게 과장하고 있다.
③ [A]와 달리 [B]에서는 호흡이 짧은 어구와 문장을 사용하여 상황의 긴박함을 높이고 있다.
④ [A]는 상황을 예측하여 대응한 행동이고, [B]는 상황을 예측하지 못하여 나타난 결과이다.
⑤ [A]에는 지방 관리들이 하는 행정 실무가 나와 있고, [B]에는 당황한 아전들의 실수가 나와 있다.

15 〈보기〉를 참고로 할 때 서술자가 윗글의 본관사또에 대해 보이는 태도와 가장 거리가 먼 것은?

┤ 보기 ├

　한국 문학의 특성 가운데 하나인 풍자와 해학은 공통적으로 대상을 과장하거나 왜곡하여 웃음을 유발한다. 그런데 풍자가 대상에 대한 부정적 인식을 바탕으로 하여 대상을 공격하는 방식이라면, 해학은 연민과 애정을 바탕으로 하여 대상을 감싸 안으면서 동정심을 유발하는 방식이다.

① 여러 자식들이 보채나 무엇으로 먹여 살리잔 말고, 집안에 먹을 것이라곤 싸라기 한 줌도 없어 다 깨진 개상반은 네 발을 춤 추어 하늘만 축수하고 이 빠진 사발, 대접들은 시렁에 사흘나흘 엎드려 있고 흥부네 생쥐 쌀알갱이를 얻으려고 사흘 밤낮을 분주하다가 다리에 가래톳이 나서 앓는 소리가 동리를 떠도는구나.
　　　　　　　　　　　　　　　　　　　　　　　　　　　　　　　　－「흥부전」 중에서 －

② 마을 사람들이 심 맹인의 살림을 챙겨주어 집안 형편이 해마다 늘어가니, 이 마을에 서방질을 잘 하여 다니는 뺑덕어미가 심봉사의 전곡이 많은 줄 알고 자원하여 첩이 되어 살더니, 양식 주고 떡 사먹기 베를 주어 술 사먹기, 정자 밑에 낮잠자기, 사람더러 욕설하기, 온갖 악중을 다 겸하여 그러하되 심 봉사의 가산이 줄어만 가더라.
　　　　　　　　　　　　　　　　　　　　　　　　　　　　　　　　－「심청전」 중에서 －

③ 양반 나오신다, 양반이라고 하니까 노론(老論), 소론(少論), 호조(戶曹), 병조(兵曹), 옥당(玉堂)을 다 지내고 삼정승(三政丞), 육판서(六判書)를 다 지낸 퇴로(退老) 재상(宰相)으로 계신 양반인 줄 알지 마시오. 개잘량이라는 '양'자에 개다리소반이라는 '반'자 쓰는 양반이 나오신단 말이오.
　　　　　　　　　　　　　　　　　　　　　　　　　　　　　　　　－「봉산탈춤」 중에서 －

④ 까치 온갖 새들을 다 칭하였으되 분주하여 남산골 중에 사는 비둘기를 미처 칭치 못하였더니 비둘기 본심이 불측(不測)하여, 지식은 간사한 일에만 사용하며, 말로는 이간질을 잘 하며, 혼인 중에 훼방 놓기, 시장에서 억지를 부려 물건 사오기, 불 붙이는 데 키질하기를 일삼으니 이러므로 도처에 행악(行惡)하매 새들 중에 그놈한테 아니 맞은 이 없더라.
　　　　　　　　　　　　　　　　　　　　　　　　　　　　　　　　－「까치전」 중에서 －

⑤ 이때에 춘풍이 아내 덕에 의복 관망(冠網) 치레하고 고량진미(膏粱珍味) 함포고복(含哺鼓腹)하여 제집 술로 매일 취해 다니는구나. 가래침 고두 받고 곤자손 기름지니 마음이 교만하여 이전 행실 절로 난다. 떨떠리고 내달아서 호조(戶曹) 돈 이천냥을 대돈으로 얻어 내어 박물군자(博物君子)인 체하고 평양으로 장사를 가려 하니 이 말 듣고 놀라 아내가 뛰어온다.
　　　　　　　　　　　　　　　　　　　　　　　　　　　　　　　　－「이춘풍전」 중에서 －

[16~19] 다음 글을 읽고 물음에 답하시오.

(가) 가까운 읍의 수령들이 모여든다. 운봉 영장, 구례, 곡성, 옥과 진안, 장수 원님이 차례로 모여든다. 왼쪽에 행수, 군관 오른쪽에 청령, 사령이 있고 본관 사또는 주인이 되어 한가운데 있어 하인 불러 분부하되,

"관청색(官廳色) 불러 다담(茶啖)를 올리라. 육고자 불러 큰 소를 잡고, 예방(禮房) 불러 악공을 대령하고, 승발 불러 천막을 대령하라. 사령 불러 잡인을 금하라."

이렇듯 요란할 제 온갖 깃발이며 삼현육각 풍류 소리 공중에 떠 있고, 붉은 옷 붉은 치마 입은 기생들은 흰 손 비단 치마 높이 들어 춤을 추고, 지화자 둥덩실 하는 소리에 ㉠어사의 마음이 심란하구나.

"여봐라 사령들아. 너의 사또에게 여쭈어라. 먼 데 있는 걸인이 좋은 잔치에 왔으니 술과 안주나 좀 얻어먹자고 여쭈어라."

저 사령의 거동 보소.

"우리 사또님이 걸인을 금하였으니, 어느 양반인지는 모르오만 그런 말은 내지도 마오."

등을 밀쳐 내니 어찌 아니 명관(名官)인가. 운봉 영장이 그 거동을 보고 본관 사또에게 청하는 말이,

"저 걸인의 의관은 남루하나 양반의 후예인 듯하니 말석에 앉히고 술잔이나 먹여 보냄이 어떠하뇨?"

본관 사또 하는 말이,

"운봉의 소견대로 하오마는."

'마는' 하는 끝말을 내뱉고는 입맛이 사납겠다. 어사또 속으로,

'오냐. 도적질은 내가 하마. 오라는 네가 받아라.'

운봉 영장이 분부하여,

"저 양반 듭시라고 하여라."

어사또 들어가 단정히 앉아 좌우를 살펴보니, 당 위의 모든 수령 다담상을 앞에 놓고 진양조가 높아 가는데, 어사또의 상을 보니 어찌 아니 통분하랴. 모서리 떨어진 개상판에 닥나무 젓가락, 콩나물, 깍두기, 막걸리 한 사발 놓았구나. 상을 발길로 탁 차 던지며 ㉡운봉 영장의 갈비를 가리키며,

"갈비 한 대 먹고지고."

"다리도 잡수시오."

하고는 운봉이 하는 말이,

"이러한 잔치에 풍류로만 놀아서는 맛이 적사오니 차운(次韻) 한 수씩 하여 보면 어떠하오?"

"그 말이 옳다." 〈중략〉

운봉 영장이 반겨 듣고 필연(筆硯)을 내어 주니, 좌중 사람들이 다 짓지도 않았는데 순식간에 글 두 귀를 지었으되, 백성들의 형편을 생각하고 본관 사또의 정체를 감안하여 지었것다.

[A]
금준미주(金樽美酒)는 천인혈(千人血)이요
옥반가효(玉盤佳肴)는 만성고(萬姓膏)라
촉루낙시(燭淚落時) 민루낙(民淚落)이요
가성고처(歌聲高處) 원성고(怨聲高)라

이 글 뜻은,
금동이의 아름다운 술은 일만 백성의 피요
옥소반의 아름다운 안주는 일만 백성의 기름이라.
촛불 눈물 떨어질 때 백성 눈물 떨어지고
노랫소리 높은 곳에 원망소리 높았더라.

이렇듯이 지었으되 본관 사또는 몰라보는데 운봉 영장은 글을 보며 속으로,

'아뿔싸. 일이 났다.' 〈중략〉

이때에 어사또 부하들과 내통한다. 서리를 보고 눈길을 보내니 서리, 중방 거동 보소. 역졸을 불러 단속할 제 이리 가며 수군, 저리 가며 수군수군. 서리, 역졸 거동 보소. 외올망건 공단 모자 새 패랭이 눌러쓰고, 석 자 감발 새 짚신에 한삼(汗衫) 고의 산뜻하게 차려입고, 육모 방망이 사슴 가죽끈을 손목에 걸어 쥐고, 여기서 번쩍 저기서 번쩍, 남원읍이 우글우글. 청파 역졸 거동 보소. 달 같은 마패를 햇빛같이 번쩍 들어,

[B]

"암행어사 출도야."

외치는 소리에 강산이 무너지고 천지가 뒤집히는 듯 초목금수(草木禽獸)인들 아니 떨랴. 남문에서,

"출도야." / 북문에서, / "출도야."

동서문 출도 소리 청천(靑天)에 진동하고,

"모든 아전들 들라."

외치는 소리에 육방(六房)이 넋을 잃어,

"공형이오." / 등채로 휘닥딱.

"애고 죽겠다." / "공방, 공방."

공방이 자리 들고 들어오며,

"안 하겠다던 공방을 하라더니 저 불속에 어찌 들랴."

등채로 휘닥딱. / "애고 박 터졌네."

좌수(座首), 별감(別監) 넋을 잃고 이방, 호방 혼을 잃고 나졸들이 분주하네. 모든 수령 도망갈 제 거동 보소. 인궤 잃고 강정 들고, 병부(兵符) 잃고 송편 들고, 탕건 잃고 용수 쓰고, 갓 잃고 소반 쓰고, 칼집 쥐고 오줌 누기. 부서지는 것은 거문고요 깨지는 것은 북과 장고라.

본관 사또가 똥을 싸고 멍석 구멍 생쥐 눈 뜨듯 하고, 안으로 들어가서,

"어 추워라. 문 들어온다 바람 닫아라. 물 마르다 목 들여라."

관청색은 상을 잃고 문짝을 이고 내달으니, 서리, 역졸 달려들어 후닥딱.

"애고 나 죽네."

이때 어사또 분부하되,

"이 골은 대감이 좌정하시던 골이라. 잡소리를 금하고 객사(客舍)로 옮겨라."

자리에 앉은 후에,

"본관 사또는 봉고파직하라."

분부하니,

"본관 사또는 봉고파직이오." 〈중략〉

어사또 분부하되,

"너 같은 년이 수절한다고 관장(官長)에게 포악하였으니 살기를 바랄쏘냐. 죽어 마땅하되 내 수청도 거역할까?"

춘향이 기가 믹혀,

"ⓒ내려오는 관장마다 모두 명관(名官)이로구나. 어사또 들으시오. 층암절벽 높은 바위가 바람 분들 무너지며, 청송녹죽 푸른 나무가 눈이 온들 변하리까. 그런 분부 마옵시고 어서 바삐 죽여 주오." 하며

"향단아, 서방님 어디 계신가 보아라. 어젯밤에 옥 문간에 와 계실 제 천만당부하였더니 어디를 가셨는지 나 죽는 줄 모르는가."

— 작자미상, 「춘향전」 —

(나)

　┌─이별이라네 이별이라네 이 도령 춘향이가 이별이로다
　│　춘향이가 도련님 앞에 바짝 달려들어 눈물짓고 하는 말이
　│　도련님 들으시오 나를 두고 못 가리다
　│　나를 두고 가겠으면 홍로화(紅爐火) 모진 불에
　│　다 사르겠으면 사르고 가시오
　│　날 살려두고는 못 가시리라
　│　잡을 데 없으시면 삼단같이 좋은 머리를
　│　휘휘칭칭 감아쥐고라도 날 데리고 가시오
[C]│　살려 두고는 못 가시리다
　│　날 두고 가겠으면 용천검(龍泉劍) 드는 칼로다
　│　요 내 목을 베겠으면 베고 가시오
　│　날 살려두고는 못 가시리라
　│　두어 두고는 못 가시리다
　│　날 두고 가겠으면 영천수(潁川水) 맑은 물에다
　│　던지겠으면 던지고나 가시오
　└─날 살려두고는 못 가시리다
　이리 한참 힐난하다 할 수 없이 도련님이 떠나실 때
　방자 놈 분부하여 나귀 안장 고이 지으니
　도련님이 나귀 등에 올라앉으실 때
　춘향이 기가 막혀 미칠 듯이 날뛰다가
　우르르 달려들어 나귀 꼬리를 부여잡으니
　나귀 네 발로 동동 굴러 춘향 가슴을 찰 때
　안 나던 생각이 절로 나
　그때에 이별 별(別) 자 내인 사람 나와 한백 년 대원수로다
　깨치리로다 깨치리로다 박랑사 중 쓰고 남은 철퇴로
　천하장사 항우 주어 이별 두 자를 깨치리로다
　할 수 없이 도련님이 떠나실 때
　향단이 준비했던 주안을 갖추어 놓고
　풋고추 겨리김치 문어 전복을 곁들여 놓고
　잡수시오 잡수시오 이별 낭군이 잡수시오
　언제는 살자 하고 화촉동방(華燭洞房)* 긴긴 밤에
　청실홍실로 인연을 맺고 백 년 살자 언약할 때
　물을 두고 맹세하고 산을 두고 증삼(曾參)* 되자더니
　②산수 증삼은 간 곳이 없고
　이제 와서 이별이란 웬 말이오
　잘 가시오
　잘 있거라
　산첩첩(山疊疊) 수중중(水重重)한데 부디 편안히 잘 가시오
　⑩나도 명년 양춘가절*이 돌아오면 또다시 상봉할까나

　　　　　　　　　　　　　　　　　　　　　　　－ 작자 미상, 「춘향 이별가」 －

*화촉동방(華燭洞房) : 첫날밤에 신랑 신부가 자는 방.
*증삼 : 공자의 제자. 고지식하여 약속을 반드시 지킴.
*양춘가절 : 따뜻하고 좋은 봄철.

16 〈보기1〉, 〈보기2〉와 관련지어 (가)를 감상한 내용으로 적절하지 않은 것은?

> **보기 1**
>
> 도미에게는 아름답고 절개가 굳은 아내가 있었다. 왕이 이 말을 듣고 그 정절을 시험하려고 도미의 아내에게 찾아가 궁인으로 맞아들이겠다고 했다. 도미의 아내는 겉으로 순종하는 체하고 여종을 대신 보냈다. 그 뒤 왕은 속은 것을 알고 노하여 도미의 두 눈을 멀게 한 뒤 작은 배에 실어 강물에 띄워 보내고, 도미의 아내를 궁으로 잡아들였다. 남편의 상황을 알게 된 도미의 아내는 이번에도 역시 순종하는 척하다가 궁에서 도망쳤다. 그리고 남편을 찾아 조각배를 타고 멀리 떠나 천성도에 이르러 도미를 만났다.

> **보기 2**
>
> **판소리 「수궁가」 줄거리**
>
> 용왕이 병이 들었는데 토끼의 간을 먹으면 살 수 있다고 하여 신하 중에 자라를 보내 토끼를 데려오게 한다. 자라가 산으로 가 토끼를 만나서는 수궁에 가면 대단한 벼슬을 할 수 있을 거라며 꾄다. 토끼는 자라의 꾐에 넘어가 자라의 등에 업혀 수궁으로 간다. 수궁에 도착하자 용왕의 신하들이 토끼를 잡아 간을 꺼내려 한다. 토끼는 간을 육지에 두고 왔다며 자라가 처음부터 자신의 간이 필요하다고 말했더라면 가지고 왔을 텐데, 그 이야기를 하지 않아 두고 왔다고 대답한다.
>
> 용왕이 토끼의 말을 믿고 간을 가져오라며 자라와 함께 육지로 돌려보낸다. 자라 등에 업혀 육지에 돌아온 토끼는 자라에게 간을 넣었다 뺐다 하는 게 어디 있냐며 자신을 속인 자라에게 욕을 하고 산속으로 도망간다.

① 권력자인 '본관 사또'가 여성 주인공인 '춘향'의 정절을 짓밟으려 한다는 점에서 (가)는 〈보기1〉의 모티프를 일부 빌려 왔다고 볼 수 있군.

② 힘 있는 강자가 힘없는 약자를 괴롭힌다는 점에서 (가)와 〈보기2〉는 닮아있다고 할 수 있군.

③ 여성의 굳은 정절이라는 유교적 사상을 강조하려 한다면, (가)와 함께 언급할 수 있는 것은 〈보기1〉이겠군.

④ (가)는 춘향이 부부의 인연을 맺은 남편에게 신의를 지키려는 점에서 〈보기1〉과 관련이 있고, 춘향이 꾀를 부려 위기 상황을 벗어난다는 점에서 〈보기2〉와 관련이 있군.

⑤ (가)와 〈보기1〉의 결말 구조가 유사하다고 한다면, (가)의 '춘향' 역시 자신의 정절을 지켜내며 '이몽룡'과 재회하게 될 것이라 예상할 수 있겠군.

17 [A]의 시를 통해 드러내고자 하는 바와 가장 가까운 것은?

① 눈 맞아 휘어진 대를 뉘라서 굽다턴고 / 굽을 절(節)이면 눈 속에 프를소냐 / 아마도 세한고절(歲寒孤節)은 너뿐인가 하노라.

— 원천석 —

② 동기로 세 몸 되어 한 몸같이 지내다가 / 두 아우는 어디 가서 돌아올 줄 모르는고 / 날마다 석양 문외에 한숨 겨워 하노라.

— 박인로 —

③ 뉘라서 가마귀를 검고 흉(凶)타 하돗던고 / 반포보은(反哺報恩)이 긔 아니 아름다운가 / 사람이 저 새만 못함을 못내 슬허하노라

— 박효관 —

④ 매미가 맵다 울고 쓰르라미 쓰다 우니, / 산채(山寨)를 맵다는가 박주(薄酒)를 쓰다는가. / 우리는 초야에 묻혔으니 맵고 쓴 줄 몰라라.

— 이정신 —

⑤ 참새야 어디서 오가며 나느냐 / 일 년 농사는 아랑곳하지 않고, / 늙은 홀아비 홀로 밭 갈고 김매는데, / 밭의 벼며 기장을 다 없애다니.

— 이제현 —

18 ⑦~⑩에 대한 설명으로 가장 적절한 것은?

① ⑦ : 유사한 어구의 반복과 대구를 통해 인물의 심경을 나타내는 표현이다.

② ⓒ : 언어 도치에 의한 언어유희를 통해 화자의 요구사항을 드러낸다.

③ ⓒ : 반어적 표현을 통해 상대방에 대한 부정적 태도를 드러낸다.

④ ⓔ : 사랑하는 임의 곁에 머물고 싶은 마음을 자연물에 의탁한 표현이다.

⑤ ⓜ : 미래에 대한 전망을 바탕으로 대상과의 재회를 확신하는 표현이다.

19 〈보기〉를 바탕으로 [B], [C]를 감상한 내용으로 적절하지 <u>않은</u> 것은?

┤ 보기 ├

　조선 후기에 책을 대여하고 값을 받는 세책업자는 「춘향전」을 (가)와 같은 세책본 소설로, 유흥적 노래를 지은 잡가의 담당층은 「춘향전」의 대목을 (나)와 같은 잡가로 제작했다. 세책업자는 과장되고 재치 있는 표현을 활용하여 흥미를 높이거나 특정 부분의 분량을 늘려 이윤을 얻으려했다. 잡가의 담당층은 노래의 내용을 단시간에 전달하기 위해 상황을 집약해 설명하고 인물의 감정을 드러내는 가사를 반복해 청중의 공감을 끌어 냈다. 연속되지 않은 장면들을 엮어 노래를 구성할 때에는 작품 속 화자의 역할이 바뀌기도 하였다.

① [B]에서 과장된 표현을 쓴 것은 작품의 흥미를 높이려는 취지와 관련되겠군.

② [B]에서 당황한 수령들이 도망치는 모습을 열거의 방식으로 표현한 것은 분량을 늘리려는 의도와 관련이 있겠군.

③ [C]에서 첫 행에 작품의 상황을 제시한 것은 청중을 작품의 내용에 빠르게 끌어들이려는 전략과 관련되겠군.

④ [C]에서 '못 가시리다'는 구절을 반복하여 인물의 감정을 강조한 것은 청중의 공감을 유발하려는 목적과 관련되겠군.

⑤ [C]에서 화자가 해설자에서 인물로 바꾸는 것은 연속되지 않은 장면들이 엮여 노래가 구성되었음을 알 수 있게 해 주는 단서로군.

[20~23] 다음 글을 읽고 물음에 답하시오.

(가)

〈앞부분의 줄거리〉 숙종 즉위 초. 전라도 남원에 사는 퇴기 월매는 성 참판과의 사이에서 춘향을 낳아 정성껏 기른다. 남원 부사로 부임한 아버지를 따라 한양에서 온 이몽룡은 단옷날, 광한루에 나왔다가 그네를 타는 춘향을 보고 첫눈에 반한다. 그날로 둘은 사랑에 빠져 백년가약을 맺는다. 그러나 이몽룡의 아버지가 동부승지로 임명되어 가족이 모두 남원을 떠나게 되자, 이몽룡은 후일을 기약하며 춘향을 두고 한양으로 떠난다. 그 후, 남원 부사로 부임한 ㉠변학도가 춘향을 불러내어 수청을 강요한다. 하지만 춘향은 수청 요구를 거부하고 결국 옥에 갇혀 고초를 겪는다. 한편 한양으로 올라갔던 이몽룡은 전라 어사가 되어 남원에 내려오는 길에 농부들에게서 남원의 변 사또가 가혹한 정치를 일삼고 있다는 사실과 춘향이 옥에 갇혔다는 소식을 듣는다. 그리고 걸인의 행색으로 월매와 춘향을 만나는데, 춘향은 내일 죽게 될 자신의 처지보다 이몽룡을 걱정하며 월매에게 이몽룡을 부탁한다.

가까운 읍의 수령들이 모여든다. 운봉의 영장, 구례, 곡성, 순창, 옥과, 진안, 장수 원님이 차례로 모여든다. 왼편에 행수, 군관 오른쪽에 청령, 사령이 있고 ㉡본관 사또는 주인이 되어 한가운데 있어 하인 불러 분부하되,

"관청색(官廳色) 불러 다담(茶啖)를 올리라. 육고자 불러 큰 소를 잡고, 예방(禮房) 불러 악공을 대령하고, 승발 불러 천막을 대령하라. 사령 불러 잡인을 금하라."

이렇듯 요란할 제 온갖 깃발이며 삼현육각 풍류 소리 공중에 떠 있고, 붉은 옷 붉은 치마 입은 기생들은 흰 손 비단 치마 높이 들어 춤을 추고, 지화자 둥덩실 하는 소리에 어사의 마음이 심란하구나.

"여봐라 사령들아. 너의 사또에게 여쭈어라. ㉢먼 데 있는 걸인이 좋은 잔치에 왔으니 술과 안주나 좀 얻어먹자고 여쭈어라."

저 사령의 거동 보소.

"우리 사또님이 걸인을 금하였으니, 어느 양반인지는 모르오만 그런 말은 내지도 마오."

등을 밀쳐 내니 어찌 아니 명관(名官)인가. 운봉 영장이 그 거동을 보고 본관 사또에게 청하는 말이,

"저 걸인의 의관은 남루하나 양반의 후예인 듯하니 말석에 앉히고 술잔이나 먹여 보냄이 어떠하뇨?"

본관 사또 하는 말이,

"㉣운봉의 소견대로 하오마는."

'마는' 하는 끝말을 내뱉고는 입맛이 사납겠다. 어사또 속으로,

'오냐. 도적질은 내가 하마. 오라는 네가 받아라.'

운봉 영장이 분부하여,

"저 양반 듭시라고 하여라."

어사또 들어가 단정히 앉아 좌우를 살펴보니, 당 위의 모든 수령 다담상을 앞에 놓고 진양조가 높아 가는데, 어사또의 상을 보니 어찌 아니 통분하랴. 모서리 떨어진 개상판에 닥나무 젓가락, 콩나물, 깍두기, 막걸리 한 사발 놓았구나. 상을 발길로 탁 차 던지며 운봉 영장의 갈비를 가리키며,

"갈비 한 대 먹고지고."

"다리도 잡수시오."

하고는 운봉이 하는 말이,

"이러한 잔치에 풍류로만 놀아서는 맛이 적사오니 차운(次韻) 한 수씩 하여 보면 어떠하오?"

"그 말이 옳다."

하니 운봉이 운을 낼 제 '높을 고(高)' 자, '기름 고(膏)' 자 두 자를 내어 놓고 차례로 운을 달아 시를 짓는다. 이때 어사또 하는 말이,

"걸인이 어려서 한시(漢詩)깨나 읽었더니 좋은 잔치 당하여서 술과 안주를 포식하고 그냥 가기 민망하니 차운 한 수 하사이다."

운봉 영장이 반겨 듣고 필연(筆硯)을 내어 주니, 좌중 사람들이 다 짓지도 않았는데 순식간에 글 두 귀를 지었으되, 백성들의 형편을 생각하고 본관 사또의 정체를 감안하여 지었것다.

금준미주(金樽美酒)는 천인혈(千人血)이요
옥반가효(玉盤佳肴)는 만성고(萬姓膏)라
촉루낙시(燭淚落時) 민루낙(民淚落)이요
가성고처(歌聲高處) 원성고(怨聲高)라

[A] 이 글 뜻은

금동이의 아름다운 술은 일만 백성의 피요
옥소반의 아름다운 안주는 일만 백성의 기름이라.
촛불 눈물 떨어질 때 백성 눈물 떨어지고
노랫소리 높은 곳에 원망 소리 높았더라.

이렇듯이 지었으되 본관 사또는 몰라보는데 운봉 영장은 글을 보며 속으로,
'아뿔싸. 일이 났다.'
이때 어사또가 하직하고 간 연후에 각 아전들을 분부하되,
"야야. 일이 났다."
공방 불러 돗자리 단속, 병방 불러 역마(驛馬) 단속, 관청색 불러 다담상 단속, 옥형방 불러 죄인 단속, 집사 불러 형구(刑具) 단속, 형방 불러 장부 단속, 사령 불러 숙직 단속. 한참 이리 요란할 제 사정 모르는 저 본관 사또가,
"여보 운봉은 어디를 다니시오?"
"소피 보고 들어오오."
본관 사또가 술주정이 나서 분부하되,
"ⓜ춘향을 급히 올리라."
이때에 어사또 부하들과 내통한다. 서리를 보고 눈길을 보내니 서리, 중방 거동보소. 역을 불러 단속할 제 이리 가며 수군, 저리 가며 수군수군. 서리, 역졸 거동 보소. 외올망건 공단 모자 새 패랭이 눌러쓰고, 석 자 감발 새 짚신에 한삼(汗衫) 고의 산뜻하게 차려입고, 육모 방망이 사슴 가죽끈을 손목에 걸어 쥐고, 여기서 번쩍 저기서 번쩍, 남원읍이 우글우글. 청파 역졸 거동 보소. 달 같은 마패를 햇빛같이 번쩍 들어,
"암행어사 출도야."
외치는 소리에 강산이 무너지고 천지가 뒤집히는 듯 초목금수(草木禽獸)인들 아니 떨랴.

― 작자미상 , 「춘향전(春香傳)」―

(나)
지리산은
지리산으로 천 년을 지리산이듯
도련님은 그렇게 하늘 높은 지리산입니다

섬진강은
또 천 년을 가도 섬진강이듯
나는 땅 낮은 섬진강입니다

그러나 또 한껏 이렇지요
지리산이 제 살 속에 낸 길에
섬진강을 안고 흐르듯
나는 도련님 속에 흐르는 강입니다

섬진강이 깊어진 제 가슴에
지리산을 담아 거울처럼 비춰주듯
도련님은 내 안에 서있는 산입니다

땅이 땅이면서 하늘인 곳
하늘이 하늘이면서 땅인 자리에
엮어 가는 꿈
그것이 사랑이라면

땅 낮은 섬진강 도련님과
하늘 높은 지리산 내가 엮는 꿈
너나들이 우리
사랑은 단 하루도 천 년입니다

– 복효근, 「춘향(春香)의 노래」 –

20 윗글의 내용에 대한 이해로 적절하지 <u>않은</u> 것은?

① '저 걸인의 의관은 남루하나 양반의 후예인 듯하니'라고 말하는 것으로 보아 '운봉 영장'은 처음부터 '어사또'의
정체를 알고 있었군.

② '마는 하는 끝말을 내뱉고는 입맛이 사납겠다'라는 부분으로 보아 '본관 사또'는 '운봉 영장'의 말을 달가워하지
않고 있군.

③ '도적질은 내가 하마. 오라는 네가 받아라'라고 말하는 것으로 보아 '어사또'는 '변 사또'를 벌하고자 하는 마음을
갖고 있었군.

④ '모서리 떨어진 개상판에 닥나무 젓가락, 콩나물, 깍두기, 막걸리 한 사발'이 놓여진 것으로 보아 '어사또'는 다른
수령들과 차별 대우를 받았음을 알 수 있군.

⑤ 술주정이 나서 '춘향을 급히 올리라'는 '본관 사또'의 모습을 보아 위기 상황도 눈치 채지 못하는 미련함을 엿볼
수 있군.

21 (가)의 [A]에 나타난 한국 문학의 특성으로 가장 적절한 것은?

① 외세에 굴복하지 않는 '은근과 끈기'
② 풍류를 즐길 줄 아는 '두어라와 노세'
③ 한스러운 정서의 '애처로움과 갸냘픔'
④ 사회의 모순을 지적하는 '날카로운 풍자'
⑤ 이질적 정서가 공존하는 '웃음으로 눈물 닦기'

22 (가)의 ㉠~㉤ 중 (나)의 '지리산'에 해당하는 인물로 적절한 것은?

① ㉠   ② ㉡   ③ ㉢   ④ ㉣   ⑤ ㉤

23 (가)와 (나)를 이해한 내용으로 적절하지 않은 것은?

① (가)는 (나)와 달리 대화나 행동, 배경에 대한 묘사를 위주로 하고 있다.
② (가)는 (나)와 달리 서술자가 개입하여 사건에 대한 의견을 밝히고 있다.
③ (가)와 (나)를 통해 전통 문학이 새롭게 재창조되는 과정을 엿볼 수 있다.
④ (나)는 (가)와 달리 한 인물의 내면에 초점을 맞추어 서술하고 있다.
⑤ (나)는 (가)와 달리 실제 지명(地名)을 직접 드러내어 사실성을 높이고 있다.

[24~31] 다음 글을 읽고 물음에 답하시오.

가까운 읍의 수령들이 모여든다. 운봉의 장관, 구례, 곡성, 순창, 옥과, 진안, 장수 원님이 차례로 모여든다. 왼편에 행수, 군관 오른쪽에 청령, 사령이 있고 본관 사또는 한가운데 있어 하인 불러 분부하되,

"관청색(官廳色) 불러 다담(茶啖)를 올리라. 육고자 불러 큰 소를 잡고, 예방(禮房) 불러 악공을 대령하고, 승발 불러 천막을 대령하라. 사령 불러 잡인을 금하라." 〈중략〉

등을 밀쳐 내니 어찌 아니 명관(名官)인가. 운봉 영장이 그 거동을 보고 본관 사또에게 청하는 말이,

"저 걸인의 의관은 ㉠남루하나 양반의 후예인 듯하니 말석에 앉히고 술잔이나 먹여 보냄이 어떠하뇨?"

본관 사또 하는 말이,

"운봉 소견대로 하오마는."

㉮'마는' 하는 끝말을 내뱉고는 입맛이 사납겠다. 어사 속으로

"오냐. 도적질은 내가 하마. ㉡오라는 네가 받아라."

운봉 영장이 분부하여,

"저 양반 듭시라고 하여라."

어사또 들어가 단정히 앉아 좌우를 살펴보니 당 위의 모든 수령 다담상을 앞에 놓고 진양조가 높아 가는데, 어사또의 상을 보니 어찌 아니 통분하랴. 모서리 떨어진 개상판에 닥나무 젓가락, 콩나물, 깍두기, 막걸리 한 사발 놓았구나. 상을 발길로 탁 차 던지며 운봉 영장의 갈비를 가리키며, "갈비 한대 먹고지고."

"다리도 잡수시오."

하고는 운봉이 하는 말이,

"이러한 잔치에 풍류로만 놀아서는 맛이 적사오니 차운(次韻) 한 수씩 하여 보면 어떠하오?"

"그 말이 옳다."

하니 운봉이 운을 낼 제 '높을 고(高)'자, '기름 고(膏)'자 두 자를 내어놓고 차례로 운을 달아 시를 짓는다. 이때 어사또 하는 말이,

"걸인이 어려서 한시(漢詩)깨나 읽었더니 좋은 잔치 당하여서 술과 안주를 포식하고 그냥 가기 민망하니 차운 한 수 하사이다."

운봉 영장이 반겨 듣고 ㉢필연(筆硯)을 내어 주니, 좌중 사람들이 다 짓지도 않았는데 글 두 귀를 지었으되, ㉯백성들의 형편을 생각하고 본관 사또의 정체를 감안하여 지었것다.

[A]
┌─ 금준미주(金樽美酒)는 천인혈(千人血)이요
│ 옥반가효(玉盤佳肴)는 만성고(萬姓膏)라
│ 촉루낙시(燭淚落時) 민루낙(民淚落)이요
└─ 가성고처(歌聲高處) 원성고(怨聲高)라

이 글 뜻은
ⓐ금동이의 아름다운 술은 일만 백성의 피요
옥소반의 아름다운 안주는 일만 백성의 기름이라.
촛불 눈물 떨어질 때 백성 눈물 떨어지고
노랫소리 높은 곳에 원망소리 높았더라.

이렇듯이 지었으되 본관 사또는 몰라보는데 운봉 영장은 글을 보며 속으로,
'아뿔싸. 일이 났다.'
이때 어사또가 하직하고 간 연후에 각 아전들을 분부하되,
"야야. 일이 났다."
공방 불러 돗자리 단속, 병방 불러 역마(驛馬) 단속, 관청색 불러 다담상 단속, 옥형방 불러 죄인 단속, 집사 불러 형구(刑具) 단속, 형방 불러 장부 단속, 사령 불러 숙직 단속. 한참 이리 요란할 제 사정 모르는 저 본관 사또가,
"여보 운봉은 어디를 다니시오?"
"소피 보고 들어오오."

〈중략〉

좌수(座首), 별감(別監) 넋을 잃고 이방, 호방 혼을 잃고 나졸들이 분주하네. 모든 수령 도망갈 제 거동 보소. 인궤 잃고 강정 들고, 병부(兵符) 잃고 송편 들고, 탕건 잃고 용수 쓰고, 갓 잃고 소반 쓰고, 칼집 쥐고 오줌 누기. 부서지는 것은 거문고요 깨지는 것은 북과 장고라. 본관 사또가 똥을 싸고 멍석 구멍 새앙쥐 눈 뜨듯하고, 안으로 들어가서,
"어 추워라. 문 들어온다 바람 닫아라. 물 마르다 목 들여라."
관청색은 상을 잃고 문짝을 이고 내달으니, 서리, 역졸 달려들어 후닥딱.
"애고 나 죽네."
이때 어사또 분부하되,
"이 골은 대감이 좌정하시던 골이라. 잡소리를 금하고 객사(客舍)로 옮겨라."
자리에 앉은 후에,
"본관 사또는 봉고파직하라."
분부하니,
"본관 사또는 봉고파직이오."
사대문(四大門)에 방을 붙이고 옥형리 불러 분부하되,
"네 골 옥에 갇힌 죄수를 다 올리라."
호령하니 죄인을 올린다. 다 각각 죄를 물은 후에 죄가 없는 자는 풀어 줄새,
"저 계집은 무엇인고?"
형리 여쭈오되,
"기생 월매의 딸이온데 관청에서 포악한 죄로 옥중에 있삽내다."
"무슨 죄인고?"
형리 아뢰되,
"본관 사또 수청 들라고 불렀더니 수절이 정절이라. 수청 아니 들려 하고 사또에게 악을 쓰며 달려든 춘향이로소이다."
어사또 분부하되,
"너 같은 년이 수절한다고 ㉣관장(官長)에게 포악하였으니 살기를 바랄쏘냐. 죽어 마땅하되 내 수청도 거역할까?"
춘향이 기가 막혀,
"내려오는 관장마다 모두 명관(名官)이로구나. 어사또 들으시오. ⓑ층암절벽 높은 바위가 바람 분들 무너지며, 청송녹죽 푸른 나무가 눈이 온들 변하리까. 그런 분부 마옵시고 어서 바삐 죽여 주오."
"향단아, 서방님 어디 계신가 보아라. 어젯밤에 옥 문간에 와 계실 제 천만당부 하였더니 어디를 가셨는지 나 죽는 줄 모르는가."
어사또 분부하되,
"얼굴 들어 나를 보라."

하시니 춘향이 고개 들어 위를 살펴보니, ⑪걸인으로 왔던 낭군이 분명히 어사또가 되어 앉았구나. 반 웃음 반 울음에,
"얼씨구나 좋을시고 어사 낭군 좋을시고. 남원 읍내 가을이 들어 떨어지게 되었더니, 객사에 봄이 들어 이화춘풍(李花春風) 날 살린다. 꿈이냐 생시냐? 꿈을 깰까 염려로다."
⑭한참 이리 즐길 적에 춘향 어미 들어와서 가없이 즐거하는 말을 어찌 다 설화(說話)하랴.
⑰춘향의 높은 절개 광채 있게 되었으니 어찌 아니 좋을쏜가. 어사또 남원의 공무 다한 후에 춘향 모녀와 향단이를 서울로 데려갈새, ⑪위의(威儀)가 찬란하니 세상 사람들이 누가 아니 칭찬하랴.

〈후략〉

24 ㉠~㉤에 대한 뜻풀이로 적절하지 않은 것은?

① ㉠ : 사람이나 그 태도가 천하고 너절하다.
② ㉡ : 도둑이나 죄인을 묶는 데 쓰였던 붉고 굵은 줄
③ ㉢ : 붓과 벼루
④ ㉣ : 시골 백성이 고을의 원을 높여 이르는 말
⑤ ㉤ : 위엄이 있고 엄숙한 태도나 차림새

25 〈보기〉를 참고할 때 ⓐ와 유사한 표현법이 쓰인 것은?

┤ 보기 ├
　　은유는 연결어 없이 원관념과 보조 관념을 'A는 B이다'와 같은 형식을 통해 마치 두 대상이 동일한 것처럼 간접적으로 연결하여 표현하는 방법이다.

① 향료를 뿌린 듯 곱단한 노을 위에/ 전신주 하나하나 기울어 지고// 먼- 고가선 위에 밤이 켜진다.// 구름은/ 보랏빛 색지 위에/마구 칠한 한 다발 장미// 목장의 깃발도, 능금나무도/ 부을면 꺼질 듯이 외로운 들길.
　　　　　　　　　　　　　　　　　　　　　　　　　　　　　　　　　　　－ 김광균, 「데생」 －
② 그립다/말을 할까/하니 그리워//그냥 갈까/그래도/다시 더 한 번……//저 산(山)에도 까마귀, 들에 까마귀,/서산(西山)에는 해 진다고/지저귑니다.//앞 강물, 뒷 강물,/흐르는 물은/어서 따라오라고 따라가자고/흘러도 연달아 흐릅디다려.
　　　　　　　　　　　　　　　　　　　　　　　　　　　　　　　　　　　－ 김소월, 「가는 길」 －
③ 죽는 날까지 하늘을 우러러/한 점 부끄럼이 없기를./잎새에 이는 바람에도/나는 괴로워했다./별을 노래하는 마음으로 / 모든 죽어가는 것을 사랑해야지./그리고 나한테 주어진 길을 / 걸어가야겠다./오늘 밤에도 별이 바람에 스치운다.
　　　　　　　　　　　　　　　　　　　　　　　　　　　　　　　　　　　－ 윤동주, 「서시」 －
④ 남(南)으로 창(窓)을 내겠소//밭이 한참갈이/괭이로 파고/호미론 풀을 매지요//구름이 꼬인다 갈 리 있소//새 노래는 공으로 들으랴오//강냉이가 익걸랑/함께 와 자셔도 좋소//왜 사냐건/웃지요.
　　　　　　　　　　　　　　　　　　　　　　　　　　　　　　　　　　　－ 김상용, 「남으로 창을 내겠소」 －
⑤ 나 하늘로 돌아가리라./새벽빛 와 닿으면 스러지는/이슬 더불어 손에 손을 잡고,/나 하늘로 돌아가리라./노을빛 함께 단둘이서/기슭에서 놀다가 구름 손짓하며는,//나 하늘로 돌아가리라./아름다운 이 세상 소풍 끝내는 날,/가서, 아름다웠더라고 말하리라…….
　　　　　　　　　　　　　　　　　　　　　　　　　　　　　　　　　　　－ 천상병, 「귀천」 －

26 ⓑ에 나타난 태도와 가장 유사한 것은?

① 춘산(春山)에 눈 노기는 부람 건듯 불고 간 딕 업다.
　져근 덧 비러다가 무리 우희 불이고져.
　귀 밋틱 히무근 셔리를 녹여 볼가 ᄒ노라.

　　　　　　　　　　　　　　　　　　　　　　　　　　– 우탁 –

② 興亡(흥망)이 有數(유수)ᄒ니 滿月臺(만월대)도 秋草(추초)ㅣ로다
　오백년(五百年) 王業(왕업)이 牧笛(목적)에 부쳐시니
　夕陽(석양)에 지나는 客(객)이 눈물 계워 ᄒ드라.

　　　　　　　　　　　　　　　　　　　　　　　　　　– 원천석 –

③ 이 몸이 주거가서 무어시 될고 ᄒ니
　봉래산(蓬萊山) 제일봉에 낙락장송(落落長松) 되야 이셔
　백설(白雪)이 만건곤(滿乾坤) 홀 제 독야청청(獨也靑靑)ᄒ리라

　　　　　　　　　　　　　　　　　　　　　　　　　　– 성삼문 –

④ 흔 손에 막딕 잡고 쏘 흔 손에 가식 쥐고
　늙는 길 가식로 막고 오는 白髮(백발) 막딕로 치려터니
　白髮(백발)이 제 몬져 알고 즈럼길노 오더라.

　　　　　　　　　　　　　　　　　　　　　　　　　　– 우탁 –

⑤ 고인(古人)도 날 몯보고 나도 고인(古人) 몯 뵈
　고인(古人)을 몯뵈도 녀던 길 알픽 잇닉
　녀던 길 알픽 잇거든 아니 녀고 엇뎔고

　　　　　　　　　　　　　　　　　　　　　　　　　　– 이황 –

27 ㉮~㉺ 중, 〈보기〉의 밑줄 친 부분에 해당하지 않는 것은?

┤ 보기 ├
　편집자적 논평이란 서술자가 사건이나 인물의 말과 행동에 대해 자신의 생각을 직접 밝히는 것을 말한다. 이는 고전 소설 중 판소리계 소설에서 자주 나타난다.

① ㉮　　　　　② ㉯　　　　　③ ㉰　　　　　④ ㉱　　　　　⑤ ㉲

28 〈보기〉는 윗글과 관련된 근원설화의 내용이다. 윗글과 근원설화의 관계에 대한 설명으로 적절하지 **않은** 것은?

┤ 보기 ├

- 지리산녀 설화 : 지리산 밑에 살던 여자를 백제의 왕이 취하려 하였으나 죽음으로써 자신의 절개를 지켰다는 이야기
- 우렁 각시 설화 : 가난한 노총각과 우렁에서 나온 처녀가 함께 살다가, 어느 날 원님에게 우렁 각시가 잡혀 갔으나 원님을 거역하여 죽었다는 이야기
- 박색터 설화 : 얼굴이 못생겨 결혼도 못한 춘향이 이 도령을 보고 상사병에 걸린 끝에 목을 매어 죽자, 영혼을 달래기 위해 이 도령이 떠난 고개에서 장사 지내 주고 그곳을 박색터라고 불렀다는 이야기
- 성세창 설화 : 양반집 아들인 성세창이 기생 자란을 만나 사랑을 나누다가 아버지를 따라 서울로 올라오면서 헤어지지만 다시 찾아가 함께 숨어 지내며 공부한 끝에 장원 급제 한다는 이야기
- 박문수 설화 : 암행어사 박문수가 한 기생과 친밀하게 지냈었는데, 어사가 되어 암행하던 중 걸인 모습으로 찾아가니 그 기생이 푸대접했고, 인연을 맺었던 여종이 그를 잘 대접하였기에 이후 사또 잔치에 가서 관리들을 징계한 뒤 기생을 벌하고 여종에게 상을 주었다는 이야기

① 변 사또의 수청 요구를 거절한 춘향이 시련을 겪지만 끝까지 정절을 지켰다는 점에서 '지리산녀 설화'와 같은 열녀 설화가 춘향전에 영향을 주었다고 볼 수 있겠군.

② 변 사또가 춘향에게 수청을 들도록 강요한다는 점에서 관리가 민가의 아녀자를 핍박한다는 '우렁 각시 설화'와 같은 관탈민녀 설화가 춘향전에 영향을 주었다고 볼 수 있겠군.

③ 이몽룡이 옥에 갇힌 춘향을 풀어 주고 백년해로하게 된다는 점에서 억울함을 풀고 사랑을 성취하는 '박색터 설화'와 같은 신원(伸冤) 설화가 춘향전에 영향을 주었다고 볼 수 있겠군.

④ 이몽룡과 춘향이 잠시 이별을 했다가 다시 사랑을 성취한다는 점에서 '성세창 설화'와 같은 염정 설화가 춘향전에 영향을 주었다고 볼 수 있겠군.

⑤ 암행어사가 된 이몽룡이 탐관오리인 변 사또를 벌한다는 점에서 '박문수 설화'와 같은 암행어사 설화가 춘향전에 영향을 주었다고 볼 수 있겠군.

29 〈보기〉를 바탕으로 윗글을 분석한 것으로 적절하지 <u>않은</u> 것은?

> ┤ 보기 ├
>
> 판소리계 소설은 「춘향전」, 「심청전」 등과 같이 일반적으로 판소리 사설의 영향을 받아 소설로 정착된 작품을 가리킨다. 판소리계 소설은 판소리에서 나온 것이므로 운문체와 산문체가 결합된 모습을 보이며 판소리로 공연된 것을 글로 만든 것이어서 사건이 현재형으로 전개된다. 또한 공연할 때 여러 계층을 아우르려고 하다 보니 우리말 구사가 뛰어난 동시에 비속어, 욕설, 고상한 한자 성어 등 평민 언어와 양반 언어가 혼합된 양상을 보이며, 재미를 위해 과장, 감탄, 대구, 열거 등의 수사법을 이용하여 이야기를 진행한다. 특히 흥미로운 대목의 내용이나 표현을 확장하고 부연하게 되는데, 이를 확장적 문체를 통한 '장면의 극대화', 또는 '부분의 독자성'이라고 한다.

① '내려오는 관장마다'부터 '어서 바삐 죽여 주오.'까지의 부분을 통해 3음보의 판소리 리듬이 판소리계 소설로 이어졌다는 것을 알 수 있어.

② 열거와 대구를 이용하여 어사또 부하들의 모습을 다채롭고 흥미 있게 묘사한 어사 출도 장면을 통해 판소리계 소설의 특징을 엿볼 수 있어.

③ '좌수(座首), 별감(別監) 넋을 잃고'부터 '깨지는 것은 북과 장고라.'까지의 부분은 표현을 확장하고 부연하여 장면을 극대화한 것으로 볼 수 있어.

④ '이때'라는 어휘를 반복적으로 사용하여 현재 일어나는 일임을 부각하거나 현재형 표현이 주로 사용되는 것을 통해 판소리의 흔적을 엿볼 수 있어.

⑤ '애고 박 터졌네', '본관 사또가 똥을 싸고'등의 평민 언어와 '위의(威儀)', '영귀(榮貴)', '백년동락(百年同樂)' 등의 양반 언어가 혼재되어 사용되는 것을 볼 수 있어.

30 윗글과 〈보기〉를 연관 지어 문학작품을 감상한 결과로 가장 적절한 것은?

> ┤ 보기 ├
>
> 두터비 ᄑ리를 물고 두험 우희 치ᄃ라 안자
> 것넛 산(山) ᄇ라보니 백송골(白松骨)이 ᄯ 잇거ᄂᆯ 가슴이 금즉ᄒ여 풀덕 쒸여 내ᄃᆺ다가 두험 아래 쟛바지거고.
> 모쳐라, ᄂᆯ낸 낼식망졍 에헐질 번ᄒ괘라.
>
> – 작자미상 –

① 〈보기〉의 '두터비'와 윗글의 '춘향'이는 탐관오리에게 수탈당하는 평민의 모습을 연상시키는군.

② 〈보기〉의 '백송골(白松骨)'은 윗글의 '변 사또'가 자신의 권력으로 억압하는 존재인 하층민으로 볼 수 있군.

③ 〈보기〉의 'ᄑ리'가 '두터비'를 도와주다 함께 위기에 처한 것처럼 윗글의 '아전' 역시 위기에 처하게 되는군.

④ 〈보기〉와 윗글 모두 강자가 벌을 받는 모습이 형상화 되었으나 약자가 구원을 받는 모습을 윗글에서만 나타나는군.

⑤ 〈보기〉의 '두터비'가 스스로 위기를 극복한 것과 달리 윗글의 '변 사또'는 봉고파직을 당하여 위기를 모면하지 못했군.

31 〈보기〉를 통해 윗글의 주제와 관련된 발표내용을 생성했을 때, 발표 내용으로 적절하지 <u>않은</u> 것은?

┤ 보기 ├

선생님 : 조선 후기에 창작된 판소리계 소설은 조선 후기라는 시대적 상황과 관련하여 작품의 주제를 생각해
볼 필요가 있어요. 임진왜란과 병자호란을 겪으면서 조선 후기 사회는 양란 이전의 모습과는 정치, 문화,
경제적으로 많은 변화를 겪게 되었는데 조선을 지탱하던 이전의 봉건적 가치관이 한계를 드러내게 되었으
며 이에 대한 반발로 기존 체제를 뒤엎는 근대적 가치관이 태동하게 되었습니다.

　판소리계 소설은 이처럼 봉건적 사회에서 근대적 사회로 이행되던 과도기적 사회의 모습을 반영하고 있
습니다. 그 결과 판소리계 소설은 표면적으로 봉건적인 주제가 드러나게 되지만 그 이면에는 근대적 가치
관과 관련된 주제를 포함하게 되어 주제의 이면성이 나타나게 되는 것이죠. 자 그렇다면 〈춘향전〉의 표면
적 주제와 이면적 주제가 무엇인지 자유롭게 발표해 봅시다.

① **현욱** : 양반이자 어사또인 이몽룡과 기생의 딸인 춘향이가 혼인을 하게 된 것을 볼 때 신분을 초월한 사랑이라는
이면적 주제를 생각해 볼 수 있어요.

② **서연** : 부패하고 폭력을 일삼는 '변 사또'에게 '춘향'이가 대항하는 모습을 통해 하층민의 항거라는 이면적 주제
를 생각해 볼 수도 있죠.

③ **민재** : 부부의 인연을 맺은 남편에게 신의를 지키려고 한 '춘향'의 모습에서 여성의 굳은 정절이라는 표면적 주제
를 발견할 수 있습니다.

④ **지호** : '변 사또'가 벌을 받고 '춘향'이는 복을 받게 되었으니 고전소설에 흔히 등장하는 권선징악이라는 표면적
주제가 나타나기도 해요.

⑤ **동윤** : '변 사또'의 수청을 거절하고 정렬부인의 자리에 오른 '춘향'이를 보고 신분 상승에 대한 의지라는 이면적
주제에 대해 생각해 보았습니다.

서술형 심화문제

[01~09] 다음 글을 읽고 물음에 답하시오.

　가까운 읍의 수령들이 모여든다. 운봉 영장, 구례, 곡성, 옥과 진안, 장수 원님이 차례로 모여든다. 왼쪽에 행수, 군관 오른쪽에 청령, 사령이 있고 본관 사또는 주인이 되어 한가운데 있어 하인 불러 분부하되,
　"관청색(官廳色) 불러 다담(茶啖)를 올리라. 육고자 불러 큰 소를 잡고, 예방(禮房) 불러 악공을 대령하고, 승발 불러 천막을 대령하라. 사령 불러 잡인을 금하라."
　이렇듯 요란할 제 온갖 깃발이며 삼현육각 풍류 소리 공중에 떠 있고, 붉은 옷 붉은 치마 입은 기생들은 흰 손 비단 치마 높이 들어 춤을 추고, 지화자 둥덩실 하는 소리에 어사의 마음이 심란하구나.
　"여봐라 사령들아. 너의 사또에게 여쭈어라. 먼 데 있는 걸인이 좋은 잔치에 왔으니 술과 안주나 좀 얻어먹자고 여쭈어라."
　저 사령의 거동 보소.
　"우리 사또님이 걸인을 금하였으니, 어느 양반인지는 모르오만 그런 말은 내지도 마오."
　등을 밀쳐 내니 어찌 아니 명관(名官)인가. 운봉 영장이 그 거동을 보고 본관 사또에게 청하는 말이,
　"저 걸인의 의관은 남루하나 양반의 후예인 듯하니 말석에 앉히고 술잔이나 먹여 보냄이 어떠하뇨?"
　본관 사또 하는 말이,
　"운봉의 소견대로 하오마는."
　'마는' 하는 끝말을 내뱉고는 입맛이 사납겠다. 어사또 속으로,
　'오냐. 도적질은 내가 하마. 오라는 네가 받아라.'
　운봉 영장이 분부하여,
　"저 양반 듭시라고 하여라."
　어사또 들어가 단정히 앉아 좌우를 살펴보니, 당 위의 모든 수령 다담상을 앞에 놓고 진양조가 높아 가는데, 어사또의 상을 보니 어찌 아니 통분하랴. 모서리 떨어진 개상판에 닥나무 젓가락, 콩나물, 깍두기, 막걸리 한 사발 놓았구나. 상을 발길로 탁 차 던지며 운봉 영장의 갈비를 가리키며,
　"갈비 한 대 먹고지고."
　"다리도 잡수시오."
　하고는 운봉이 하는 말이,
　"이러한 잔치에 풍류로만 놀아서는 맛이 적사오니 차운(次韻) 한 수씩 하여 보면 어떠하오?"
　"그 말이 옳다." 〈중략〉
　운봉 영장이 반겨 듣고 필연(筆硯)을 내어 주니, 좌중 사람들이 다 짓지도 않았는데 순식간에 글 두 귀를 지었으되, 백성들의 형편을 생각하고 본관 사또의 정체를 감안하여 지었것다.

　금준미주(金樽美酒)는 천인혈(千人血)이요
　옥반가효(玉盤佳肴)는 만성고(萬姓膏)라
　촉루낙시(燭淚落時) 민루낙(民淚落)이요
　가성고처(歌聲高處) 원성고(怨聲高)라

　이 글 뜻은,
　금동이의 아름다운 술은 일만 백성의 피요
　옥소반의 아름다운 안주는 일만 백성의 기름이라.
　촛불 눈물 떨어질 때 백성 눈물 떨어지고
　노랫소리 높은 곳에 원망소리 높았더라.

　이렇듯이 지었으되 본관 사또는 몰라보는데 운봉 영장은 글을 보며 속으로,
　'아뿔싸. 일이 났다.' 〈중략〉
　이때에 어사또 부하들과 내통한다. 서리를 보고 눈길을 보내니 서리, 중방 거동 보소. 역졸을 불러 단속할 제 이리 가며

수군, 저리 가며 수군수군. 서리, 역졸 거동 보소. 외올망건 공단 모자 새 패랭이 눌러쓰고, 석 자 감발 새 짚신에 한삼(汗衫) 고의 산뜻하게 차려입고, 육모 방망이 사슴 가죽끈을 손목에 걸어 쥐고, 여기서 번쩍 저기서 번쩍, 남원읍이 우글우글. 청파 역졸 거동 보소. 달 같은 마패를 햇빛같이 번쩍 들어,

"암행어사 출도야."
외치는 소리에 강산이 무너지고 천지가 뒤집히는 듯 초목금수(草木禽獸)인들 아니 떨랴. 남문에서,
"출도야." / 북문에서, / "출도야."
동서문 출도 소리 청천(靑天)에 진동하고,
"모든 아전들 들라."
외치는 소리에 육방(六房)이 넋을 잃어,
"공형이오." / 등채로 휘닥딱.
"애고 죽겠다." / "공방, 공방."
공방이 자리 들고 들어오며,
"안 하겠다던 공방을 하라더니 저 불속에 어찌 들랴."
등채로 휘닥딱. / "애고 박 터졌네.
ⓐ좌수(座首), 별감(別監) 넋을 잃고 이방, 호방 혼을 잃고 나졸들이 분주하네. 모든 수령 도망갈 제 거동 보소. 인궤 잃고 강정 들고, 병부(兵符) 잃고 송편 들고, 탕건 잃고 용수 쓰고, 갓 잃고 소반 쓰고, 칼집 쥐고 오줌 누기. 부서지는 것은 거문고요 깨지는 것은 북과 장고라.
본관 사또가 똥을 싸고 멍석 구멍 생쥐 눈 뜨듯 하고, 안으로 들어가서,
"어 추워라. ㉠문 들어온다 바람 닫아라. 물 마르다 목 들여라."
관청색은 상을 잃고 문짝을 이고 내달으니, 서리, 역졸 달려들어 후닥딱.
"애고 나 죽네."
이때 어사또 분부하되,
"이 골은 대감이 좌정하시던 골이라. 잡소리를 금하고 객사(客舍)로 옮겨라."
자리에 앉은 후에,
"본관 사또는 봉고파직하라."
분부하니,
"본관 사또는 봉고파직이오." 〈중략〉
어사또 분부하되,
"너 같은 년이 수절한다고 관장(官長)에게 포악하였으니 살기를 바랄쏘냐. 죽어 마땅하되 내 수청도 거역할까?"
춘향이 기가 막혀,
"내려오는 관장마다 모두 명관(名官)이로구나. 어사또 들으시오. 층암절벽 높은 바위가 바람 분들 무너지며, 청송녹죽 푸른 나무가 눈이 온들 변하리까. 그런 분부 마옵시고 어서 바삐 죽여 주오." 하며
"향단아, 서방님 어디 계신가 보아라. 어젯밤에 옥 문간에 와 계실 제 천만당부하였더니 어디를 가셨는지 나 죽는 줄 모르는가."
어사또 분부하되,
"얼굴 들어 나를 보라."
하시니 춘향이 고개 들어 위를 살펴보니, 걸인으로 왔던 낭군이 분명히 어사또가 되어 앉았구나. 반 웃음 반 울음에,
"얼씨구나 좋을시고 어사 낭군 좋을시고. 남원 읍내 가을이 들어 떨어지게 되었더니, 객사에 봄이 들어 이화춘풍(李花春風) 날 살린다. 꿈이냐 생시냐? 꿈을 깰까 염려로다."
한참 이리 즐길 적에 춘향 어미 들어와서 가없이 즐겨하는 말을 어찌 다 설화(說話)하랴.
춘향의 높은 절개 광채 있게 되었으니 어찌 아니 좋을쏜가. 어사또 남원의 공무 다한 후에 춘향 모녀와 향단이를 서울로 데려갈새, 위의(威儀)가 찬란하니 세상 사람들이 누가 아니 칭찬하랴.
춘향의 높은 절개 광채 있게 되었으니 어찌 아니 좋을쏜가. 어사또 남원 공무 다한 후에 춘향 모녀와 향단이를 서울로 데려갈새, 위의(威儀)가 찬란하니 세상 사람들이 누가 아니 칭찬하랴. 이때 춘향이 남원을 하직할새, 영귀(榮貴)하게 되었

건만 고향을 이별하니 일희일비(一喜一悲)가 아니 되랴.

　　놀고 자던 부용당아.
　　너 부디 잘 있거라.
　　광한루 오작교며
　　영주각(瀛州閣)도 잘 있거라.
　　봄풀은 해마다 푸르건만
　　떠난 객은 돌아오지 않는다고 이른 시(詩)는
　　나를 두고 이름이라.
　　다 각기 이별할 제
　　길이길이 무고하옵소서.
　　다시 보기 기약 없네.

　이때 어사또는 좌도와 우도의 읍들을 순찰하여 민정을 살핀 후에, 서울로 올라가 임금께 절을 하니 판서, 참판, 참의들이 입시하시어 보고서를 살핀다. 임금께서 크게 칭찬하시며 즉시 이조 참의 대사성을 봉하시고 춘향으로 정렬부인을 봉하신다. 은혜에 감사드리고 물러 나와 부모께 뵈오니 성은(聖恩)을 못 잊어 하시더라. 이때 이조 판서, 호조 판서, 좌의정, 우의정, 영의정 다 지내고 퇴임한 후에 정렬부인으로 더불어 백년동락(百年同樂)할새, 정렬부인에게 삼남삼녀(三男三女)를 두었으니 모두가 총명하여 그 부친보다 낫더라. 일품 관직이 대대로 이어져 길이 전하더라.

---

01 ㉠에서 나타난 표현상의 특징이 무엇인지 밝히고, 여기에서 알 수 있는 본관사또의 심리 상태에 대해 서술하시오.

02 '한국 문학의 고유한 특성'의 관점에서 윗글과 〈보기〉의 공통점을 서술하시오.

　┤ 보기 ├

　말뚝이 : (가운데쯤에 나와서) 쉬이. (음악과 춤 멈춘다.) 양반 나오신다아! 양반이라고 하니까 노론(老論), 소론(少論), 호조(戶曹), 병조(兵曹), 옥당(玉堂)을 다 지내고 삼정승(三政丞), 육판서(六判書)를 다 지낸 퇴로(退老) 재상(宰相)으로 계신 양반인 줄 알지 마시오. 개잘량이라는 '양'자에 개다리소반이라는 '반'자 쓰는 양반이 나오신단 말이오.
　양반들 : 야아, 이놈 뭐야아!
　말뚝이 : 아, 이 양반들, 어찌 듣는지 모르갔소. 노론, 소론, 호조, 병조, 옥당을 다 지내고 삼정승, 육판서 다 지내고 퇴로 재상으로 계신 이 생원네 삼 형제분이 나오신다고 그리하였소.
　양반들 : (합창) 이 생원이라네. (굿거리장단으로 모두 춤을 춘다. 도령은 때때로 형들의 면상을 치며 논다. 끝까지 그런 행동을 한다.)

　　　　　　　　　　　　　　　　　　　　　　　　　　　　　　　－ 「봉산탈춤」－

03 〈보기1〉에 설명되어 있는 기법이 드러난 단어나 구절을 윗글과 〈보기2〉에서 각각 한 가지만 찾아 쓰고, 이 기법의 효과를 서술하시오.

┤ 보기 1 ├

언어유희는 말이나 문자를 소재로 하는 유희를 말한다. 이는 단순한 말장난으로 끝나는 것이 아니라 다른 의미를 암시하기 위해 사용하며 풍부한 기지를 보여준다.

┤ 보기 1 ├

네가 시크를 논해서 내 본능을 건드려
앞뒤 안 가리고 다리 치켜들고 반대 다리에 얹어 다릴 꼬았지
아니꼬왔지 내 다리 점점 저려오고 피가 안 통하는 이 기분

네가 도도를 논해서 내 본능을 건드려
주먹 불끈 쥐고 책상 내리치고 모두를 주목시켜 다릴 꼬았지
배배 꼬였지 발가락부터 시작된 성장판 닫히는 이 기분

거들먹거들먹 거리는 너의 그 모습에
내가 진리라는 그 눈빛 가득한 모습에
괜한 승부욕이 불타올라 짧은 다릴 쭉 뻗고 다리 꼬았지

– 악동뮤지션, 「다리 꼬지마」 –

04 〈보기〉를 읽고 조건에 따라 서술하시오.

┤ 보기 ├

모진 춘향이 그 밤 새벽에 또 까무러쳐서는
영 다시 깨어나진 못했었다, 두견은 울었건만
도련님 다시 뵈어 한은 풀었으나 살아날 가망은 아주 끊기고 온 몸 푸른 맥도 홱 풀려 버렸을 법
출도 끝에 어사는 춘향의 몸을 거두며 울다
"내 변가보다 잔인무지하여 춘향을 죽였구나"
오! 일편단심

– 김영랑, 「춘향」 –

┤ 조건 ├

(1) 〈보기〉와 윗글의 내용상 차이점을 서술할 것
(2) 〈보기〉와 윗글의 주제상 공통점을 서술할 것
(3) 한글맞춤법에 맞고 완결된 문장 형태로 서술할 것

05 〈보기〉의 ⓐ, ⓑ를 비유적으로 표현한 어휘를 윗글에서 찾아 쓰시오. (답안지에 반드시 ⓐ와 ⓑ를 표기한 후 답을 기재할 것)

┤ 보기 ├

  춘향은 ⓐ변 사또의 수청 요구로 인해 목숨이 위태로운 지경에 처하게 되지만 ⓑ어사가 된 이몽룡이 등장함으로써 극적으로 위기를 모면하게 되었음을 비유적인 표현으로 나타내고 있다.

06 윗글과 〈보기〉 작품에서 드러나는 차이점을 (1)주요 남자 인물들의 관계 측면, (2)여자 주인공의 역할 측면에서 서술하시오.

┤ 보기 ├

  조선 숙종 때 두 재상 김정과 이정은 각각 같은 나이의 진희(眞喜)와 혈룡(血龍)이라는 아들을 두었다. 진희와 혈룡은 동문수학하며 우의가 두터워져 장차 서로 돕고 살기로 언약한다. 그 뒤 김진희는 과거에 급제하여 결국 평안감사가 되었으나, 이혈룡은 과거를 보지 못하고 노모와 처자를 데리고 가난하고 쓸쓸하게 살아간다. 그러던 중 이혈룡은 평양감사가 된 친구를 찾아가지만 만나지 못하고 걸식을 하다가, 하루는 연광정(練光亭)에 평양감사가 잔치를 한다는 말을 듣고 다시 찾아 간다. 그러나 김진희는 이혈룡을 박대하면서, 사공을 불러 그를 죽이라고까지 한다.

  이때, 우연히 이 광경을 본 옥단춘이라는 기생이 이혈룡의 비범함을 알아보고 사공을 매수하여, 혈룡을 구하고 집으로 데려와 가연을 맺는다. 옥단춘은 혈룡의 식솔들도 보살핀다. 혈룡은 옥단춘의 도움으로 과거에 급제하여 평안도 암행어사가 되어 걸인행색으로 평양에 간다. 연광정에서 잔치하던 김진희가 이혈룡이 다시 온 것을 알고는 재차 잡아 죽이라고 하자, 어사출도를 하여 김진희의 죄를 엄하게 다스리고 김진희는 하늘의 벌을 받아 벼락을 맞아 죽는다. 나중에 혈룡은 옥단춘을 두 번째 부인으로 맞이한다.

– 작자 미상, 「옥단춘전」 줄거리 –

07 윗글을 읽고 아래의 대화를 나누었다고 했을 때, ㉮~㉰에 들어갈 내용을 차례대로 서술하시오.

선생님 : 한국 문학의 특성 가운데 하나인 풍자와 해학은 공통적으로 대상을 과장하거나 왜곡하여 웃음을 유발하지요. 그런데 풍자가 대상에 대한 부정적 인식을 바탕으로 하여 대상을 공격하는 방식이라면, 해학은 연민과 애정을 바탕으로 하여 대상을 감싸 안으면서 동정심을 유발하는 방식이라고 할 수 있어요. 풍자와 해학은 조선 후기의 민요나 탈춤, 판소리나 사설시조 등에 잘 나타나 있답니다.
이런 점에서 윗글의 Ⓐ는 풍자와 해학 중 무엇으로 볼 수 있을까요?

학생 : (㉮ :   )

선생님 : 네, 맞아요. 그렇다면 다른 작품에도 적용을 해봅시다. 아래의 「흥부전」에 나타난 흥부의 자식들의 모습을 표현한 구절은 풍자와 해학 중 어디에 속할까요?

가난한 중 웬 자식은 풀마다 낳아서 한 서른남은 되니, 입힐 길이 전혀 없어 한방에 몰아넣고 멍석으로 쓰이고 대강이만 내어놓으니, 한 녀석이 똥이 마려우면 뭇녀석이 시배(侍陪)로 따라간다. 그 중에 값진 것을 다 찾는구나. 한 녀석이 나오면서
"애고 어머니, 우리 열구자탕(悅口子湯)에 국수 말아먹으면."
또 한 녀석이 나앉으며,
"애고 어머니, 우리 벙거지를 먹으면."
또 한 녀석이 내달으며,
"애고 어머니, 우리 개장국에 흰밥 조금 먹으면."
또 한 녀석이 나오며,
"애고 어머니, 대추찰떡 먹으면."
"애고 이녀석들아, 호박국도 못 얻어 먹는데 보채지나 말려무나."

학생 : (㉯ :   )

선생님 : 네, 맞아요. 그렇다면 내가 말한 풍자와 해학에 대한 설명을 인용해서 ㉯를 그렇게 생각한 이유까지도 말해 볼까요?

학생 : (㉰ :   )

08 윗글과 〈보기〉를 참고하여 〈보기〉의 ⓐ, ⓑ를 각각 서술하시오.

┤ 보기 ├

춘향전은 판소리 사설을 바탕으로 해서 이루어진 판소리계 소설이다. 판소리는 양반과 평민 모두에게서 사랑받는 예술이므로 판소리에는 평민적 세계관과 양반적 세계관이라는 세계를 바라보는 두 관점이 혼재되어 있다고 할 수 있다. 또한 춘향전의 주제를 ⓐ표면적 주제와 ⓑ이면적 주제로 나누어 볼 수 있다.

09 〈보기1〉은 윗글과 관련된 판소리 기록본 중의 일부이고, 〈보기2〉는 〈보기1〉과 관련된 연구 보고서의 일부이다. 이를 읽고 다음 문제에 답하시오.

(1) 〈보기1〉이 압축되어 나타난 부분을 윗글에서 찾아 쓰고, 그 부분에서 알 수 있는 윗글의 서술 상 특징을 서술하시오.

(2) 윗글과 〈보기1〉을 참고하여 〈보기2〉의 ⓐ 에 들어갈 단어를 쓰시오.

보기 1

그때여 춘향모난 사위가 어사된 줄도 알고 춘향이가 옥중에서 살아난 것도 알았건만 간밤에 사위를 너무 괄시한 간암이 있어 염치없어 못 들어가고 삼문 밖에서 눈치만 보다 춘향 입에서 어머니 소리가 나니 옳제, 인자되었다 허고 떠들고 들오난디,

"어데 가야. 여기 있다. 도사령아 큰문 잡어라. 어사 장모님 행차허신다. 열녀춘향 누가 낳았나? 말도 마소. 내가 낳았네. 장비야 배 다칠라. 열녀 춘향 난 배로다. 네 요놈들 오늘도 삼문간이 억셀 테냐 얼씨구나 좋을씨구 절씨구나 풍신이 저렇거든 보국충신이 안될까. 어제 저녁 오셨을 제 어산줄은 알았으나 남이 알까 염려가 되어 천기누설(天機漏泄)을 막느라고 너머 괄세 허였더니 속 모르고 노여웠지 내 눈치가 뉘 눈치라 그만 일을 모를까 얼씨구나 내 딸이야 위에서 부신 물이 발치까지 내린다고 내 속에서 너 낳으니 만고열녀가 아니 되겠느냐 얼씨구나 좋을씨구 절로 늙은 고목 끝에 시절연화가 피였네 부중생남중생녀(不重生男 生重女) 날로 두고 이름이로구나. 지화자 좋을시구 남원부중 사람들 아들 낳기 원치 말고 춘향 같은 딸을 나어 곱게 곱게 잘 길러 서울사람이 오거들랑 묻지 말고 사위 삼소 얼씨구나 절씨구 수수광풍(誰水狂風) 적벽강 동남풍이 불었네. 궁뎅이를 두었다가 논을 살까 밭을 살까 흔들 데로만 흔들어 보세 얼씨구나 절씨구 얼씨구 절씨구 지화자 좋네 얼씨구나 좋을씨구."

– 판소리 「춘향가」 중에서 –

보기 2

판소리 〈춘향가〉에서 어사또가 이 도령임을 안 춘향이 즐거워하는 부분은 갈등이 완전히 해소되는 순간으로 춘향의 최종적인 승리가 이루어지는 대목이다. 승리의 축제적 분위기는 그 뒤에 월매가 춤을 추는 장면에 덧붙여짐으로써 더욱 축제다워진다. 월매의 등장 이전까지는 민중들은 춘향의 승리를 바라보는 것으로 만족했지만 이제 월매와 함께 소리판에 뛰어들어 그녀의 승리를 함께 체험하게 된다. 여기에 와서야 춘향의 승리가 ⓐ 의 승리라는 의미를 획득하게 되는 것이다.

눈

– 김수영 –

눈은 살아 (있다)　　　○ : 평서형의 반복 → 대상이 지닌 가치에 대한 확신을 드러냄.

떨어진 눈은 살아 (있다)
고통을 견디며 살아 있는, 순수한 생명성을 지닌 존재

마당 위에 떨어진 눈은 살아 있다
현실 세계를 상징함

기침을 하자　　　□ : 청유형의 반복 → 공동의 행동을 할 것을 촉구하는 효과
불순물을 뱉어 내는 정화 행위

젊은 시인이여 기침을 하자

눈 위에 대고 기침을 하자
눈 위에 자신이 살아 있음을 드러내고자 함

눈더러 보라고 마음 놓고 마음 놓고
　　　　　　　기침을 마음 놓고 하지 못했던 현실을 추측할 수 있음

기침을 하자

눈은 살아 (있다)

죽음을 잊어버린 영혼과 육체를 위하여
고통의 감정마저 외면한 무기력해진 존재. 죽음을 무릅쓰고 부정적인 현실에 맞서며 살아가는 존재

눈은 새벽이 지나도록 살아 (있다)
　　　　　　눈이 지속적인 생명력을 보여주는 시간. 새로운 시대가 도래하기 시작하는 희망의 시간

기침을 하자

젊은 시인이여 기침을 하자

눈을 바라보며
순수하고 정의로운 존재. 고통을 외면한 무기력해진 존재들에게는 각성의 역할을, 부정적인 현실에 맞서는 존재들에게는 위로와 고무의 역할을 함.

밤새도록 고인 가슴의 가래라도
　　　　　　　불순물, 부정적인 것

마음껏 뱉자
현실에 대응하는 자세

⊙ 핵심정리

갈래	자유시
성격	의지적, 참여적
주제	순수하고 정의로운 삶에 대한 소망과 부정적인 현실에 대한 극복 의지
특징	• 일상적 언어와 선명한 대응 구조, 청유형의 문장 사용으로 주제를 효과적으로 형상화함. • 정의롭고 순수한 생명력을 무기력하고 부정한 세계와 대립시킴.

확인학습 ···

01 이 시는 현재형 어미를 사용하여 시적 대상의 생동감을 강조하고 있다.　　　　　　　○☐ ×☐

02 이 시는 상징적 의미가 유사한 시어를 병치하여 화자가 소망하는 바를 분명하게 밝히고 있다.　○☐ ×☐

03 이 시는 청유형 어미를 사용하여 시적 대상에게 함께 행동할 것을 권하고 있다.　　　　　○☐ ×☐

04 이 시는 작품 표면에 노출된 화자가 시적 대상에게 말을 건네는 형식을 취하고 있다.　　　○☐ ×☐

05 이 시의 '죽음을 잊어버린 영혼과 육체'는 순수와 정의를 치열하게 추구하는 모습을 나타낸다.　○☐ ×☐

06 이 시의 '밤새도록 고인 가슴의 가래'는 순수한 것과 거리가 먼 것들을 의미한다.　　　　○☐ ×☐

07 이 시의 젊은 시인은 '기침을 함'으로써 자신의 내면을 깨끗이 하고 있다.　　　　　　　○☐ ×☐

08 이 시에서 영원한 생명력을 가진다는 것은 가치 있고 순수한 삶을 살아가는 것을 의미한다.　○☐ ×☐

09 이 시의 화자는 눈이 가지고 있는 생명력을 자신이 추구하고자 하는 순수한 삶과 연결하고 있다.　○☐ ×☐

10 이 시에서 '눈'은 순수함, 깨끗함으로 이해할 수 있고 '가래'는 이와 대조적으로 불순함 등으로 이해할 수 있다.

　　　　　　　　　　　　　　　　　　　　　　　　　　　　　　　　　　　　　　　○☐ ×☐

■ **목표 활동**

벌써 육 개월 전의 일이다.

형무소에서 병보석으로 가출옥되었다는 중환자가 업혀서 왔다.

횅뎅그런 눈에 앙상하게 뼈만 남은 몸을 제대로 가누지도 못하는 환자, 그는 간호원의 부축으로 겨우 진찰을 받았다.

청진기의 상아 꼭지를 환자의 가슴에서 등으로 옮겨 두 줄기의 고무줄에서 감득되는 숨소리를 감별하면서도, 이인국 박사의 머릿속은 최후 판정의 분기점을 방황하고 있었다.

(입원시킬 것인가, 거절할 것인가…….
<u>이해관계에 따라 환자를 가려 받음. → 비정한 기회주의자임이 드러남</u>

환자의 몰골이나 업고 온 사람의 옷매무새로 보아 경제 정도는 뻔한 일이라 생각되었다.

그러나 그것보다도 더 마음에 켕기는 것이 있었다. 일본인 간부급들이 자기 집처럼 들락날락하는 이 병원에 이런 사상범을 입원시킨다는 것은 관선 시의원이라는 체면에서도 떳떳지 못할뿐더러, 자타가 공인하는 모범적인 황국 신민(皇國臣民)의 공든 탑이 하루아침에 무너지는 결과를 가져오는 것이라는 생각이 들었다.

순간 그는 이런 때의 가부 결정에 일도양단하는 자기 식으로 찰나적인 단안을 내렸다.

그는 응급 치료만 하여 주고 입원실이 없다는 가장 떳떳하고도 정당한 구실로 애걸하는 환자를 돌려보냈다.)

[중략 부분 줄거리] 해방 후 이인국은 해방 경축 시가행진을 구경하다가 자신을 노려보는 청년과 눈이 마주치고, 그가 입원을 거절당했던 환자임을 알게 된다. 불안과 초조를 느끼던 이인국은 <u>오늘 소련군이 입성할 것이라는 소식을 듣고 움찔하며</u> 자리에서 일어
<u>시대 상황이 바뀜</u>
나 벽장문을 연다.
<u>바뀐 시대 상황에 친일을 했던 과거가 안위를 위협할 것을 두려워하고 걱정함</u>

'국어 상용의 가(家).'

해방되던 날 떼어서 집어넣어 둔 것을 그동안 깜박 잊고 있었다.

<u>그는 액자 틀 뒤를 열어 음식점 면허장 같은 두터운 모조지를 빼내어 글자 한 자도 제대로 남지 않게 손끝에 힘을
친일의 흔적을 없앰
주어 꼼꼼히 찢었다.</u>

(이 종잇장 하나만 해도 일본인과의 교제에 있어서 얼마나 떳떳한 구실을 할 수 있었던 것인가. 야릇한 미련 같은
( ): 적극적인 친일 행위로 영화를 누리던 과거를 그리워하며 추억함
것이 섬광처럼 머릿속을 스쳐 갔다.

환자도 일본 말 모르는 축은 거의 오는 일이 없었지만 대외 관계는 물론 집 안에서도 일체 일본 말만을 써 왔다. 해방 뒤 부득이 써 오는 제 나라 말이 오히려 의사 표현에 어색함을 느낄 만큼 그에게는 거리가 먼 것이었다.

마누라의 솔선수범하는 내조지공도 컸지만 애들까지도 곧잘 지켜 주었기에 이 종잇장을 탄 것이 아니던가. 그것을 탄 날은 온 집안이 무슨 큰 경사나 난 것처럼 기뻐들 했었다.

"잠꼬대까지 국어로 할 정도가 아니면 이 영예로운 기회야 얻을 수 있겠소."

하던 국민 총력 연맹 지부장의 웃음 띤 치하 소리가 떠올랐다.)

– 전광용, 「꺼삐딴 리」에서 –

⊙ **어휘풀이**

- **병보석** 구류 중인 미결수가 병이 날 경우 그를 석방하는 일.
- **감득되다** 느껴서 알게 되다.
- **황국** 신민 일제 강점기에 천황이 다스리는 나라의 신하 된 백성이라 하여 일본이 자국민을 이르던 말.
- **일도양단하다** 어떤 일을 머뭇거리지 아니하고 선뜻 결정하다.
- **단안** 어떤 사항에 대한 생각을 딱 잘라 결정함. 또는 그렇게 결정된 생각.
- **내조지공** 안에서 도와주는 공. 아내가 집안을 잘 다스려 남편을 돕는 일을 비유하는 말.

⊙ **핵심정리**

갈래	단편 소설
성격	비판적, 풍자적
주제	기회주의적 인간에 대한 풍자
특징	• 과거와 현재가 교차되는 역순행적 구성 방식을 사용함. • 일제 강점기부터 6 · 25 전쟁 후까지 격동의 한국사를 배경으로 함.

확인학습 ···

01 이 글은 작품 밖의 서술자가 등장인물의 행동을 객관적으로 서술하고 있다. ○ ☐ × ☐

02 이 글은 사건마다 서술자를 교체하여 독자가 입체적으로 내용을 파악할 수 있도록 서술하고 있다. ○ ☐ × ☐

03 이 글은 작품 밖의 서술자가 특정 인물의 시각에서 심리와 행동을 서술하고 있다. ○ ☐ × ☐

04 이 글은 위 글은 전지적 작가시점이기 때문에 작품 밖의 서술자가 존재한다. ○ ☐ × ☐

05 이 글은 등장인물의 행동을 객관적으로 서술하지 않는다. ○ ☐ × ☐

06 이 글의 '이인국 박사'는 모국어보다도 일본어를 더 사용하는 등의 공로를 인정받았다. ○ ☐ × ☐

07 이 글의 '이인국 박사'는 액자를 통해 일본말을 쓰기 위해 노력했던 것을 회상하고 있다. ○ ☐ × ☐

08 이 글의 '이인국 박사'는 사상범을 자신의 병원에 입원시켰다는 일제의 눈초리를 가장 의식하고 있다. ○ ☐ × ☐

09 이 글의 '이인국 박사'는 해방 후 친일 행위를 숨기기 위해 노심초사하고 있다. ○ ☐ × ☐

[01~09] 다음 내용을 통해 물음에 답하시오.

눈은 살아 있다.
떨어진 눈은 살아 있다.
㉠마당 위에 떨어진 눈은 살아 있다.

ⓐ기침을 하자.
젊은 시인(詩人)이여 기침을 하자.
㉡눈 위에 대고 기침을 하자.
눈더러 보자고 마음 놓고 마음 놓고
기침을 하자.

눈은 살아 있다.
㉢죽음을 잊어버린 영혼(靈魂)과 육체(肉體)를 위하여
눈은 새벽이 지나도록 살아 있다.

기침을 하자.
㉣젊은 시인이여 기침을 하자.
눈을 바라보며
㉤밤새도록 고인 가슴의 가래라도
마음껏 뱉자.

– 김수영, 「눈」 –

01 이 시에 대한 설명으로 적절하지 않은 것은?

① 평범한 일상어를 사용하여 시적 이미지를 형상화하고 있다.
② 삶과 죽음, 눈과 가래 등의 대조를 통해 주제를 부각하고 있다.
③ 문장의 반복과 확장을 통하여 의미를 점층적으로 심화하고 있다.
④ 청유형 종결 어미가 쓰였으나 실제로는 화자 자신을 향한 진술이다.
⑤ 시간의 흐름에 따른 정서의 변화 과정을 중심으로 시상을 전개하고 있다.

02 이 시의 표현상의 특징에 대한 설명으로 알맞지 않은 것은?

① 상징적 이미지의 대립을 통해 주제 의식을 심화하고 있다.
② 각 연을 대칭적으로 배열함으로써 시적 의미를 강화하고 있다.
③ 수미 상관의 구조를 채용하여 구조적 안정감을 유지하고 있다.
④ 단호하고 의지적인 어조를 사용하여 시적 긴강감을 유지하고 있다.
⑤ 특정한 시구의 반복·변형을 통해 리듬감을 형성하고 있다.

03 구술 면접시험에서 이 시에 대해 설명하라는 요구를 받았을 때, 그 대답으로 가장 적절한 것은?

① 암울한 현실에서 벗어날 수 있는 이상향에 대한 동경을 차분하면서도 낭만적 어조로 노래한 작품입니다.

② 대립적인 이미지를 활용하여 부정적인 현실을 극복하고 순수하게 살아가고자 하는 의지를 상징적으로 표현했습니다.

③ 현실이 괴롭고 모질더라도, 그럴수록 높은 이상과 뜨거운 생의 의지를 불태우며 다가올 희망찬 미래를 갈망하고 있습니다.

④ 마음 속의 갈등과 번민을 극복하고 순결한 영혼과 평화로운 안식에 대한 소망을 경건한 기도조의 어조로 표현하고 있습니다.

⑤ 현상적 자아와 본질적 자아의 대립과 모순을 통하여 참된 자아를 잃고 방황하는 현대인의 고뇌와 이를 극복하고자 하는 의지를 잘 보여 주는 작품입니다.

04 이 시에 적용된, 시인의 '눈'에 대한 발상과 거리가 먼 것은?

① '눈'을 살아 있는 순결한 생명체라고 생각했다.

② '눈'의 순결한 이미지를 통해 자기 정화 의지를 드러냈다.

③ 한밤중에 내린 '눈'이 쉽게 녹지 않는 성질에 착안하였다.

④ '눈'의 차가운 감각을 활용하여 삶의 시련과 역경을 드러냈다.

⑤ '눈'이 '설(雪)'과 '안(眼)'의 중의적 의미가 있음에 착안하였다.

05 이 시에 대한 반응 중, 작품을 내재적 관점에서 바라보고 있는 것은?

① 시인의 의지적 삶이 곳곳에서 느껴져

② 현실에 안주하는 삶을 살려고 했던 나 자신이 너무 부끄러워.

③ 4 · 19 혁명 이후의 강렬한 현실 의식에서 나온 작품인 것 같아.

④ 이 시의 시인은 죽음조차도 별로 두려워하지 않았던 사람인 것 같아.

⑤ 단순한 구절에서 점차 문장을 늘려 가는 점층적 표현 방법이 매우 독특해.

06 ⃝~⑩에 대한 설명으로 적절하지 <u>않은</u> 것은?

① ⃝ – '살아 있는 눈'은 부정적 현실 속에서도 깨어 있는 존재가 있음을 상징적으로 드러낸다.

② ⓛ – '눈'의 순결성에 대응되는 화자의 반성적 행동과 결단을 촉구한 것으로 볼 수 있다.

③ ⓒ – '죽음을 잊어버린 영혼과 육체'는 시적 화자가 경계해야 할 태도를 의미한다.

④ ⓔ – '젊은 시인'은 시적 화자와 동일시되는 존재로 볼 수 있다.

⑤ ⓜ – '밤'으로 표상되는 부정적 현실에 대한 인식과 그에 따른 행동 변화를 촉구한 것이다.

07 ⓐ의 행위의 결과로 나타날 수 있는 것은?

① 내면세계의 정화

② 과거에 대한 참회

③ 갈등과 번뇌의 승화

④ 대립된 존재들과의 화해

⑤ 세속으로부터의 도피 및 초월

08 이 시에 나타난 표현상의 특징과 거리가 먼 것은?

① 상징적 이미지의 대립을 통한 주제의 심화

② 의미 전달의 단순화로 인한 공감의 확산

③ 동일한 문장의 반복과 변조에 의한 의미의 강조

④ 문장의 변형과 첨가를 통한 의미의 점층적 전개

⑤ 현실을 적극적으로 수용하는 전통적 정서의 변용

09 이 시의 시적 자아의 정서와 가장 유사한 것은?

① 강가에 나온 아이와 같이 짬도 모르고 끝도 없이 닫는 내 혼아/ 무엇을 찾느냐, 어디로 가느냐, 웃어웁다./ 답을 하려므나.

– 이상화, 「빼앗긴 들에도 봄은 오는가」 중에서 –

② 산산히 부서진 이름이여/ 허공 중에 부서진 이름이여/ 불러도 주인 없는 이름이여/ 부르다가 내가 죽을 이름이여

– 김소월, 「초혼」 중에서 –

③ 밤에 홀로 유리를 닦는 것은/ 외로운 황홀한 심사이어니/ 고운 폐혈관이 찢어진 채로/ 아아, 너는 산새처럼 날아 갔구나!

– 정지용, 「유리창」 중에서 –

④ 껍데기는 가라/ 4월도 알맹이만 남고/ 껍데기는 가라/ 껍데기는 가라/ 동학년 곰나루의, 그 아우성만 살고/ 껍 데기는 가라.

– 신동엽, 「껍데기는 가라」 중에서 –

⑤ 하여 나란 나의 생명이란/ 그 원시의 본연한 자태를 배우지 못하거든/ 차라리 나는 어느 사구에서 회한 없는 백 골을 쪼이리라.

– 유치환, 「생명의 서」 중에서 –

[10~13] 다음 토론 내용을 통해 물음에 답하시오.

㉠눈은 살아 있다.
떨어진 눈은 살아 있다.
마당 위에 떨어진 눈은 살아 있다.

기침을 하자.
젊은 시인이여 기침을 하자.
눈 위에 대고 기침을 하자.
눈더러 보라고 마음 놓고 마음 놓고
기침을 하자.

눈은 살아 있다.
죽음을 잊어버린 영혼과 육체를 위하여
눈은 새벽이 지나도록 살아 있다.

기침을 하자.
젊은 시인이여 기침을 하자.
눈을 바라보며
밤새도록 고인 가슴의 가래라도
마음껏 뱉자.

– 김수영, 「눈」 –

---

10 위 작품에 대한 설명으로 적절하지 <u>않은</u> 것은?

① 현실에 대한 저항과 순수한 삶의 지향을 보여 준다.

② '하자'라는 청유형 표현을 통해 순수한 삶에 대한 강한 소망을 노래하고 있다.

③ 동일한 문장의 반복과 문장 변형 및 첨가를 해 점층적으로 시상을 전개하고 있다.

④ 대립적 의미를 지닌 시어를 활용하여 주제 의식을 심화시키고 있다.

⑤ 암울한 현실에 대한 절망과 좌절을 애상적 분위기로 표현하고 있다.

11 윗글에 쓰인 ㉠에 대한 설명으로 적절하지 <u>않은</u> 것은?

① 순수함(참된 가치)을 상징하고 있다.

② 이상과 현실 사이에서 고뇌하는 화자의 심리를 반영하고 있다.

③ '살아 있다'라는 표현에서 순수하고 끈질긴 생명력을 느낄 수 있다.

④ 화자에게 현실과 타협하지 않고 불의에 저항하는 정신을 일깨우는 역할을 한다.

⑤ 내리는 '눈(雪)'으로 해석할 수도 있고, 신체 기관으로서의 '눈(眼)'으로 해석할 수도 있다.

12 이 시에 대한 설명으로 적절하지 <u>않은</u> 것은?

① 문장 변형 및 첨가를 통한 점층적 진행으로 리듬감을 형성하고 있다.

② 단호하고 강인한 남성적 어조로 단정적이면서도 권유적이다.

③ '하자'라는 청유형의 표현을 통해 순수한 삶에 대한 소망을 노래하고 있다.

④ '눈'과 '기침' 등의 상징적 시어를 사용하고 있다.

⑤ 시적 자아의 시선이 이동하면서 대상의 다양한 이미지가 제시되고 있다.

13 이 시를 현실 참여적인 관점에서 바라볼 때, 구절에 대한 설명 중 적절하지 <u>않은</u> 것은?

① '눈은 살아 있다' : '눈'을 순수한 생명으로 인식하고 현실에 타협하지 않고 불의에 저항할 수 있는 정신을 일깨워 주는 존재로 본다.

② '젊은 시인(詩人)' : 화자가 기대하는 시인다운 시인으로서 부정적인 현실에 대한 의식의 각성을 촉구하고 있다.

③ '죽음을 잊어버린' : 죽음을 초월하여 저항하기를 바라고 있다.

④ '기침을 하자' : 불의로 가득한 세상에 침을 뱉고 현실을 도피하고 싶은 화자의 심정을 표현한 것이다.

⑤ '밤' : 화자가 사는 부정적인 현실을 가리킨다.

[01~06] 다음 글을 읽고 물음에 답하시오.

(가)

눈은 살아 있다 / 떨어진 눈은 살아 있다
마당 위에 떨어진 눈은 살아 있다

기침을 하자 / 젊은 시인이여 기침을 하자
눈 위에 대고 기침을 하자
눈더러 보라고 마음 놓고 마음 놓고 / 기침을 하자

눈은 살아 있다
㉠죽음을 잊어버린 영혼과 육체를 위하여
눈은 새벽이 지나도록 살아 있다

기침을 하자 / 젊은 시인이여 기침을 하자
눈을 바라보며 / 밤새도록 고인 가슴의 가래라도
마음껏 뱉자

– 김수영, 「눈」 –

(나)

매운 계절(季節)의 채찍에 갈겨
마침내 북방(北方)으로 휩쓸려 오다.

하늘도 그만 지쳐 끝난 고원(高原)
서릿발 칼날진 그 우에 서다.

어데다 무릎을 꿇어야 하나
한 발 재겨 디딜 곳조차 없다.

㉡이러매 눈 감아 생각해 볼밖에
겨울은 강철로 된 무지갠가 보다.

– 이육사 「절정」 –

(다)

폭포는 곧은 절벽(絕壁)을 무서운 기색도 없이 떨어진다.

규정(規定)할 수 없는 물결이
무엇을 향(向)하여 떨어진다는 의미(意味)도 없이
계절(季節)과 주야(晝夜)를 가리지 않고
고매(高邁)한 정신(精神)처럼 쉴 사이 없이 떨어진다.

금잔화(金盞花)도 인가(人家)도 보이지 않는 밤이 되면
폭포(瀑布)는 곧은 소리를 내며 떨어진다.

곧은 소리는 곧은 소리이다.
곧은 소리는 곧은
소리를 부른다.

번개와 같이 떨어지는 물방울은
취(醉)할 순간(瞬間)조차 마음에 주지 않고
ⓒ나타(懶惰)와 안정(安定)을 뒤집어 놓은 듯이
높이도 폭(幅)도 없이
떨어진다.

– 이육사, 「폭포」 –

(라)
껍데기는 가라.
4월도 알맹이만 남고
껍데기는 가라.

껍데기는 가라.
ⓔ동학년 곰나루의, 그 아우성만 살고
껍데기는 가라.

그리하여, 다시
껍데기는 가라.
이곳에선, 두 가슴과 그곳까지 내논
아사달 아사녀가
중립의 초례청 앞에 서서
부끄럼 빛내며
맞절할지니

껍데기는 가라.
한라에서 백두까지
ⓜ향그러운 흙가슴만 남고
그, 모오든 쇠붙이는 가라

– 신동엽, 「껍데기는 가라」 –

*곰나루 : 충남 공주의 옛 이름. 동학농민운동 당시 우금치 전투가 있었던 곳
*초례청 : 전통적인 혼례를 치르는 장소

01 (가)~(라)의 공통점으로 가장 적절한 것은?

① 부정적인 세계에 대한 시적 화자의 대결의식이 드러난다.
② 부정적인 현실을 포용하려는 여유로운 정신이 엿보인다.
③ 자연물을 소재로 하여 자연 친화적인 태도를 드러낸다.
④ 일상적 삶에 대한 반성을 역설적 표현을 통해 드러내고 있다.
⑤ 시적 화자를 작품의 표면에 나타내어 주제에 대한 공감을 이끌어내고 있다.

02 작품의 내용과 정서를 고려할 때, (가)와 (다)의 시적 화자가 나누었음직한 대화 내용으로 적절하지 않은 것은?

① (가)의 화자 : 제가 생각하는 '눈'은 단순한 서정적 대상이 아니라 생명력을 가진 정의로운 존재입니다.
② (다)의 화자 : 그렇다면 눈 위에 대고 기침을 한다는 것은 생명력을 가진 눈에게 당신이 살아 있다는 것을 보여 주는 행위이군요.
③ (가)의 화자 : 네. 자신이 처한 현실에 대해 비판만을 일삼는 젊은 시인에게 각성의 메시지를 전하고 싶었지요.
④ (다)의 화자 : 저도 폭포가 쉬지 않고 소리를 내며 떨어지는 모습을 보며 정의가 살아있음을 말하고 싶었어요.
⑤ (라) 그렇다면 폭포가 내는 곧은 소리는 정의를 추구하는 양심의 소리이고, 선구자의 소리가 되겠네요.

03 (가)~(라)의 표현상 특징에 대한 설명으로 적절한 것만을 〈보기〉에서 있는 대로 고른 것은?

> ┤ 보기 ├
> ㄱ. (가)는 평서형 종결어미를 통해 대상에 대한 확신을 표현하고 있다.
> ㄴ. (나)는 강렬한 시어를 사용하여 강한 지사(志士)적 의지와 신념을 드러내고 있다.
> ㄷ. (다)는 감각적이고 비유적인 표현을 통해 대상의 이미지를 선명하게 드러내고 있다.
> ㄹ. (라)는 명령형 종결어미와 대조적인 시어를 사용하여 주제를 강조하고 있다.

① ㄱ, ㄴ   ② ㄱ, ㄷ   ③ ㄱ, ㄴ, ㄹ
④ ㄴ, ㄷ, ㄹ   ⑤ ㄱ, ㄴ, ㄷ, ㄹ

04 (나)에 대한 설명으로 적절하지 <u>않은</u> 것은?

① 시적 화자가 처한 상황을 먼저 제시한 후, 시적 화자의 심리를 드러내고 있다.

② '무릎을 꿇어야 하나'를 통해 시적 화자는 자신이 처한 상황에 대해 체념하고 있음을 알 수 있다.

③ '강철로 된 무지개'에서는 이질적인 이미지를 가진 시어를 연결하여 미래에 대한 강한 희망을 보여주고 있다.

④ '매운 계절의 채찍'은 혹독한 추위가 있는 계절적 배경을 제시하여 시련 속에 있는 시적 화자의 상황을 드러내고 있다.

⑤ '북방', '고원', '서릿발 칼날진 그 위'를 통해 시적 화자가 처한 상황이 악화되고 있음을 점층적으로 표현하고 있다.

05 ㉠~㉢에 대한 감상으로 적절하지 <u>않은</u> 것은?

① ㉠ : 죽음을 무릅쓰고 부정적인 현실에 맞서 살아가는 존재에게 눈은 위로의 역할을 할 수 있겠군.

② ㉡ : 견디기 어려운 극한 상황을 관조를 통해 초월하려는 의지를 보여주고 있군.

③ ㉢ : 현실에 안주하고 타협하는 소시민적인 삶에 대한 비판의식이 엿보이는군.

④ ㉣ : 동학혁명의 순수한 저항정신이 지금의 현실에서도 필요하다는 것을 말하고 있군.

⑤ ㉤ : 부정적 현실에서 고통 받을 때마다 고향을 그리워하는 마음으로 이를 이겨낼 수 있다고 믿고 있군.

06 다음 밑줄 친 시어 중, (가)의 '눈'과 이미지가 가장 유사한 것은?

① 지금 눈 내리고/ 매화향기 홀로 아득하니. / 내 여기 가난한 노래의 씨를 뿌려라.

- 이육사, 「광야」 중에서 -

② 나의 마음 속에 처음으로/ 눈 내리는 풍경/ 세상은 지금 묵념의 가장자리/ 지나온 어느 나라에도 없었던/ 설레이는 평화로서 덮이노라.

- 고은, 「눈길」 중에서 -

③ 어느 먼—곳의 그리운 소식이기에/ 이 한밤 소리 없이 흩날리뇨.// 처마 끝에 호롱불 여위어가며/ 서글픈 옛 자취 양 흰 눈이 나려.

- 김광균, 「설야」 중에서 -

④ 연달린 산과 산 사이/ 너를 남기고 온/ 작은 마을에도 복된 눈 내리는가?

- 이용악, 「그리움」 중에서 -

⑤ 아주 너를 떠나보내고 돌아오는 길은 펑펑 눈이 오는 밤이었다.

- 신동집, 「눈」 중에서 -

(가)

눈은 살아 있다 / 떨어진 눈은 살아 있다
마당 위에 떨어진 눈은 살아 있다

기침을 하자 / ㉠젊은 시인이여 기침을 하자
눈 위에 대고 기침을 하자
눈더러 보라고 마음 놓고 마음 놓고 / 기침을 하자

눈은 살아 있다
죽음을 잊어버린 영혼과 육체를 위하여
눈은 ㉡새벽이 지나도록 살아 있다

기침을 하자 / 젊은 시인이여 기침을 하자
눈을 바라보며 / 밤새도록 고인 가슴의 가래라도
㉢마음껏 뱉자

‒ 김수영, 「눈」 ‒

(나)

[A]
풀이 눕는다.
비를 몰아오는 동풍에 나부껴
풀은 눕고
드디어 울었다.
날이 흐려서 더 울다가
다시 누웠다.

[B]
풀이 눕는다.
바람보다도 더 빨리 눕는다.
바람보다도 더 빨리 울고
바람보다도 먼저 일어난다.

[C]
날이 흐리고 풀이 눕는다.
발목까지
발밑까지 눕는다.
바람보다 늦게 누워도
㉣바람보다 먼저 일어나고
바람보다 늦게 울어도
바람보다 먼저 웃는다.
㉤날이 흐리고 풀뿌리가 눕는다.

‒ 김수영, 「풀」 ‒

(다)

껍데기는 가라. / 4월도 알맹이만 남고
껍데기는 가라.

껍데기는 가라. / 동학년 곰나루의, 그 아우성만 살고
껍데기는 가라.

그리하여, 다시 / 껍데기는 가라.
이곳에선, 두 가슴과 그곳까지 내논
아사달 아사녀가 / 중립의 초례청 앞에 서서
부끄럼 빛내며 / 맞절할지니

껍데기는 가라. / 한라에서 백두까지
향그러운 흙가슴만 남고
그, 모오든 쇠붙이는 가라

– 신동엽, 「껍데기는 가라」 –

***곰나루** : 충남 공주의 옛 이름. 동학농민운동 당시 우금치 전투가 있었던 곳
***초례청** : 전통적인 혼례를 치르는 장소

07 (가)~(다)의 공통점만을 〈보기〉에서 있는 대로 고른 것은?

┤ 보기 ├

ㄱ. 청유형의 문장 구조를 통해 주제 의식을 강조하고 있다.
ㄴ. 대립된 시어의 대응 구조를 통해 주제를 형상화하고 있다.
ㄷ. 상징적 시어를 통해 화자의 내면 의식을 형상화하고 있다.
ㄹ. 유사한 통사 구조를 반복함으로써 운율감을 드러내고 있다.
ㅁ. 화자의 시선 이동에 따라 시상이 점층적으로 전개되고 있다.
ㅂ. 선명한 색채어의 시각적 이미지를 활용하여 사적 화자의 내면을 보여주고 있다.

① ㄱ, ㄴ, ㄷ   ② ㄱ, ㄷ, ㅁ   ③ ㄴ, ㄷ, ㄹ
④ ㄴ, ㄷ, ㅁ, ㅂ   ⑤ ㄷ, ㄹ, ㅁ, ㅂ

08 (가), (나)의 ㉠~㉤에 대한 설명으로 가장 적절한 것은?

① ㉠ : 죽음을 잃어버린 영혼과 육체를 안타깝게 바라보는 시적 화자 자신으로 볼 수 있다.

② ㉡ : 억압과 통제로 인해 어둠으로 가득한 당시의 암울한 현실을 반영하고 있다.

③ ㉢ : 불순하고 불의한 것들에 저항하고자 하나 마음껏 그럴 수 없는 상황을 반어적으로 보여주고 있다.

④ ㉣ : 나약함에서 강인함으로 시적 화자의 태도가 전환되고 있다.

⑤ ㉤ : 부정적인 현실이 반복되지만 풀의 끈질긴 생명력은 지속된다는 시적 여운을 주고 있다.

09 (나)의 [A]~[C]에 대한 설명으로 가장 적절한 것은?

① A에서 보인 대상의 현실 대응 태도가 B에서 전환되고 C에서는 B의 태도가 더욱 심화되고 있다.

② A에서는 화자의 시선이 대상의 외부에 있었다면, B와 C에서는 대상의 내면으로 이동하고 있다.

③ A에서 B로 전개되는 과정에서 심화되던 대상의 내적 갈등이 C에서 해소되고 있다.

④ A, B에서 시적 상황을 압축적으로 제시한 뒤, C에서 구체화하여 전개하고 있다.

⑤ A, B와 대립되는 대상의 태도를 C에 제시하여 시적 긴장감을 형성하고 있다.

10 〈보기〉를 참고하여 (다)를 감상한 내용으로 적절하지 <u>않은</u> 것은?

> ┤ 보기 ├
>
> 　신동엽 시인은 인간 생명의 원초적 본질인 대지에서 우리 민족 공동체가 함께 살기를 소망했다. 하지만 당시는 외세의 개입으로 인한 사회적 모습과 부조리가 가득했고 남과 북은 이념 대립으로 분단되어 있는 상태였다. 시인은 이러한 문제를 해결하기 위해서 외세와 봉건에 저항했던 동학 혁명이나 불의에 저항했던 4월 혁명과 같은 정신이 필요하다고 생각했다.

① '껍데기는 가라'는 외세와 봉건 의식을 거부하고 이를 강하게 비판하는 화자의 태도를 알 수 있다.

② '알맹이는 남고'는 우리 민족이 본질을 회복하고자 하는 화자의 열망이 담겨 있음을 알 수 있다.

③ '아우성'은 당시 봉건에 저항했던 동학 농민 운동으로 인해 겪은 민중들의 수난을 상징한다고 볼 수 있다.

④ '중립의 초례청'은 '껍데기'에서 벗어나 순수함을 회복한 이들이 존재하는 곳으로 화자가 추구하는 이상이 실현되는 공간으로 볼 수 있다.

⑤ '한라에서 백두까지'는 우리 민족 공동체가 함께 살기를 소망하는 공간으로, 민족 통일에의 염원이 담겨 있다고 볼 수 있다.

[11~12] 다음 글을 읽고 물음에 답하시오.

(가)
한 줄의 시는커녕
그는 한평생을 행복하게 살며
많은 돈을 벌었고
높은 자리에 올라
이처럼 훌륭한 비석을 남겼다.

그리고 어느 유명한 문인이
그를 기리는 묘비명을 여기에 썼다.

비록 이 세상이 잿더미가 된다 해도
불의 뜨거움 꿋꿋이 견디며
이 묘비는 살아남아
귀중한 사료(史料)가 될 것이니
역사는 도대체 무엇을 기록하며
시인은 어디에 무덤을 남길 것이냐

— 김광규, 「묘비명」 —

(나)
영화(映畫)가 시작하기 전에 우리는
일제히 일어나 애국가를 경청한다
삼천리 화려 강산의
을숙도에서 일정한 군(群)을 이루며
갈대숲을 이륙하는 흰 새 떼들이
자기들끼리 끼룩거리면서
자기들끼리 낄낄대면서
일렬 이열 삼렬 횡대로 자기들의 세상을
이 세상에서 떼어 메고
이 세상 밖 어디론가 날아간다
우리도 우리들끼리
낄낄대면서
깔쭉대면서
우리의 대열을 이루며
한세상 떼어 메고
이 세상 밖 어디론가 날아갔으면
하는데 대한 사람 대한으로
길이 보전하세로
각각 자기 자리에 앉는다
주저앉는다

— 황지우, 「새들도 세상을 뜨는구나」 —

(다)

벌써 육 개월 전의 일이다.

형무소에서 병보석으로 가출옥되었다는 중환자가 업혀서 왔다.

횡뎅그런 눈에 앙상하게 뼈만 남은 몸을 제대로 가누지도 못하는 환자, 그는 간호원의 부축으로 겨우 진찰을 받았다.

청진기의 상아 꼭지를 환자의 가슴에서 등으로 옮겨 두 줄기의 고무줄에서 감득되는 숨소리를 감별하면서도, 이인국 박사의 머릿속은 최후 판정의 분기점을 방황하고 있었다.

입원시킬 것인가, 거절할 것인가……

환자의 몰골이나 업고 온 사람의 옷매무새로 보아 경제 정도는 뻔한 일이라 생각되었다.

그러나 그것보다도 더 마음에 켕기는 것이 있었다. 일본인 간부급들이 자기 집처럼 들락날락하는 이 병원에 이런 사상 범을 입원시킨다는 것은 관선 시의원이라는 체면에서도 떳떳지 못할뿐더러, 자타가 공인하는 모범적인 황국 신민(皇國臣民)의 공든 탑이 하루아침에 무너지는 결과를 가져오는 것이라는 생각이 들었다.

순간 그는 이런 때의 가부 결정에 일도양단하는 자기 식으로 찰나적인 단안을 내렸다.

그는 응급 치료만 하여 주고 입원실이 없다는 가장 떳떳하고도 정당한 구실로 애걸하는 환자를 돌려보냈다.

[중략 부분 줄거리] 해방 후 이인국은 해방 경축 시가행진을 구경하다가 자신을 노려보는 청년과 눈이 마주치고, 그가 입원을 거절당했 던 환자임을 알게 된다. 불안과 초조를 느끼던 이인국은 오늘 소련군이 입성할 것이라는 소식을 듣고 움찔하며 자리에서 일어나 벽장문 을 연다.

'국어 상용의 가(家).'

해방되던 날 떼어서 집어넣어 둔 것을 그동안 깜박 잊고 있었다.

그는 액자 틀 뒤를 열어 음식점 면허장 같은 두터운 모조지를 빼내어 글자 한 자도 제대로 남지 않게 손끝에 힘을 주어 꼼꼼히 찢었다.

이 종잇장 하나만 해도 일본인과의 교제에 있어서 얼마나 떳떳한 구실을 할 수 있었던 것인가. 야릇한 미련 같은 것이 섬광처럼 머릿속을 스쳐 갔다.

환자도 일본 말 모르는 축은 거의 오는 일이 없었지만 대외 관계는 물론 집 안에서도 일체 일본 말만을 써 왔다. 해방 뒤 부득이 써 오는 제 나라 말이 오히려 의사 표현에 어색함을 느낄 만큼 그에게는 거리가 먼 것이었다.

마누라의 솔선수범하는 내조지공도 컸지만 애들까지도 곧잘 지켜 주었기에 이 종잇장을 탄 것이 아니던가. 그것을 탄 날은 온 집안이 무슨 큰 경사나 난 것처럼 기뻐들 했었다.

"잠꼬대까지 국어로 할 정도가 아니면 이 영예로운 기회야 얻을 수 있겠소."

하던 국민 총력 연맹 지부장의 웃음 띤 치하 소리가 떠올랐다.

– 전광용, 「꺼삐딴 리」 –

11 (가)와 (나)에 대한 설명으로 적절하지 <u>않은</u> 것은?

① (가)와 (나)는 대상에 대한 냉소적 어조가 드러난다.

② (가)는 시적 대상을 생명력을 지닌 존재로 보고 있다.

③ (가)와 (나)는 반어법을 활용하여 현실에 대해 비판적인 태도를 드러내고 있다.

④ (나)는 자연물과의 직접적 관계를 통해 시적 화자의 현재 상황과 정서를 제시하고 있다.

⑤ (가)는 현실의 모순에 대한 인식을, (나)는 부정적 현실 속에 처한 자신에 대한 인식을 풍자를 통해 드러내고 있다.

12 다음을 참고하여 (가)의 화자가 (다)의 '이인국 박사'에서 충고해줄 말로 가장 적절한 것은?

> **┤ 보기 ├**
>
> 문학은 현실의 반영이기도 하지만 꿈과 지향의 건설이기도 하다. 삶의 추악한 이면을 들추거나 인간의 이중성을 날카롭게 파헤치는 소설은 복잡한 인간의 본성을 탐구하는 문학의 본령에 충실하다는 미덕이 있다. 한편 문학은 인간이 나아가야 할 바를 깊이 파고들어 연구하는 예술이기도 하다.

① 현실을 더 냉정하게 바라보고 그 안에서 문제를 해결하려는 자세가 필요하다고 봅니다.

② 인간이라면 당연히 추구해야할 올바른 가치와 정의에 대해서는 생각해 보지 않았습니까?

③ 모든 사람들은 언젠가는 죽습니다. 매일을 소중하게 생각하고 자신에게 주어진 일상에 더 충실해야 합니다.

④ 의사로서 돈을 잘 버는 것보다 훌륭한 시와 소설을 써서 묘비명을 남기는 것이야말로 영예로운 일이 아니겠습니까?

⑤ 나의 삶의 기록이 역사가 될 수 있다는 사실을 기억하고, 역사의 기록에 남을 수 있는 업적을 세워야하지 않겠습니까?

[13~14] 다음 글을 읽고 물음에 답하시오.

(가)

눈은 살아 있다.
떨어진 눈은 살아 있다.
마당 위에 떨어진 눈은 살아 있다.

기침을 하자. / 젊은 시인이여, 기침을 하자.
눈 위에 대고 기침을 하자.
눈더러 보라고 마음 놓고, 마음 놓고 / 기침을 하자.

눈은 살아 있다.
죽음을 잊어버린 영혼과 육체를 위하여
눈은 새벽이 지나도록 살아 있다.

기침을 하자. / 젊은 시인이여, 기침을 하자.
눈을 바라보며
밤새도록 고인 가슴의 가래라도 / 마음껏 뱉자.

– 김수영, 「눈」 –

(나)

껍데기는 가라.
사월도 알맹이만 남고 / 껍데기는 가라.

껍데기는 가라.
동학년(東學年) 곰나루의, 그 아우성만 살고
껍데기는 가라.

그리하여, 다시 / 껍데기는 가라.
이곳에선, 두 가슴과 그곳까지 내논
아사달 아사녀가 /
중립(中立)의 초례청 앞에 서서
부끄럼 빛내며 / 맞절할지니

껍데기는 가라.
한라에서 백두까지 /
향그러운 흙가슴만 남고
그 모오든 쇠붙이는 가라.

— 신동엽, 「껍데기는 가라」 —

13 (가)와 (나)의 공통점을 가장 적절한 것은?

① 청유형 문장을 통해 화자의 태도를 강조하고 있다.
② 역설적 상황을 제시하여 삶의 의미를 성찰하고 있다.
③ 반어적 표현을 활용하여 시어의 의미를 부각하고 있다.
④ 동일한 종결 어미의 반복을 통해 일정한 리듬을 형성하고 있다.
⑤ 과거형 어미를 활용하여 대항에 대한 단정적 태도를 드러내고 있다.

14 (가)를 감상한 것으로 적절하지 않은 것은?

① '가래'는 불의한 현실을 살고 있는 화자의 내면에 생긴 불순함으로 봐야겠군.
② '죽음을 잊어버린 영혼과 육체'는 옳지 않은 현실에 안주하는 존재를 의미하는 것 같아.
③ '고인 가슴의 가래라도 마음껏 뱉자'는 불의에 저항하는 화자의 모습이라고 볼 수 있겠어.
④ '눈'은 순수한 생명력으로 보지만 신체 기관으로서의 눈으로 해석할 때는 현실에 대한 비판적인 시선으로 볼 수도 있겠군.
⑤ '기침'을 하는 행위는 눈의 순수함을 통해 우리가 살고 있는 현실 세계의 더러움과 속됨을 씻어 내자는 의미로 해석할 수 있을 것 같아.

[15~17] 다음 글을 읽고 물음에 답하시오.

(가) 눈은 살아 있다.
　　떨어진 눈은 살아 있다.
　　마당 위에 떨어진 눈은 살아 있다.

　　㉠기침을 하자.
　　젊은 시인이여 기침을 하자.
　　눈 위에 대고 기침을 하자.
　　눈더러 보라고 마음 놓고 마음 놓고
　　기침을 하자.

　　눈은 살아 있다.
　　죽음을 잊어버린 영혼과 육체(肉體)를 위하여
　　눈은 새벽이 지나도록 살아 있다.

　　기침을 하자.
　　젊은 시인이여 기침을 하자.
　　눈을 바라보며
　　밤새도록 고인 가슴의 가래라도
　　마음껏 뱉자.

－ 김수영, 「눈」 －

(나) 껍데기는 가라.
　　사월도 알맹이만 남고
　　껍데기는 가라.

　　껍데기는 가라.
　　동학년(東學年) 곰나루의, 그 아우성만 살고
　　껍데기는 가라.

　　그리하여, 다시
　　껍데기는 가라.
　　이곳에선, 두 가슴과 그곳까지 내논
　　아사달 아사녀가
　　중립(中立)의 초례청 앞에 서서
　　부끄럼 빛내며
　　맞절할지니

　　껍데기는 가라.
　　한라에서 백두까지
　　향그러운 흙가슴만 남고
　　그, 모오든 쇠붙이는 가라.

－ 신동엽, 「껍데기는 가라」 －

15 (가)와 (나)를 이해한 것으로 적절하지 <u>않은</u> 것은?

① (가)는 구체적인 행위를 제시하여 자기 정화의 의지를 표명하고 있다.

② (가)는 청자를 설정하고 있으나 실상 자신에 대한 다짐으로 이해할 수 있다.

③ (나)는 자아의 내면적 성찰에 초점을 두고 관조적인 어조로 말하고 있다.

④ (가)와 (나) 모두 계절적 배경을 활용하여 시적 상황을 형상화하고 있다.

⑤ (가)와 (나) 모두 부정적 현실과 대결하려는 화자의 확고한 태도가 선명하게 나타나 있다.

16 (가)와 (나)의 표현상의 공통점을 맞게 고른 것은?

┤ 보기 ├
ㄱ. 시어의 대비를 통해 주제를 부각하고 있다.

ㄴ. 상징과 대유의 방식으로 시어의 의미를 표현하고 있다.

ㄷ. 명령형 어미를 사용하여 단호한 태도를 드러내고 있다.

ㄹ. 시구의 점층적인 반복을 통하여 화자의 의지를 강조하고 있다.

① ㄱ, ㄴ   ② ㄱ, ㄷ   ③ ㄱ, ㄹ   ④ ㄴ, ㄷ   ⑤ ㄷ, ㄹ

17 위 〈보기〉의 ⓐ~ⓔ 중 (가)의 ㉠에 의미상 대응되는 것은?

───┤ 보기 ├───

왜 나는 조그마한 일에만 분개하는가
저 왕궁 대신에 왕궁의 음탕 대신에
ⓐ50원짜리 갈비가 기름덩어리만 나왔다고 분개하고
옹졸하게 분개하고 설렁탕집 돼지 같은 주인년한테
욕을 하고 / 옹졸하게 욕을 하고

한번 정정당당하게
ⓑ붙잡혀 간 소설가를 위해서
언론의 자유를 요구하고 월남파병에 반대하는
자유를 이행하지 못하고
이십 원을 받으러 세 번씩 네 번씩
찾아오는 야경꾼들만 증오하고 있는가

옹졸한 나의 전통은 유구하고 이제 내 앞에 정서(情緒)로 가로놓여 있다.
이를테면 이런 일이 있었다.
부산에 포로수용소의 제14 야전 병원에 있을 때
정보원이 너스들과 스펀지를 만들고 거즈를
개키고 있는 나를 보고 포로 경찰이 되지 않는다고
남자가 뭐 이런 일을 하고 있느냐고 놀린 일이 있었다.
너스들 옆에서

지금도 내가 반항하고 있는 것은 이 스펀지 만들기와
거즈 접고 있는 일과 조금도 다름없다.
개의 울음소리를 듣고 그 비명에 지고
머리도 피도 안 마른 애놈의 투정에 진다.
ⓒ떨어지는 은행나무 잎도 내가 밟고 가는 가시밭
아무래도 나는 비켜서 있다 절정 위에는 서 있지
않고 암만해도 ⓓ조금쯤 비켜서 있다
그리고 조금쯤 옆에 서 있는 것이 조금쯤
비겁한 것이라고 알고 있다!

그러니까 이렇게 ⓔ옹졸하게 반항한다.
이발쟁이에게
땅주인에게는 못하고 이발쟁이에게
구청 직원에게는 못하고 동회 직원에게도 못하고
야경꾼에게 20원 때문에 10원 때문에 1원 때문에
우습지 않으냐 1원 때문에

모래야 나는 얼마큼 작으냐
바람아 먼지야 풀아 나는 얼마큼 작으냐
정말 얼마큼 작으냐 ……

— 김수영, 「어느 날 고궁을 나오면서」 —

① ⓐ   ② ⓑ   ③ ⓒ   ④ ⓓ   ⑤ ⓔ

(가) ⓐ눈은 살아 있다.
　　　떨어진 눈은 살아 있다.
　　　마당 위에 떨어진 눈은 살아 있다.

　　　ⓑ기침을 하자.
　　　젊은 시인이여 기침을 하자.
　　　눈 위에 대고 기침을 하자.
　　　눈더러 보라고 마음 놓고 마음 놓고
　　　기침을 하자.

　　　눈은 살아 있다.
　　　죽음을 잊어버린 영혼과 육체(肉體)를 위하여
　　　눈은 새벽이 지나도록 살아 있다.

　　　기침을 하자.
　　　젊은 시인이여 기침을 하자.
　　　눈을 바라보며
　　　밤새도록 고인 가슴의 가래라도
　　　마음껏 뱉자.

　　　　　　　　　　　　　　　　　　　　　　－ 김수영, 「눈」 －

(나) ⓒ껍데기는 가라.
　　　사월도 알맹이만 남고
　　　껍데기는 가라.

　　　껍데기는 가라.
　　　동학년(東學年) 곰나루의, 그 아우성만 살고
　　　껍데기는 가라.

　　　그리하여, 다시
　　　껍데기는 가라.
　　　이곳에선, 두 가슴과 그곳까지 내논
　　　아사달 아사녀가
　　　중립(中立)의 초례청 앞에 서서
　　　부끄럼 빛내며
　　　맞절할지니

　　　껍데기는 가라.
　　　한라에서 백두까지
　　　향그러운 흙가슴만 남고
　　　그, 모오든 쇠붙이는 가라.

　　　　　　　　　　　　　　　　　　　　　　－ 신동엽, 「껍데기는 가라」 －

18 (가)와 (나)에 대한 공통점으로 적절하지 <u>않은</u> 것은?

① 상징적인 시어가 사용되고 있다.
② 화자와 청자가 표면에 나타나고 있다.
③ 화자는 순수한 정신을 추구하고 있다.
④ 의미상 대조를 이루는 시어를 사용하고 있다.
⑤ 부정적인 현실에 대한 저항 의식이 드러나고 있다.

19 (가)의 소재에 대한 이해로 적절하지 <u>않은</u> 것은?

① '눈'은 순수하고 생명력이 있는 존재로 볼 수 있다.
② '기침'은 '가래'를 뱉어 내게 하므로, 정화의 노력으로 볼 수 있다.
③ '가래'는 불순한 것, 즉 일상에 안주하려는 소시민적 정신으로 볼 수 있다.
④ '죽음을 잊어버린 영혼과 육체'는 현실을 회피하고자 하는 지식인의 모습으로 볼 수 있다.
⑤ '밤'은 가슴에 '가래'가 고이는 시간이므로, 당시의 암울한 현실을 반영한다고 볼 수 있다.

20 ⓐ~ⓒ에 대한 설명으로 적절하지 <u>않은</u> 것은?

① ⓐ~ⓒ는 각각 시에서 점강적으로 변형되고 있다.
② ⓐ~ⓒ는 각각 시에서 반복되어 운율을 형성하고 있다.
③ ⓐ는 눈의 속성을 단정적인 어조로 나타내고 있다.
④ ⓑ는 화자가 가치 있다고 생각하는 삶의 모습을 청유형으로 제시하고 있다.
⑤ ⓒ는 화자의 단호한 의지를 명령형으로 표현하고 있다.

[01~04] 다음 글을 읽고 물음에 답하시오.

눈은 살아 있다 / 떨어진 눈은 살아 있다
마당 위에 떨어진 눈은 살아 있다

기침을 하자 / 젊은 시인이여 기침을 하자
눈 위에 대고 기침을 하자
눈더러 보라고 마음 놓고 마음 놓고 / 기침을 하자

눈은 살아 있다
죽음을 잊어버린 영혼과 육체를 위하여
눈은 새벽이 지나도록 살아 있다

기침을 하자 / 젊은 시인이여 기침을 하자
눈을 바라보며 / 밤새도록 고인 가슴의 가래라도
마음껏 뱉자

01 시에 사용된 시어 중, 〈보기〉 시의 '껍데기'에 대응하는 것을 찾아 쓰시오.

> **보기**
>
> 껍데기는 가라
> 사월도 알맹이만 남고
> 껍데기는 가라//
> 껍데기는 가라
> 동학년 곰나루의, 그 아우성만 살고
> 껍데기는 가라.
>
> — 신동엽, 「껍데기는 가라」 중에서 —

02 위 시의 '눈'의 시적 기능(㉮)을 그 상징성㉯과 관련하여 설명하되, 〈조건〉에 맞게 서술하시오.

> **조건**
>
> • '눈'을 주어로 하여 완결된 문장으로 서술할 것.
> • ㉮와 ㉯에 해당하는 내용을 포함할 것.

03 위 시와 〈보기〉의 시에 나타난 '눈'의 역할을 비교하여 서술하시오.

> ─┤ 보기 ├─
>
> 어느 머언 곳의 그리운 소식이기에
> 이 한밤 소리 없이 흩날리느뇨.//
> 처마 밑에 호롱불 야위어가며
> 서글픈 옛 자취인 양 흰 눈이 내려//
> 하이얀 입김 절로 가슴이 메어 / 마음 허공에 등불을 켜고
> 내 홀로 밤 깊어 뜰에 내리면//
> 머언 곳에 여인의 옷 벗는 소리.//
> 희미한 눈발 / 이는 어느 잃어진 추억의 조각이기에
> 싸늘한 추회(追悔) 이리 가쁘게 설레이느뇨.//
> 한줄기 빛도 향기도 없이 / 호올로 차단한 의상을 하고
> 흰 눈은 내려 내려서 쌓여 / 내 슬픔 그 위에 고이 서리다.
>
> ─ 김광균, 「설야」 ─

04 위 시의 밑줄 친 '눈'과 '가래'는 의미상 서로 대립된다. 각각 그 의미를 20자 내로 서술하시오.

[01~04] 다음 글을 읽고 물음에 답하시오.

(가) 둘하 노피곰 도두샤
어긔야 머리곰 비취오시라
어긔야 어강됴리
아으 다롱디리
져재 녀러신고요
어긔야 즌 딜 드뒤욜셰라
어긔야 어강됴리
어느이다 노코시라
어긔야 내 가논 딜 졈그롤셰라
어긔야 어강됴리
아으 다롱디리

– 어느 행상인의 아내, 「정읍사」 –

(나) 비 갠 긴 둑에 풀빛 고운데
남포에서 임 보내며 슬픈 노래 부르네.
대동강 물이야 언제 마르리.
해마다 이별 눈물 푸른 물을 보태나니.

– 정지상, 「송인」 –

(다) 십 년(十年)을 경영(經營)ᄒ여 초려삼간(草廬三間) 지여 내니,
나 ᄒ 간, 둘 ᄒ 간에 청풍(淸風)ᄒ 간 맛져 두고,
강산(江山)은 들일 듸 업스니 둘러 두고 보리라.

– 송순 –

01 (가)의 운율을 형성하는 요소로 가장 적절한 것은?

① 수미 상관식 구성을 통해 리듬감을 형성하고 있다.
② 동일한 어구의 반복을 통해 리듬감을 형성하고 있다.
③ 유사한 문장 구조를 반복하여 리듬감을 형성하고 있다.
④ 음성 상징어를 반복적으로 사용하여 리듬감을 형성하고 있다.
⑤ 각 행의 길이를 일정하게 유지하여 리듬감을 형성하고 있다.

02 (가)와 (나)를 비교한 것으로 적절하지 않은 것은?

① (가)는 (나)와 달리 배경 설화가 전해진다.
② (가)는 (나)와 달리 화자의 바람이 드러나 있다.
③ (가)는 (나)와 달리 작가가 누구인지 알 수 없다.
④ (나)는 (가)와 달리 한자로 기록되어 전해진다.
⑤ (나)는 (가)와 달리 임과 화자가 서로 떨어져 있다.

03 〈보기〉는 (가)의 시에 대한 학생의 평가이다. 〈보기〉에 대한 반론으로 가장 적절한 것은?

┌─ 보기 ┤
    높이 솟아 멀리 비추어 주는 것으로 '달' 대신 '해'를 사용하는 것이 더 좋았을 것 같아. '달'보다 '해'가 더 밝고 환한 빛을 내잖아.
└────────────

① '해'로 고치면 '달'을 보며 가졌던 당시 사람들의 낭만적 정서를 표현할 수 없어.

② 이 시에서 '달'은 상징적 존재로서의 달이기 때문에 빛의 밝음은 고려할 필요가 없어.

③ '달'에 다정다감한 남편의 모습을 투영하고자 했던 화자의 의도를 표현하려면 '해'로 바꿀 수 없어.

④ '해'로 바꾸면 밤길을 가는 남편 걱정에 잠 못 이루고 '달'을 보며 남편의 안위를 기원하는 아내의 정성을 드러낼 수 없어.

⑤ '해'가 '하루'의 시간을 나타내는 반면 '달'은 '한 달'이라는 시간을 드러내고 있으므로, 그렇게 바꾸면 남편의 부재로 인한 외로움이 잘 드러나지 않아.

04 (가)의 화자가 처한 상황 및 정서와 가장 유사한 것은?

① 이런돌 엇더ᄒ며 뎌런돌 엇더ᄒ료 / 초야 우생(草野愚生)이 이러타 엇더ᄒ료 / ᄒ믈며 천석고황(泉石膏肓)을 고텨 므슴ᄒ료

                                                                            ─ 이황, 「도산십이곡」 ─

② 강호(江湖)애 노쟈ᄒ니 성주(聖主)를 ᄇ리례고 / 성주(聖主)를 셤기쟈ᄒ니 소락(所樂)애 어긔예라. / 호온쟈 기로(岐路)애 셔셔 갈 ᄃᆡ 몰라 ᄒ노라.

                                                                            ─ 권호문 ─

③ 출하리 싀어디여 범나비 되오리라. 곳나모 가지마다 간 ᄃᆡ 죡죡 안니다가 향 므틴 ᄂᆞᆯ애로 님의 오ᄉᆞ 올므리라. 님이야 날인 줄 모ᄅᆞ셔도 내 님 조ᄎᆞ려 ᄒ노라.

                                                                            ─ 정철, 「사미인곡」 ─

④ 삼삼오오(三三五五) 야유원(冶遊園)의 새 사람이 나단 말가. 곳 피고 날 저물 제 정처(定處) 업시 나가 잇어, 백마금편(白馬金鞭)으로 어ᄃᆡ어ᄃᆡ 머무는고. 원근(遠近)을 모르거니 소식(消息)이야 더욱 알랴.

                                                                            ─ 허난설헌, 「규원가」 ─

⑤ 님을 뫼셔 이셔 님의 일을 내 알거니 믈 ᄀᆞ튼 얼굴이 편ᄒ실 적 몃 날 일고. 춘한고열(春寒苦熱)은 엇디ᄒᆞ야 디내시며 츄일동쳔(秋日冬天)은 뉘라셔 뫼셧ᄂᆞᆫ고. 죽조반(粥早飯) 죠셕(朝夕) 뫼 녜아 ᄌᆞᆺ티 셰시ᄂᆞᆫ가.

                                                                            ─ 정철, 「속미인곡」 ─

[05~08] 다음 글을 읽고 물음에 답하시오.

[앞부분 줄거리] 퇴기 월매와 성 참판 사이에서 태어난 성춘향은 뛰어난 용모와 글재주를 갖추고 있었다. 남원 부사의 아들 이몽룡은 광한루에 나갔다가 춘향에게 첫눈에 반하고, 그날로 둘은 백년가약을 맺는다. 그러나 몽룡이 교지를 받은 아버지를 따라 한양으로 가게 되면서 몽룡과 춘향은 이별해야 할 처지에 놓이고, 몽룡은 춘향에게 꼭 데리러 오겠노라 약속을 하고 떠난다. 이후 새로 부임한 변 사또가 춘향에게 수청을 강요하고 춘향은 이를 거절하다 옥에 갇힌다. 몽룡은 장원 급제 후 암행어사가 되어 신분을 숨긴 채 거지꼴로 춘향을 찾아온다. 춘향은 월매에게 몽룡을 부탁하고, 몽룡에게는 자신이 죽으면 시신을 잘 거두어 달라고 말한다.

(가) 육방(六房) 염문 다 한 후에 춘향 집으로 돌아와서 그 밤을 샌 연후에, 이튿날 출근 끝에 가까운 읍의 수령들이 모여든다. 운봉 영장, 구례, 곡성, 순창, 옥과, 진안, 장수 원님이 차례로 모여든다. 왼쪽에 행수 군관 오른쪽에 청령, 사령이 있고 본관 사또는 주인이 되어 한가운데 있어 하인 불러 분부하되,

"관청색(官廳色) 불러 다담(茶啖)을 올리라. 육고자(肉庫子) 불러 큰 소를 잡고, 예방(禮房) 불러 악공을 대령하고, 승발 불러 천막을 대령하라. 사령 불러 잡인을 금하라."

이렇듯 요란할 제 온갖 깃발이며 삼현 육각 풍류 소리 공중에 떠 있고, 연두저고리 다홍치마 입은 기생들은 흰 손 비단 치마 높이 들어 춤을 추고, 지화자 둥덩실 하는 소리에 어사의 마음이 심란하구나.

"여봐라 사령들아. 너의 사또에게 여쭈어라. 먼 데 있는 걸인이 좋은 잔치에 왔으니 술과 안주나 좀 얻어먹자고 여쭈어라."

저 사령의 거동 보소.

"우리 사또님이 걸인을 금하였으니, 어느 양반인지는 모르오만 그런 말은 내지도 마오."

등을 밀쳐 내니 어찌 아니 명관(名官)인가. 운봉 영장이 그 거동을 보고 본관 사또에게 청하는 말이,

"저 걸인의 의관은 남루하나 양반의 후예인 듯하니 말석에 앉히고 술잔이나 먹여 보냄이 어떠하뇨?"

본관 사또 하는 말이,

"운봉의 소견대로 하오마는."

'마는' 하는 끝말을 내뱉고는 입맛이 사납겠다. 어사또 속으로,

'오냐, 도적질은 내가 하마. 오라는 네가 받아라.'

운봉 영장이 분부하여,

"저 양반 듭시라고 하여라."

어사또 들어가 단정히 앉아 좌우를 살펴보니, 당 위의 모든 수령 다담상을 앞에 놓고 진양조가 높아 가는데, ㉠어사또의 상을 보니 어찌 아니 통분하랴. 모서리 떨어진 개상판에 닥나무 젓가락, 콩나물, 깍두기, 막걸리 한 사발 놓았구나. 상을 발길로 탁 차 던지며 ㉡운봉 영장의 갈비를 가리키며,

"갈비 한 대 먹고지고."

"다리도 잡수시오."

하고는 운봉 영장이 하는 말이,

"이러한 잔치에 풍류로만 놀아서는 맛이 적사오니 차운(次韻) 한 수씩 하여 보면 어떠하오?"

"그 말이 옳다."

하니 운봉 영장이 운을 낼 제 높을 고(高) 자, 기름 고(膏) 자 두 자를 내어 놓고 차례로 운을 달아 시를 짓는다. 이때 어사또 하는 말이,

"걸인이 어려서 한시(漢詩)깨나 읽었더니 좋은 잔치 당하여서 술과 안주를 포식하고 그냥 가기 민망하니 차운 한 수 하사이다."

운봉 영장이 반겨 듣고 필연(筆硯)을 내어 주니, 좌중 사람들이 다 짓지도 않았는데 순식간에 글 두 귀를 지었으되, 백성들의 형편을 생각하고 본관 사또의 정체를 감안하여 지었겄다.

[A]
금준미주(金樽美酒) 천인혈(千人血)이요
옥반가효(玉盤佳肴) 만성고(萬姓膏)라.
촉루낙시(燭淚落時) 민루낙(民淚落)이요
가성고처(歌聲高處) 원성고(怨聲高)라.

이 글 뜻은,

금동이의 아름다운 술은 일천 백성의 피요
옥소반의 아름다운 안주는 일만 백성의 기름이라.
촛불 눈물 떨어질 때 백성 눈물 떨어지고
노랫소리 높은 곳에 원망 소리 높았더라.

이렇듯이 지었으되 본관 사또는 몰라보는데 운봉 영장은 글을 보며 속으로,
'아뿔싸. 일이 났다.'
이때 어사또가 하직하고 간 연후에 각 아전들을 분부하되,
"야야. 일이 났다."
공방 불러 돗자리 단속, 병방 불러 역마(驛馬) 단속, 관청색 불러 다담상 단속, 옥형방 불러 죄인 단속, 집사 불러 형구(刑具) 단속, 형방 불러 장부 단속, 사령 불러 숙직 단속. 한참 이리 요란할 제 사정 모르는 저 본관 사또가,
"여보 운봉은 어디를 다니시오?"
"소피 보고 들어오오."
본관 사또가 술주정이 나서 분부하되,
"춘향을 급히 올리라."

(나) 이때에 어사또, 부하들과 내통한다. 서리를 보고 눈길을 보내니 서리, 중방 거동 보소. 역졸을 불러 단속할 제 이리 가며 수군, 저리 가며 수군수군. 서리, 역졸 거동 보소. 외올망건 공단 모자 새 패랭이 눌러쓰고, 석 자 감발 새 짚신에 한삼(汗衫) 고의 산뜻하게 차려입고, 육모 방망이 사슴 가죽끈을 손목에 걸어 쥐고, 여기서 번쩍 저기서 번쩍, 남원읍이 우글우글. 청파 역졸 거동 보소. 달 같은 마패를 햇빛같이 번쩍 들어,
"암행어사 출두야."
ⓒ외치는 소리에 강산이 무너지고 천지가 뒤집히는 듯 초목금수(草木禽獸)인들 아니 떨랴. 남문에서,
"출두야."
북문에서,
"출두야."
동서문 출두 소리 청천(靑天)에 진동하고,
"모든 아전들 들라."
외치는 소리에 육방이 넋을 잃어,
"공형이오."
등채로 휘닥딱.
"애고, 죽겠다."
"공방, 공방."
공방이 자리 들고 들어오며,
"안 하겠다던 공방을 하라더니 저 불속에 어찌 들랴."
등채로 휘닥딱.
"애고, 박 터졌네."
좌수(座首) 별감(別監) 넋을 잃고 이방, 호방 혼을 잃고 나졸들이 분주하네. 모든 수령 도망갈 제 거동 보소. ⓔ인궤 잃고 강정 들고, 병부(兵符) 잃고 송편 들고, 탕건 잃고 용수 쓰고, 갓 잃고 소반 쓰고, 칼집 쥐고 오줌 누기. 부서지는 것은 거문고요 깨지는 것은 북과 장고라. 본관 사또가 똥을 싸고 멍석 구멍 생쥐 눈 뜨듯 하고, 안으로 들어가서,
"어, 추워라. 문 들어온다 바람 닫아라. 물 마르다 목 들여라."
관청색은 상을 잃고 문짝을 이고 내달으니, 서리, 역졸 달려들어 후닥딱.
"애고, 나 죽네."
이때 어사또 분부하되,

"이 골은 대감이 좌정하시던 골이라. 훤화를 금하고 객사(客舍)로 옮겨라."

자리에 앉은 후에,

"본관 사또는 봉고파직하라."

분부하니,

"본관 사또는 봉고파직이오."

사대문(四大門)에 방을 붙이고 옥형리 불러 분부하되,

"네 고을 옥에 갇힌 죄수를 다 올리라."

호령하니 죄인을 올린다. 다 각각 죄를 물은 후에 죄가 없는 자는 풀어 줄새,

"저 계집은 무엇인고?"

형리 여쭈오되,

"기생 월매의 딸이온데 관청에서 포악한 죄로 옥중에 있삽내다."

"무슨 죄인고?"

형리 아뢰되,

"본관 사또 수청 들라고 불렀더니 수절이 정절이라. 수청 아니 들려 하고 사또에게 악을 쓰며 달려든 춘향이로소이다."

어사또 분부하되,

"너 같은 년이 수절한다고 관장(官長)에게 포악하였으니 살기를 바랄쏘냐. 죽어 마땅하되 내 수청도 거역할까?"

춘향이 기가 막혀,

"내려오는 관장마다 모두 명관(名官)이로구나. 어사또 들으시오. 층암절벽(層巖絶壁) 높은 바위가 바람 분들 무너지며, 청송녹죽(靑松綠竹) 푸른 나무가 눈이 온들 변하리까. 그런 분부 마옵시고 어서 바삐 죽여 주오."

하며,

"향단아, 서방님 어디 계신가 보아라. 어젯밤에 옥 문간에 와 계실 제 천만당부 하였더니 어디를 가셨는지 나 죽는 줄 모르는가."

어사또 분부하되,

"얼굴 들어 나를 보라."

하시니 춘향이 고개 들어 위를 살펴보니, 걸인으로 왔던 낭군이 분명히 어사또가 되어 앉았구나. 반 웃음 반 울음에,

"얼씨구나, 좋을시고 어사 낭군 좋을시고. ⑪남원 읍내 가을이 들어 떨어지게 되었더니, 객사에 봄이 들어 이화춘풍(李花春風) 날 살린다. 꿈이냐 생시냐? 꿈을 깰까 염려로다."

한참 이리 즐길 적에 춘향 어미 들어와서 가없이 즐거하는 말을 어찌 다 설화(說話)하랴.

춘향의 높은 절개 광채 있게 되었으니 어찌 아니 좋을쏜가. 어사또 남원의 공무 다한 후에 춘향 모녀와 향단이를 서울로 데려갈새, 위의(威儀)가 찬란하니 세상 사람들이 누가 아니 칭찬하랴.

– 열녀춘향 수절가 –

---

05 윗글에 대한 설명으로 적절하지 않은 것은?

① 근원설화를 바탕으로 창작된 판소리계 소설이다.

② 판소리의 영향을 받아 4음보의 운율감이 살아있다.

③ 일상생활에서 사용하는 우리말과 한자어가 함께 나타난다.

④ 작품 속 서술자가 작중 상황과 사건을 객관적인 입장에서 서술하고 있다.

⑤ 지역에 따라 인물 설정이나 이야기 전개가 다른 이본(異本)이 존재했다.

06 다음을 참고하여 윗글을 감상한 내용으로 적절하지 <u>않은</u> 것은?

> 조선 시대는 양인과 천민을 구분하는 신분제와 유교적 가부장제가 근간이 된 사회였다. 그런데 이 작품의 배경이 된 조서 후기에는 사회 각 분야에서 큰 변화가 일어났다. 신분제가 흔들리고 서민층의 의식이 점차 성장하면서 기존 사회 제도와 관념에 저항하는 정신이 싹트게 된 것이다.

① 춘향이 본관사또뿐만 아니라 어사또의 수청까지 거절한 것은 당시의 가부장제에 대한 여성의 저항의지를 반영한 것이다.

② 춘향이 본관 사또의 압박과 회유를 물리치고 지조와 정절을 지킨 이면에는 기생의 신분에서 벗어나고자 하는 의지가 담겨 있다.

③ 춘향의 신분적 제약을 초월한 사랑은 한 인간으로서의 개인이 자신의 삶과 운명을 결정하려는 근대적 의식의 반영이라고 할 수 있다.

④ 어사 출두 장면에서 본관 사또와 탐관오리들이 당황하는 모습을 우스꽝스럽게 표현한 것은 양반을 희화화하고자 하는 서민의식의 반영이라고 할 수 있다.

⑤ 본관 사또가 봉고파직을 당하는 내용은 당시 가렴주구(苛斂誅求)를 일삼았던 탐관오리의 횡포에서 벗어나고자 하는 백성들의 욕망을 반영했다고 볼 수 있다.

07 [A]에 대한 설명으로 적절한 것을 〈보기〉에서 있는 대로 고른 것은?

> ┤ 보기 ├
>
> ㄱ. 설의적 표현을 활용하여 모순된 현재 상황을 강조하고 있다.
> ㄴ. 부패한 관리들의 탐욕과 사치를 풍자하여 주제를 형상화하고 있다.
> ㄷ. 사건의 전개 과정에서 독자의 심리적 긴장감을 약화시키는 역할을 한다.
> ㄹ. 운봉 영장이 어사또의 정체를 파악하는 계기를 제공하며, 새로운 사건이 일어날 것을 암시한다.
> ㅁ. 대구법과 은유법을 통해 백성들이 고통스러운 삶을 해학으로 이겨내는 모습을 보여주고 있다.

① ㄱ, ㄴ   ② ㄱ, ㄷ   ③ ㄴ, ㄹ   ④ ㄴ, ㄹ, ㅁ   ⑤ ㄷ, ㄹ, ㅁ

08 ㉠~㉤에서 드러나는 표현상의 특징으로 적절하지 않은 것은?

① ㉠ : 서술자가 인물이 처한 상황에 대해 심정적(心情的) 동조의 의견을 드러내고 있다.

② ㉡ : 음은 같으나 뜻이 다른 단어를 활용하여 전하고자 하는 의미를 해학적으로 표현하고 있다.

③ ㉢ : 암행어사의 위세를 강조하기 위해 과장법을 활용하고 있다.

④ ㉣ : 대구법과 열거법을 사용하여 사건을 빠르게 전개하고 있다.

⑤ ㉤ : 춘향이 고난과 위기를 겪다가 기사회생(起死回生)한 것을 비유적으로 표현하고 있다.

(가) ㉠눈은 살아 있다.
　　떨어진 눈은 살아 있다.
　　마당 위에 떨어진 눈은 살아 있다.

　　기침을 하자.
　　젊은 시인이여, 기침을 하자.
　　눈 위에 대고 기침을 하자.
　　눈더러 보라고 마음 놓고 마음 놓고
　　기침을 하자.

　　눈은 살아 있다.
　　죽음을 잊어버린 영혼과 육체를 위하여
　　눈은 새벽이 지나도록 살아 있다.

　　기침을 하자.
　　젊은 시인이여, 기침을 하자.
　　눈을 바라보며
　　밤새도록 고인 가슴의 가래라도
　　마음껏 뱉자.

－ 김수영, 「눈」 －

(나) 껍데기는 가라.
　　사월도 알맹이만 남고
　　껍데기는 가라.

　　껍데기는 가라.
　　동학년(東學年) 곰나루의, 그 아우성만 살고
　　껍데기는 가라.

　　그리하여, 다시
　　껍데기는 가라.
　　이곳에선, 두 가슴과 그곳까지 내논
　　아사달 아사녀가
　　중립(中立)의 초례청 앞에 서서
　　부끄럼 빛내며
　　맞절할지니

　　껍데기는 가라.
　　한라에서 백두까지
　　향그러운 흙가슴만 남고
　　그, 모오든 쇠붙이는 가라.

－ 신동엽, 「껍데기는 가라」 －

09 (가), (나)를 비교하여 감상한 내용으로 적절하지 <u>않은</u> 것은?

① (가)는 단호하고 남성적인 어조로 단정적이며 권유적이다.
② (나)는 직설적 화법을 통해 화자의 소망을 강조하고 있다.
③ (가), (나) 모두 대립적, 상징적 이미지의 시어를 사용하고 있다.
④ (가)는 (나)와 달리 명령형 어미를 사용하여 단호한 의지를 드러내고 있다.
⑤ (가), (나) 모두 동일한 문장의 반복을 통해 주제를 강조하고 있다.

10 ㉠은 화자에게 어떤 역할을 하는지 가장 적절한 것은?

① 과거의 삶을 진지하게 성찰하게 한다.
② 부정적 현실을 잘 수용할 수 있도록 하는 역할을 한다.
③ 힘겨웠던 지난날을 떠올리게 하여 전화위복의 계기로 삼게 한다.
④ 자신이 직면한 현실을 직시하고 보다 낙관적인 태도를 갖게 한다.
⑤ 현실과 타협하지 않고 불의에 저항하는 정신을 일깨우는 역할을 한다.

11 (가)와 〈보기〉의 시적 화자의 공통적 태도로 가장 적절한 것은?

┤ 보기 ├

죽는 날까지 하늘을 우러러
한 점 부끄럼이 없기를,
잎새에 이는 바람에도
나는 괴로워했다.
별을 노래하는 마음으로
모든 죽어 가는 것을 사랑해야지.
그리고 나한테 주어진 길을
걸어가야겠다.

오늘 밤에도 별이 바람에 스치운다.

– 윤동주, 「서시」 –

① 순수한 삶에 대한 열망과 의지
② 강렬한 생명력 발현에 대한 예찬
③ 힘겹고 고통스러운 삶에 대한 증오
④ 절대자에 대한 화자의 무조건적인 믿음
⑤ 현실을 떠난 이상 세계에 대한 도전 정신

MEMO

MEMO

고등국어
HIGH SCHOOL

실전기출 문제은행

정답 및 해설

2A
2학기중간

창비 | 최원식

(1) 공간이 달라지면 사는 풍경도 달라질까

확인학습
P.09

01 ○	02 ×	03 ×	04 ×	05 ×	06 ○	07 ○	08 ×
09 ○	10 ○	11 ○	12 ○	13 ○	14 ○	15 ○	16 ×
17 ×	18 ×	19 ×	20 ○	21 ×			

객관식 기본문제
P.14~17

01 ④	02 ①	03 ⑤	04 ①
05 ②⑤	06 ③	07 ④	08 ⑤
09 ①	10 ④	11 ①	

01 요약 및 정리를 하는 것은 읽기 후이다.

02 읽기의 전, 중, 후에서 선택한 읽기 방법에 따라 읽기의 결과는 달라질 수 있다. 그러나 읽기의 방법이 각각에 고정되어 있지는 않다.

03 글의 중심 내용을 정리하고, 읽기 전에 예측했던 것과 비교하는 활동은 읽기 후의 과정이다.

04 글을 읽다가 예상했던 내용과 다른 점이 있다면 예상과 다른 내용을 확인하면 된다. 굳이 읽기 목적을 다시 확인해야 하는 것은 아니다.

05 본문에 '지역 사회를 기반으로 사람들 사이의 관계가 형성되어 있어야 하고, 물리적으로는 개인의 공간과 공공의 공간 사이에 중간적 성격의 공간이 있어야 한다'고 설명하고 있으므로 옳은 설명이다.

06 본문에 '과거의 살림집은 마당과 텃밭까지 포함하는 공간이었기에 생활의 영역은 마을까지 확장되었다.'라고 말하고 있으므로 옳은 말이다.

07 해당 단락에서는 공동 주택의 등장에 따른 공동체적 관계 변화와 사이 공간의 부재로 소통이 어려운 아파트에 관한 설명을 하고 있으므로 이를 반영한 '동질성과 사생활'이 소제목으로 가장 적합하다.

08 본문에서 '주택의 형태나 외관만 보면 모두 같은 공간에 사는 유사한 집단으로 보이지만, 그 안에서의 생활 모습은 공유할 만한 것이 거의 없다'라고 설명했으므로 적절하지 않다.

09 ⓐ : 어떤 성질이나 뜻 따위를 속에 품음

10 현대 사회의 대표적인 주거 형태는 하나의 건물 내에 수평적, 혹은 수직적으로 균일한 주거 공간이 밀집되어 있다. 수직적인 형태만 있는 것은 아니다.

11 앞의 내용이 뒤의 내용의 이유나 원인, 근거가 될 때 쓰는 접속 부사인 '그러므로'가 적합하다.

객관식 심화문제
P.18~22

01 ④	02 ③	03 ②	04 ②
05 ②	06 ⑤	07 ②	08 ①
09 ③	10 ⑤		

01 이 글에 주로 사용된 설명 방식은 대조이다. ① 구분 ② 정의 ③ 분석 ⑤ 유추

02 글쓴이는 아파트를 부정적인 시각으로 보고 있는데 특히 아파트가 구성원들의 소통을 막는다는 측면에 주목하고 있다.

03 B는 아파트도 인간적 교류가 이루어지는 공간이라고 말하고 이를 기록으로 남기고 싶어 한다. B는 본문에 대해 아파트의 부정적인 면만 바라본다며 비판할 수 있다.

04 본문에 '단지 내에는 단지를 구획하는 울타리, 보안과 감시를 위해 설치한 시시 티브이(CCTV), 외부인을 통제하는 차단기, 비밀번호를 눌러야만 열 수 있는 견고한 출입문이 있을 뿐이다.'라고 설명하며 아파트 단지의 특성을 설명하고 있다.

05 '개인이 생활을 하는 집과 일을 하는 장소가 멀리 떨어져 있지 않았다. 그렇기 때문에 사람들은 매일 두 공간 사이를 오가며 그곳에서 다양한 일을 경험했다.'라고 말하며 주거지와 직장이 가까운 것을 긍정적으로 보고 있다.

06 이 글에서 말하는 '커뮤니티'는 비의도적으로 모여서 자연스럽게 형성된 모임을 말하는데 ⑤번 보기에서 '우연히' 사람들이 만나서 모여 대화를 나누는 것이 이에 해당한다고 할 수 있다.

07 비슷한 부류의 사람들이 모인다는 뜻의 한자 성어 '유유상종'이 적절하다.

08 ⓐ의 경우 단지의 이익과 관련되어야 한다. 개별 세대이지만 자신의 이익을 지키기 위해 집단적인 행동을 하는 것이다.

09 각각의 개별적인 가구가 이익과 관련하여 하나된 관계에 있다는 맥락의 말이 들어가야 한다.

10 (나)에는 아파트 내의 공간들이 인간적 교류와 관계가 없다고 나와있는데, ⑤의 진술은 서로 인간적인 교감을 하고 있으므로 (나)를 비판할 수 있다.

서술형 심화문제
P.23~25

01 방 → 마당 → 대문 밖 → 골목길 → 동네 중심부

02 과거에는 마당에 텃밭까지 포함하는 공간이며 제각각의 형태를 띠지만, 집 안팎을 살펴보면 모여 살 수 있는 구조이다. 그러나 오늘날은 개개인의 개별적인 공간이며 균일한 형태를 띠고, 사생활이 보장된다.

03 과거에는 오랜 시간에 걸쳐 자연스럽게 형성되었으나, 오늘날에는 불특정 다수를 위해 전문 건설업자들이 급조한다.

04 과거에는 사이 공간이 존재하였으며, 사람들이 자연스럽게 만나 친밀한 사회적 관계를 형성하였지만 오늘날에는 사이 공간이 없고, 사람들 사이의 만남과 교류가 어렵다.

05 공동 주택(아파트)에는 '사이 공간'이 없기 때문이다.

(2) 열려라, 소통하는 글쓰기

확인학습 P.27

01 ×   02 ○   03 ○   04 ×   05 ○   06 ○

확인학습 P.30

01 ×   02 ○   03 ×   04 ○   05 ○   06 ×   07 ○   08 ×
09 ×   10 ×

객관식 기본문제 P.31~35

01 ②	02 ②	03 ②	04 ⑤
05 ①	06 ③	07 ②	08 ④
09 ④	10 ⑤	11 ⑤	12 ④
13 ②	14 ③		

01 이 글은 컵라면의 면에 숨겨 있는 과학적 원리를 병렬적으로 설명하였다.

02 라면은 밀가루로 만든 면인데 밀가루에는 전분 외에 단백질을 포함한 다른 성분도 들어 있다.

03 컵라면의 면발이 더 가늘거나 납작함

04 컵라면은 순수 전분의 비율을 높인다.

05 예상했던 내용과 글이 다르다고 해서 읽기 목적을 점검하고 변경해야 하는 것은 아니다.

06 윗글에 '컵라면 용기에 물을 부으면 위쪽보다는 아래쪽이 덜 식는다.'고 설명하고 있다.

07 윗글에는 대류 현상이 일어나는 모습을 보이는 자료가 제시되어 있지 않다.

08 문자를 중심으로 이미지 등이 사용 되는 것은 인터넷 매체만의 특성이라 할 수 없다.

09 본명이 드러나지 않는다고 해서 하고 싶은 말을 자유롭게 해도 괜찮다는 것은 아니다. 익명이더라고 상대에 대한 예의를 지켜야 한다.

10 '비틀비틀'의 댓글은 글쓴이의 인격을 무시하는 발언으로 쓰기 윤리에 어긋난다.

11 인터넷 글쓰기는 쌍방향으로 소통이 가능하여 글쓴가 바로 독자의 의견을 받아들여 내용을 수정할 수 있다.

12 운전자의 사고 과실 책임 사항은 윗글에 나타나있지 않다.

13 윗글에는 전문가의 견해를 인용한 부분은 나타나있지 않다.

14 본문에 최근 발생한 대부분의 교통사고가 보행 중 스마트폰 사용 때문이라며 내용을 과장하여 제시했다.

객관식 심화문제 P.36~48

01 ①	02 ④	03 ③	04 ①
05 ⑤	06 ④	07 ③	08 ②
09 ④	10 ①	11 ①	12 ②
13 ②	14 ④	15 ⑤	16 ④
17 ③	18 ⑤	19 ④	

01 (가)의 갈래는 수필로, 글쓴이의 생각과 느낀 바를 솔직하게 표현하고 있다.

02 전문가의 말을 간접인용한 것이 아니라 직접인용하고 있다.

03 이 글은 화제가 구체적이고, 직접적인 경험에 의해 쓴 글이다. 사변적은 경험에 의하지 않고 순수 이성에 의하여 인식하고 설명하는 것을 말한다.

04 쓰기 계획 단계에서 글을 어디에 실을 것인지 결정한다.

05 영훈이는 '역사 대장'에게 새로운 정보를 전달하지 않고 있다.

06 독자와의 소통 결과로 얻은 새로운 정보에 대해 확인한 내용은 찾아볼 수 없다.

07 이 글의 조직은 경험과 깨달음의 구성으로 되어 있고, 시간의 흐름에 따라 제시하고 있다.

08 경험을 원인과 결과에 따라 서술한 것이 아니다. 경험을 시간 순서에 따라 구성했다고 할 수 있다.

09 〈보기〉는 선정적인 제목을 통해 관심을 끌고 있다. 제목만으로는 기사의 내용을 오해할 수 있다.

10 서론-1에서는 초연결 사회와 관련된 흥미로운 사례를 제시하면서 관심을 유도하고 그러면서 초연결 사회의 개념을 제시해 주는 부분이다. 부정적인 현실 상황을 제시하지 않는다.

11 바로 뒷문장까지는 긍정적인 부분이므로, 그 다음 문장과 바꾸는 게 자연스럽다. '이에 따라 과거에는~해내고 있다' 다음으로 들어가야 한다.

12 '그런데'가 아니라 '또'로 고치고 초연결 사회의 장점을 이어나가야 하는 부분이다.

13 흥미로운 사례를 제시하고, 인간의 신체적 한계를 극복하는 데에 도움을 주는 시각 장애인을 위한 안경을 예로 들어주고 있다.

14 과잉연결시대의 발생 원인을 분석하고 문제를 제시하는 것이 아니라, 적절하게 조절하는 지혜가 필요하다고 설득하고 있는 글이다.

15 문제점을 근거자료로 찾는 것이기 때문에 긍정적인 부분인 자료 4는 적절하지 않고, 이 글은 '데이터의 민주화'에 대해 이야기하지 않기 때문에 자료5도 적절하지 않다.

16 초등학생 독자에게 이해가 쉽지 않은 '감지 장치와 통신 회로'와 같은 용어를 사용하고 있다.

17 '먼저, 다음으로..'와 같은 담화표시로 전개하고 있다.

18 새롭게 내용을 전개하지 않고 아예 삭제하였다.

19 위 기사문에서 네티즌 의견을 거짓되게 과장한 부분은 등장하지 않는다.

서술형 심화문제

01 뜨거운 물의 대류 현상을 원활하게 하여 물을 계속 끓이지 않아도 면이 고르게 익도록 하기 위해서이다.

02 전분이 너무 많이 들어가면 면발이 익는 시간이 빨라지는 만큼 불어 터지는 속도도 빨라져 컵라면을 다 먹기도 전에 곤죽이 되기 때문이다.

03 계획하기 → 생성하기 → 조직하기 → 표현하기 → 고쳐쓰기

04 • 교통안전 공단 누리집으로 이동할 수 있도록 하이퍼링크를 통해 주소를 연결함.
   • 글이나 댓글을 익명으로 쓸 수 있음.
   • 댓글로 글에 관한 의견을 즉각적으로 전달하고 쌍방향으로 소통함.

05 • 본문에서 스마트폰 보급률 상위 10국에 관한 그래프 자료의 출처를 제시하지 않은 부분
   • 최근 발생한 대부분의 교통사고가 보행 중 스마트폰 사용 때문이라며 내용을 과장하여 제시한 부분
   • '비틀비틀'의 댓글에서 글쓴이의 인격을 무시하는 부분 ("잘 알지도 못하면서 여기저기서 내용을 긁어서 글을쓰다니 한심하네. 쯧쯧.")

(3) 세상을 바꾸는 토론

확인학습

01 ✕   02 ◯   03 ✕   04 ◯   05 ✕   06 ◯

확인학습

01 ◯   02 ◯   03 ✕   04 ◯   05 ✕

확인학습

01 ◯   02 ✕   03 ✕   04 ◯   05 ◯

객관식 기본문제

01 ①	02 ②	03 ①	04 ④
05 ④	06 ⑤	07 ③	08 ④
09 ①	10 ④	11 ④	12 ⑤
13 ⑤			

01 낮은 투표율이 투표 결과의 정당성 확보가 어렵다는 문제는 찬성 측 입장이다.

02 이 글은 우리나라의 선거 투표율이 저조하다는 문제점을 말하고 있는데 이것을 통해 우리나라도 의무 투표제를 도입하여 문제를 해결할 수 있는가에 대한 토론을 할 수 있다.

03 높은 투표율을 핑계로 한다는 것으로 보아 방자하고 교만한 태도로 다른 사람을 업신여긴다는 '안하무인'이 들어가야 적절하다.

04 의무 투표제는 투표 불참자를 처벌하는 방안이다.

05 ⓓ : 감독하고 격려함

06 사전 투표나 전자 투표를 확대하는 방안은 본문에 없는 내용이다.

07 토론을 하게 된 배경과 논제를 소개하는 것은 사회자의 역할이다.

08 수준별 수업이 고등학교에서만 이뤄지는 이유에 대한 것은 중심적인 쟁점이 아니다.

09 토론은 한 가지 논제로 진행된다.

10 논제는 하나의 과제만을 포함하고 있어야 한다.

11 찬성 측에서는 정책 실행에 따른 이익이나 효과가 크다고 설명해야 한다.

12 사회자는 토론자들이 토론 규칙을 지키지 않으면 제재하는 역할이지만, 참여하지 못하게 하는 것은 아니다.

13 준비한 자료를 모두 전달해야 하는 것은 아니다.

객관식 심화문제

01 ②	02 ⑤	03 ③	04 ①
05 ⑤	06 ②	07 ④	08 ③
09 ③	10 ②	11 ①	12 ②
13 ②	14 ①	15 ④	16 ③
16 ③			

01 투표 연령을 낮추는 방안으로 문제 해결이 가능함을 주장하고 있다.

02 '투표 연령을 낮추어야 한다'에 반대하는 법적인 근거를 펼칠 예정이기에 ⑤가 적절하다.

03 반대측이 제시한 법적 근거의 허점을 지적하는 부분이다.

04 위 토론은 '반대 신문식 토론'으로 고전식 토론의 입론에서 바로 앞 상대자에 대한 반대 신문을 추가한 형태. 교차 조사를 통해 상대방의 논리적 오류를 지적하거나 반박의 토대로 삼는다.

05 외국의 사례를 통해 세계적 추세를 근거하고 있는 사람은 찬성 측이다.

06 사회자는 토론 참여자의 발언 순서를 정해주고 토론의 유의사항을 제시해준다. 이밖에도 논제를 소개라는 역할도 한다.

07 이와 같은 논제를 정책논제라고 한다.

08 "그러나 자기결정의 관점에서 청소년들을 바라보면, 자신의 삶에 스스로 영향력을 행사할 수 있으며 자신과 관련된 문제의 상황에서 스스로 선택하여 의사 결정을 할 수 있는 존재다."에서 투표 제한이 인권 침해라 볼 수 있는 근거 자료라고 할 수 있다.

09 역사적 사례를 언급하고 있으면서 영화관의 관객이라는 비유적인 표현과 자신의 의견을 반박하는 형식으로 잘 밝혔다.

10 예상되는 재앙이 아닌 이미 일어난 일들에 대해 설명하며 문제 상황이 심각함을 말하고 있다.

11 모피를 얻는 것이나, 의약품 개발이나 모두 동물입장에서 윤리적인 일이 아니다.

12 찬성 측은 정책 변화에 따른 효과와 이익이 더 크다고 주장해야 하지만, 반대 측은 현 상황의 유지를 주장해야 하므로 정책 변화에 따른 효과와 이익이 크지 않다고 주장해야 한다.

13 필수쟁점이란 논제와 관련하여 반드시 언급해야 하는 쟁점을 말한다. 이 글의 논제는 동물 실험의 비윤리성에 대한 것이므로 ㄷ만 해당한다.

14 내면의 아름다움을 소홀히 하는 것이 문제라고 말하는 것은 찬성측의 입장에 해당한다.

15 부정 측 토론자는 '사람들의 의식주 문제가 해결되면서 자연스럽게 미용에 대한 관심이 많아졌습니다.'라고 하며 구조적인 문제가 있음을 주장하고 있다.

16 토론은 주장에 대한 근거가 어떻게 주장과 연결되는지를 설명할 수 있어야 하며 근거는 객관적인 사실 정보를 가리키는데, 근거와 이유 사이에는 밀접한 연관성이 있어야 우위를 점할 수 있다.

17 사실 논제와 가치 논제에서도 '문제, 해결방안, 효과와 이익'이 필수 쟁점이 될 수 있다.

서술형 심화문제   P.76~80

01 (1) 가치관의 차이를 따지는 논제
   (2) 자유가 평등보다 가치 있다. 사랑이 우정보다 중요하다.
02 ㉠ 투표 연령을 낮추면 청소년이 자신의 미래를 선택할 권리를 얻을 수 있다.
   ㉡ 투표 연령을 낮추면 청소년의 인권 침해를 해소할 수 있다.
   ㉢ 청소년이 국가 정책과 정치에 관심을 갖게 된다.
   ㉣ 투표율을 높일 수 있다.
03 ⓐ입론 ⓑ 논제 ⓒ 반대신문
04 (2) 의문형 문장 대신 긍정형 서술문으로 표현되어야 한다.
   (5) 논제는 하나의 과제를 담아야 하는데, 두 개의 과제를 담고 있기 때문이다.
05 ㉠ 문제의 심각성
   ㉡ 문제의 해결 및 실행 가능성
   ㉢ 효과 및 이익
   ㉣ 18, 19, 20대 총선의 투표율은 46.1, 54.2, 58퍼센트였다. 유권자 10명 중 4명 이상이 자신의 권리를 포기한 것이므로 선출된 정치인들이 국민대표로서 정당성을 얻었다고 보기 어렵다.
   ㉤ 불이익을 제도화하여 투표를 독려하고 사전 투표나 전자 투표를 확대하면 쉽게 투표에 참여할 수 있다.
06 ㉠ : 낮은 투표율도 국민의 민주적인 선택의 결과이므로 정당성을 문제 삼을 수 없다.
   ㉡ : 의무 투표제는 공직선거법 제1조에서 밝힌 선거의 목적에 어긋난다.
   ㉢ : 의무 투표제가 아니더라도 투표율을 높일 수 있는 방안이 충분히 있다.
   ㉣ : 정치학자 데이비드 플라이셔는 의무 투표제 아래에서 유권자들이 후보의 공약도 모른 채 형식적으로 투표하는 경향이 있다고 말했다.

단원 종합평가   P.81~90

01 ②	02 ⑤	03 ②	04 ④
05 ⑤	06 ④	07 ④	08 ④
09 ②	10 ②	11 ③	12 ②
13 ⑤	14 ⑤		

01 이 글에서 과거와 현대의 길에 대한 인식의 공통점과 차이점은 나타나지 않는다.

02 실핏줄처럼 얽힌 불규칙한 길이 자연스럽게 자리한 것은 과거의 전통 마을이다.

03 본문 내용을 바탕으로 정리하면 '방 → 마당 → 대문 밖 → 골목길 → 동네 중심부'와 같다.

04 이 글에는 현대 이기주의의 문제점에 대해서는 언급하고 있지 않다.

05 지나치게 많은 연결로 생기는 문제점을 근거로 내세운다 했기에 ㉤과 같은 긍정적인 자료는 적절하지 않다.

06 선유는 질문을 던지면서 시작하고 있지 않고, 사례를 들면서 흥미를 유발하고 있기에 ㄱ은 적절하지 않다. 또한 전문가의 의견을 인용한 부분도 나와있지 않다.

07 공신력 있는 경찰청의 통계자료를 사례로 들었다.

08 세부 주장1의 '개인 정보가 흘러나가면 범죄에 노출이 된다는' 근거를 뒷받침 해주는 적절한 자료가 된다.

09 누구나 '참'으로 인정할 만한 대전제로 자신의 주장을 효과적으로 드러내려하고 있다.

10 미성년자의 투표 제한은 술이나 담배를 미성년자에게 팔지 않는 것을 보호로 보듯이 인권침해가 아니라 보호의 차원이라고 ㉮를 대비하고 있다.

11 반대 측 토론자는 아직 스스로 주체적인 판단을 내리기 어려운 나이라고 보고있다.

12 반대 1이 제시한 문제 해결 방안이 모든 상황에 적용될 수 없음을 지적함.

13 논제를 소개하고 발언 순서를 지정하는 것이 사회자의 역할이다.

14 논제의 조건은 찬반양론이 성립되어야 하고, 입증할 수 있는 것이어야 한다. 또한 하나의 과제만을 포함하고 있어야 한다.

(1) 정읍사 / 십 년을 경영호여

확인학습 P.93

01 × 02 × 03 ○ 04 ○ 05 ○ 06 × 07 × 08 ×

확인학습 P.94

01 × 02 × 03 × 04 ○ 05 ○ 06 ○

객관식 기본문제 P.96~102

01 ⑤	02 ①	03 ⑤	04 ③
05 ②	06 ②	07 ②	08 ④
09 ⑤	10 ③	11 ②	12 ⑤
13 ④	14 ②	15 ②	16 ①
17 ④	18 ③	19 ⑤	

01 (가)의 화자는 남편이 위험을 극복했으리라고 생각한 적이 없다.

02 이 글의 화자는 남편이 즌ᄃᆡ를 디딜까 두려워하고 걱정하고 있다. 남편에 대한 원망과 질책은 나타나지 않는다.

03 ㉡은 임이 겪을 위험한 상황을 의미하고 ㉢은 임이 가는 곳, 화자가 임을 마중나가는 곳 등의 의미인데, 이 둘이 서로 유사하다고 하는 것은 옳지 않다.

04 '져재'가 '시장에'로 해석되는 것은 옳지만, 물질적 욕망으로 인한 남편의 위험이라고 추측할 수 있는 근거가 되지 않는다. '시장'은 남편이 행상을 나간 곳에 해당한다.

05 여음구는 일정 간격을 두고 반복되어 나타나는 말이나 소리를 말하는데 주로 고려가요에 나타나고 시조에는 나타나지 않는다.

06 이 시의 초장에는 이미 십년동안 열심히 노력하여 초려삼간을 지어낸 모습이 나타나 있다.

07 중장의 '달'과 '청풍'에게 방 한 칸을 내어주고 같이 지낸다고 말하는 것으로 보아 의인화하여 동일한 인격체처럼 표현했다고 볼 수 있다.

08 중장에서는 집에 있는 방을 달과 청풍에게 맡긴다고 하고, 종장에서는 강산을 집 주변에 둘러 두고 보겠다고 말하는 것으로 보아, 가까이 보이는 경치인 방에서 멀리 보이는 경치인 강산으로 시선이 이동했다고 할 수 있다.

09 위 시조는 중장이 길어진 사설시조에 해당하므로 4음보의 음보율을 정확히 지켰다고 할 수 없다.

10 위 시조는 사설시조에 해당하는데, 일반 평민들에 의해 널리 창작된 것이 특징이다. 양반들에 의해 창작되고 향유된 것은 평시조에 해당한다.

11 반어적 진술이란 겉 내용과 속마음에 있는 내용을 서로 반대로 말하는 표현법을 말하는데, 정읍사에는 나타나있지 않다.

12 남편에게 닥칠 수 있는 부정적인 상황을 '즌ᄃᆡ'를 통해 표현하였다.

13 작품이 지어진 당시의 상황이 어떠했는지 확인할 필요는 있지만 작품에 대한 이해를 위해 오늘날까지 변화, 발전한 모습을 알아볼 필요는 없다.

14 주술적 성격이란 초월적인 존재에 기대서 재앙을 물리치거나 앞으로 일어날 일을 점치는 것을 말하는데, 정읍사에는 나타나지 않는다.

15 달이 높이 떠서 남편을 '비춰달라'고 요청하는 것에서 시각적 이미지를 통해 남편에 대한 걱정을 형상화하였다고 할 수 있다.

16 정읍사의 화자는 대상인 남편과의 만남을 확신하고 있지는 않다.

17 '달'은 높이 떠서 만물을 비추기는 하지만 권력을 지닌 존재로 그려지지 않는다. '달'은 높이 떠서 남편의 앞길을 환히 비춰서 위험한 상황에 처하지 않게 해주는 것이다.

18 정읍사에는 화자가 남편을 원망하는 부분이 나타나있지 않다.

19 '절치부심'은 몹시 분하여 이를 갈고 마음을 썩인다는 뜻으로, 정읍사의 화자가 분한 마음을 가졌다고 말할 수 없다.

객관식 심화문제 P.103~109

01 ①	02 ④	03 ⑤	04 ③
05 ③	06 ④	07 ③	08 ①
09 ④	10 ④	11 ④	12 ⑤

01 (가)는 '어긔야 어강됴리 아으 다롱디리'와 같은 여음구가 나타나있고, (나)에는 나타나있지 않다.

02 (가)에는 돌아오지 않은 남편에 대한 걱정과 기다림이 나타나있는데 '황진이'의 시조에도 임이 없는 기나긴 밤을 잘라 보관했다가 임이 왔을 때 펴서 쓰겠다고 하는 것으로 보아 임에 대한 기다림이 나타나있다고 할 수 있다.

03 '원왕생가'는 죽어서 극락왕생하고 싶은 화자의 소망을 담은 향가로, 자신의 소망을 직접적으로 드러내고 있다. (가)와 '원왕생가'모두 대상에 대한 원망은 드러나지 않는다.

04 정읍사에 나타난 '달'은 높이높이 돋아서 남편이 돌아오는 밤길을 환히 비춰주는 존재이다. 따라서 남편이 안전하게 돌아오도록 보호하는 의미를 담고 있다고 하는 설명이 적절하다.

05 (가)는 말을 건네는 어조를 확인할 수 없다. 혼자 자신의 심경을 말하는 '독백적' 어조가 적절하다.

06 (가)는 달과 바람이 한 집에 같이 들어와 사는 것을, (나)는 가슴에 창을 내서 답답한 심경을 풀어보겠다는 불가능한 발상을 활용하여 자신이 소망하는 바를 드러내고 있다.

07 (가)의 중장에서 자연과 함께 지내며 사는 '물아일체'된 화자의 모습을 찾을 수 있는데 〈보기〉에서도 '백구'가 화자를 쫓는 것인지, 화자가 '백구'를 쫓는 것인지 모르겠다고 하며 자연과 하나

된 모습을 보이고 있다.

08 (가)의 화자는 자연과 함께 즐기며 살아가는 태도가 드러났는데, ⓐ는 '내 몸이 시간적인 여유가 없다'는 뜻으로, 이것도 보고 저것도 듣고 바람도 쐬고 달도 맞이하고 밤도 줍고 고기도 낚으며 자연을 즐기느라 바빠 여유가 없다고 해석할 수 있다.

09 (가)의 화자는 행상 나간 남편이 무사히 돌아오기를 간절히 기다리고 있는데, 이와 어울리는 한자 성어는 '학의 목처럼 목을 길게 빼고 간절히 기다린다'는 의미의 '학수고대'가 적절하다.

10 '져재'는 '시장에'라는 뜻으로 남편이 행상을 나가 돈을 벌어 오는 공간이고, '남포'는 화자가 임과 이별하는 공간에 해당한다.

11 (다)의 시적화자는 자연을 즐기며 안분지족, 안빈낙도의 삶을 살고 있는데, '추야우중'에는 자연을 즐기는 태도는 나타나있지 않고 자신을 알아주지 않는 세상에 대한 괴로움과 '만리 밖'의 고향을 그리워 하는 마음이 나타난다.

12 (다)의 초려삼간은 세 칸짜리 초가집을 뜻하는데, 이것은 화자의 안빈낙도와 안분지족의 태도를 나타낸다. 따라서 '빈 배'가 가장 유사한 의미를 지닌다고 할 수 있다.

서술형 심화문제
P.110~111

01 ㄷ
02 남편의 안전을 걱정하는 마음이 담겨 있다.
03 우리 민족의 보편적인 정서를 다루고 있으며, 구비 전승되다가 한글로 기록되어 전해졌기 때문이다.
04 즌 딕룰 드딕욜셰라
05 져재
06 달, 청풍, 강산
07 몹시

01 ㉠과 ㉡은 행상 나가있는 남편이 주체이고, ㉢은 외로운 시적 화자 자기 자신이 주체이다.

04 '즌 딕룰 드딕욜셰라'는 '진 데를 디딜까 두렵습니다'라는 뜻으로 남편이 위험에 처하지 않을까 걱정하는 부분이다.

05 '져재'는 '시장에'라는 뜻으로 시적화자의 남편이 행상인이라는 것을 알 수 있다.

06 '물아일체'는 '자연과 내가 하나 된 느낌'이라는 뜻인데, 여기서 '물'은 자연을 뜻한다.

(2) 춘향전

확인학습
P.115

01 × 02 ○ 03 ○ 04 × 05 × 06 × 07 × 08 ○
09 ○ 10 ○

확인학습
P.119

01 ○ 02 ○ 03 ○ 04 × 05 × 06 × 07 × 08 ×
09 ○ 10 ×

객관식 기본문제
P.120~132

01 ④	02 ②	03 ②	04 ②
05 ②	06 ④	07 ④	08 ②
09 ⑤	10 ②	11 ③	12 ④
13 ④	14 ③	15 ②	16 ②
17 ①	18 ④	19 ④	

01 춘향과 몽룡의 사랑을 통해 신분을 초월한 남녀 간의 사랑을 확인할 수 있으며, 변사또의 학정에 춘향이가 저항하는 것과, 어사또가 변사또를 벌주는 것을 통해 권력자에 대한 하층민의 항거라는 주제를 확인할 수 있다.

02 이 글은 개성적 인물이 등장하여 사건 전개에 필연성을 부여하는 것 보다는 우연성이 두드러지는 글이다.

03 춘향과 몽룡이 사랑을 했다고 해서 자유연애 사상이 확산되었다는 것은 확인하기 어렵고, 춘향이의 신분이 하층민이며, 나중에 정렬부인으로 봉해졌지만 그것이 신분해방이 이루어진 것이라고 할 수는 없다.

04 ㄱ.'매미와 맵다, 쓰르라미와 쓰다'라는 발음의 유사성을 통한 언어유희가 나타난다. ㄹ.'유정, 무정'은 '정'의 반복을 통한 언어유희가 드러난다.

05 [B]에는 고향을 떠나는 슬픔만 드러나 있고, 자신에 대한 자책감은 나타나있지 않다.

06 내려오는 관장이 명관이 아니라 탐관오리인데 그것을 반대로 표현하여 말하려는 바를 강조하고 있다.

07 춘향이 정렬부인이 되려는 모습은 글에 나타나있지 않다. 춘향의 정절을 본 임금이 상으로 정렬부인이라는 직책을 내린 것이다.

08 춘향이 신분질서와 위계를 지키려는 모습은 확인할 수 없다.

09 이몽룡의 시를 읽은 운봉은 차분한 태도가 아니라 요란하게 주변을 단속했다.

10 이몽룡이 춘향의 소식을 들은 것은 필연적인 것이 아닌 우연적인 것이다.

11 변사또는 이몽룡의 신분을 전혀 알아채지 못했다.

12 ⓓ는 편집자적 논평이 아닌 객관적 상황 진술이다.

13 '형리'의 말을 보면 춘향의 상황에 대해 요약적인 말하기를 하고 있다.

14 본관 사또가 오히려 시를 이해하지 못했고 운봉과 같은 관리들이 이 시를 이해했다.

15 본관 사또의 불쾌한 심정을 표현한 것은 맞지만 비유적인 표현을 사용한 것은 아니다.

16 ㉤는 도치에 의한 언어유희인데, 이가 빠져 말이 헛 나오는 것을 말이 빠져 이가 헛나온다고 한 표현도 도치에 의한 언어유희이다.

17 〈보기〉는 월매의 대사가 구체적으로 나타나 있는데 ⓐ에는 춘향 어미의 말을 서술자의 논평으로 요약해서 설명하고 있다.

18 ㄱ.배경묘사를 통한 인물의 심리묘사는 나타나있지 않다. ㄷ.상황의 급박함을 드러내는 것은 열거법이고, 과장된 비유는 사용되지 않았다.

19 ㄴ.잔치 장면에서는 흥겨운 분위기의 음악을 사용해야 한다.

객관식 심화문제

P.133~156

01 ③	02 ③	03 ①	04 ②
05 ④	06 ②	07 ②	08 ④
09 ④	10 ④	11 ④	12 ④
13 ③	14 ③	15 ①	16 ④
17 ⑤	18 ③	19 ⑤	20 ①
21 ④	22 ③	23 ⑤	24 ①
25 ①	26 ③	27 ③	28 ③
29 ①	30 ④	31 ①	

01 (가)는 '가시리/ 가시리/ 잇고'로 끊어 읽어야 하며, 임과 이별하는 상황에서 임에 대한 원망과 체념, 재회의 소망 등을 소극적으로 표현한 작품이다.

02 (가)의 후렴구는 의미가 없으므로 슬픔을 확장하는 기능을 할 수 없다.

03 (나)는 전지적 작가 시점으로 전반적인 고전소설에서 많이 보이는 시점이다.

04 ⓕ, ⓖ, ⓗ는 인물의 대사이므로 서술자의 개입이라 볼 수 없다.

05 직유법이 아닌 은유법이 사용되었다.

06 ⓕ에 나타난 표현방식은 언어유희로, ㉠는 '이'를 숫자 2와 이몽룡의 성씨라는 두 가지 의미로 사용한 동음이의어를 통한 언어유희가 나타났고, ㉰는 '–반'의 반복을 통한 언어유희가 나타났고, ㉱에는 '유'라는 단어의 동음이의어를 통한 언어유희가 나타났다.

07 〈봉산탈춤〉은 양반들이 풍자의 대상이다.

08 '황조가'는 이별의 슬픔을 나타낸 작품으로 춘향이와 이몽룡이 재회하는 장면에 어울리지 않는다.

09 이몽룡에게만 소박한 음식을 대접한 것이고 차려진 음식 전체가 부실했던 것은 아니다.

10 [A]에는 탐관오리에 대한 비판의식이 드러나 있다. '잠령민정'은 초야에 묻힌 사람이 자신의 능력을 펼치지 못하는 상황에 대해 안타까워 하고 있다.

11 변사또가 직접적으로 자신의 권위와 자존심을 내세운다는 부분은 본문에서 확인할 수 없다.

12 '태평천하'에서 '윤 직원 영감'의 말을 '웅장한 투쟁의 선언'이라고 표현하였는데 이것은 우리만 빼놓고 망하라는 이기적인 인물을 반어적으로 비판하는 것이다.

13 부패한 집권층인 변사또를 희화화하여 제시하고 있다.

14 [A]와 [B]와 모두 호흡이 짧은 어구와 문장을 사용하여 긴박감을 높였다.

15 '흥부전'의 서술자는 '흥부'에게 연민과 애정을 바탕으로 하는 해학을 보이는 반면, 다른 보기의 작품들은 대상에 대한 부정적 인식을 바탕으로 대상을 공격하는 방식이다.

16 (가)에서 춘향이 꾀를 부려 위기 상황을 모면하는 부분은 찾을 수 없다.

17 [A]는 탐관오리의 학정을 비판하고 있는데, 이제현의 시에서도 탐관오리를 참새에 빗대서 밭의 벼, 기장을 다 없애버린다고 하며 탐관오리가 백성들에게 가렴주구한 모습을 보이는 것을 비판하고 있다.

18 내려오는 관장이 명장이 아니라 탐관오리인데 표현하고자 하는 바와 반대로 표현하는 반어법을 통해 상대방에 대한 부정적 태도를 드러내고 있다.

19 화자가 해설자에서 인물로 바뀌기는 했지만 연속된 장면이 나오는 부분이다.

20 운봉 영장은 어사또의 정체를 처음부터 알았던 것은 아니다.

21 [A]는 변사또의 학정을 비판하는 부분이다. 이를 통해 탐관오리를 비판하고 풍자하고 있는 것을 알 수 있다.

22 '도련님은 그렇게 하늘 높은 지리산입니다'라는 부분을 통해 지리산이 이몽룡이라는 것을 알 수 있고 ㉢은 거지 차림새를 한 이몽룡이다.

23 (가)에도 구체적 지명인 '남원'이 등장하고 있다.

24 '남루'는 옷 따위가 낡아 해지고 차림새가 너저분하다는 뜻이다.

25 원관념은 '구름', 보조관념은 '한 다발 장미'이며, 'A는 B이다'의 형식을 사용하고 있다.

26 ⓑ에는 지조와 절개를 끝까지 지켜내겠다는 춘향의 의지가 나타난다. 또한 성삼문의 시조에는 '백설이 만건곤'이라는 부정적 상황 속에서도 '독야청청'하겠다는 시적화자의 지조와 절개가 나타난다.

27 ㉰는 춘향의 내면심리를 서술한 부분이다.

28 '박색터 설화'는 못생겨 결혼도 못한 춘향에 대한 부분이 요점이 되는 부분이다. 이몽룡이 옥에 갇힌 춘향을 풀어 주고 백년해로 하는 것은 큰 관련이 없다.

29 '내려오는 관장마다'부터 '어서 바삐 죽여 주오.'까지의 부분은 4 음보라고 할 수 있다.

30 〈보기〉의 두터비(두꺼비)는 허장성세의 모습을 보이는 탐관오리를 상징하는데, 두꺼비가 넘어지는 부분에서 벌을 받는 모습이 드러나지만 약자인 파리가 구원을 받는 부분은 나타나지 않았다.

31 신분을 초월한 사랑은 이면적 주제가 아닌 표면적 주제이다.

01 도치에 의한 언어유희로 당황한 본관사또의 심리를 드러낸다.

02 한국 문학의 특성 중 하나인 풍자와 해학이 드러난다.

03 (1) 운봉 영장의 갈비를 가리키며, "갈비 한 대 먹고지고."

     (2) 다릴 꼬았지 아니꼬왔지

     (3) 웃음을 유발하여 해학성을 획득한다.

04 〈보기〉의 춘향은 이몽룡이 출도하여 춘향을 구하기 전에 죽음을 맞이하지만 윗글에서는 춘향과 이몽룡이 행복한 결말을 맞는다는 차이점이 있다. 두 작품 모두 여성의 정절을 강조한다는 주제상의 공통점이 있다.

05 (a) 가을 (b) 이화춘풍

06 (1) 윗글은 '이몽룡'과 탐관오리인 '변 사또'가 갈등 관계에 있고, 〈보기〉는 '이 혈룡'과 벗인 '김진희'가 갈등 관계에 있다.

     (2) 〈보기〉의 '옥단춘'은 윗글의 '춘향'과 달리 '이혈룡'의 조력자 역할을 한다.

07 (가) 풍자 (나) 해학

     (다) 먹을 것이 없는 흥부네 가족의 상황을 해학적으로 표현하여 동정심을 유발하고 있다.

08 표면적 주제는 신분을 초월한 남녀 간의 사랑이고, 이면적 주제는 불의한 지배 계층에 대한 항거이다.

09 (1) 한참 이리 즐길 적에 춘향 어미 들어와서 가이없이 즐겨하는 말을 어찌 다 설화하랴. 서술자의 개입이 드러난다.

     (2) 민중

(3) 눈

01 ×   02 ×   03 ○   04 ×   05 ○   06 ○   07 ×   08 ○

09 ○   10 ○

01 ×   02 ×   03 ○   04 ○   05 ○   06 ○   07 ○   08 ○

09 ○

01 ⑤	02 ②	03 ②	04 ④
05 ⑤	06 ③	07 ①	08 ⑤
09 ④	10 ⑤	11 ②	12 ⑤
13 ④			

01 이 시에는 시적 화자의 정서 변화는 나타나있지 않다.

02 수미상관은 첫 연과 마지막 연의 구성이 비슷하게 이루어진 것을 말하는데 이 시에는 수미상관이 나타나있지 않다.

03 눈과 가래의 대립적인 이미지를 통해 시적 화자의 의지를 나타내었다.

04 이 시의 '눈'은 생명과 순수의 의미를 지니며, 시련과 역경을 나

타내는 시어가 아니다.

05 내재적 관점이란 문학 작품의 외재적 요인들은 배제한 채, 작품의 언어적 특징, 갈등 구조, 비유, 문체, 정서 따위의 내재적 요소들에 근거하여 해석하는 관점을 말한다. 따라서 점층적 표현 방법에 근거하여 작품을 해석한 5번이 적절하다.

06 '죽음을 잊어버린 영혼과 육체'는 죽음을 무릅쓰는 지식인의 모습이므로 화자가 지향하는 태도이다.

07 '기침을 하자'는 내면의 불순물을 뱉어내는 행위로, 내면의 정화가 일어난다고 할 수 있다.

08 이 시에 전통적 정서는 나타나지 않는다.

09 이 시와 '껍데기는 가라' 모두 부정적인 현실에 타협하거나 안주하지 않고 적극적으로 대응하는 태도를 나타내고 있다.

10 이 시는 절망과 좌절에 대한 것이 아니다. '기침을 하자'고 하며 부정적인 현실을 극복해내려 하고 있다.

11 시적화자는 이상과 현실에서 고뇌하는 것이 아니다. 시적화자는 순수한 생명을 상징하는 '눈'을 추구하고 있다.

12 이 시에는 시선의 이동이 나타나지 않는다.

13 '기침을 하자'는 내면에 있는 더러움을 뱉어내고 부정적인 현실에 저항하려는 화자를 나타낸 것으로 도피하고 싶은 심정과는 전혀 관련이 없다.

01 ①	02 ③	03 ⑤	04 ②
05 ⑤	06 ②	07 ③	08 ⑤
09 ⑤	10 ③	11 ②	12 ②
13 ④	14 ②	15 ③, ④	16 ①
17 ②	18 ②	19 ④	20 ①

01 (나)는 '하늘도 그만 지쳐 끝난 고원', '서릿발 칼날진 그 우'등의 부정적인 세계에 대해 '무지개'가 뜬다고 말하며 부정적 세계에 대한 저항이 나타나고, (다)는 '금잔화도 인가도 보이지 않는 밤'과 같은 부정적인 상황에서도 폭포가 '곧은 소리'를 내며 떨어진다고 하며 저항하고 있고, (라)는 '껍데기'로 상징되는 부정적 현실에 대해 '알맹이', '아우성'등만 남으라고 말하며 부정적 현실에 저항하고 있다.

02 (가)의 '젊은 시인'은 자신이 처한 현실에 대한 비판만을 일삼는 존재가 아니다. 여기서 젊은 시인은 화자가 '불의와 타협하지 않고 정의와 순수성을 회복하기 위한 행위를 실천하기'를 소망하는 사람이다.

03 (가)는 '-다'의 평서형 어미를 사용하여 눈이 살아있음에 대한 확신을 드러내었다.

     (나)는 '북방', '고원'등의 강렬한 시어를 사용하여 '나라와 민족을 위하여 제 몸을 바쳐 일하려는 뜻을 가진' 지사적 면모를 드러내었다.

     (다)는 '곧은 소리'등의 청각적 심상을 통한 감각적 표현, '번개

와 같이'등의 비유적 표현을 통해 폭포의 이미지를 선명하고 구체적으로 드러내고 있다.

(라)는 '-라'의 명령형 종결어미, '껍데기'와 '알맹이'등의 대조적인 의미의 시어를 사용하여 주제를 강조하였다.

04 (나)의 시적화자는 '겨울'이라는 부정적 상황이지만 그것이 '무지개'라고 하며 자신의 상황에 대한 의지를 드러내고 있고, 체념적 태도는 나타나지 않는다.

05 '향그러운 흙가슴'은 화자가 추구하는 이상적 가치를 상징하며 고향과는 관련이 없다.

06 이 시의 '눈'은 순수, 생명, 정화 등 긍정적인 이미지를 갖는다. 고은의 '눈길'에서도 '눈'을 '설레이는 평화'라고 말하며 긍정적인 의미로 사용하고 있다.

07 ㄱ. 청유형 '-자'의 문장 구조는 (가)에만 나타나있다.
ㅁ. 화자의 시선 이동은 (가), (나), (다) 모두 나타나지 않는다.
ㅂ. 선명한 색채어의 사용은 (가), (나), (다) 모두 나타나지 않는다.

08 '풀'은 계속 누워도 먼저 일어났기 때문에 '날이 흐리고 풀뿌리가 눕'지만, 그 이후에 풀뿌리가 일어날 것이라는 여운을 남기며 마무리 하고 있다.

09 A에서는 풀의 시련을, B, C에서는 풀의 극복의지를 나타내고 있기 때문에 A, B와 C가 대립된다고 할 수 없다.

10 '아우성'은 시련을 이겨내던 민중들의 의지로 볼 수 있다.

11 (가)는 반어법을 통해 '그'에 대한 비판의식을 드러내고 있다. 생명력을 지닌 존재로 보는 것은 옳지 않다.

12 (가)의 화자는 물질만능주의가 만연한 사회에서 정신적 가치가 외면되는 현실을 반어적으로 비판하고 있는데, (다)의 이인국 박사는 물질적인 가치만 추구하고 정신적 가치는 추구하지 않는 인물이다. 따라서 ②번의 물음이 적절하다.

13 (가)는 '-다', '-자'와 같은 종결어미를 통해, (나)는 '-라' 등의 종결어미의 반복을 통해 리듬을 형성하고 있다.

14 '죽음을 잊어버린 영혼과 육체'는 화자가 지향하는 용기 있는 지식인의 모습을 의미한다.

15 ③ 관조란 시적 화자의 관찰이 주가 되고, 정서는 두드러지지 않는 것을 말한다. (나)에서 관조적인 어조는 드러나지 않는다.
④ (가)의 '눈'에서 계절적 배경이 드러난다고 볼 수 있으나 (나)에서는 계절적 배경을 알 수 없다.

16 ㄷ.명령형 어미가 아닌 청유형 어미 '-자'를 사용하고 있다.
ㄹ. (나)에는 점층적 표현이 나타나지 않는다.

17 '기침을 하자'는 내면의 부정적인 것들을 뱉어내는 행위이며, 부정적인 현실에 저항하려는 의지를 뜻하는데, ⓑ도 '언론의 자유'를 요구하는 등 부정적인 현실에 저항하고 대항하는 태도가 나타나므로 가장 적절하다. 나머지는 사소하고 본질적이지 않은 것들에 대한 분노를 뜻하므로 적절하지 않다.

18 화자가 표면에 나타나있다는 것은 '나'가 등장한다는 것인데, (가), (나)의 화자는 겉으로 드러나있지 않다.

19 '죽음을 잊어버린 영혼과 육체'는 화자가 지향하는 가치를 지닌 대상이라 할 수 있다.

20 ⓐ, ⓑ는 점층적으로 변형되고 있고, ⓒ는 반복되고 있다.

서술형 심화문제 P.189~190

01 기침(가래)
02 눈은 화자가 지향하는 것을 상징하는 소재로, 현실과 타협하지 않고 불의에 저항하는 정신을 일깨우는 역할을 한다.
03 위 시의 '눈'은 시적 화자가 자신의 속물성에서 벗어나 순수함을 지향하게 하는 역할을 하고, 〈보기〉의 '눈'은 추억을 환기하는 매개물의 역할을 한다.
04 눈- 깨끗하고 순수한 것을 의미.
가래- 타락한 일상의 상황. 소시민성. 속물성

단원 종합평가 P.191~198

01 ②	02 ⑤	03 ④	04 ⑤
05 ④	06 ①	07 ③	08 ④
09 ④	10 ⑤	11 ①	

01 (가)는 '어긔야'같은 여음구의 반복을 통해 리듬감을 형성하고 있다.

02 (가)와 (나) 모두 화자와 임이 떨어져 있다.

03 '달'은 어둠속에서 남편을 비춰주어 위험에 빠지지 않게 해 주는 대상인데, '해'로 바꾸면 남편이 밝은 대낮에 집에 돌아오는 길을 비춰달라는 의미로 바뀌므로 위험한 상황에 대한 걱정이 두드러지지 않는다.

04 (가)의 화자는 임과 떨어져 있는 상황에서 임이 위험에 처하지 않을까 걱정하고 있는데, 정철의 '속미인곡'에서도 '연약한 얼굴이 편하실 적 몇 날인가, 봄의 추위와 여름의 더위는 어찌하여 지내시며 가을과 겨울날을 누가 모셨는가'라고 하며 임을 걱정하고 있다.

05 '춘향전'은 전지적 작가시점으로 작품 밖의 서술자가 사건을 서술하고 있다.

06 춘향이 본관사또와 어사또의 수청을 거절하는 것은 여성의 정절과 절개를 지키는 것이고, 유교적이고 가부장적인 사상에 대해 저항한다고 볼 수 없다.

07 [A]에 설의적 표현은 나타나지 않고, 탐관오리를 비판하는 내용을 말하고 있으므로 긴장감이 강화되는 기능을 한다.

08 대구법과 열거법을 사용하면 사건의 전개가 느려진다.

09 (가)는 청유형어미, (나)는 명령형 어미를 사용하고 있다.

10 '눈'은 순수한 생명력, 부정적인 것을 정화하는 역할 등을 하므로 불의에 저항하는 정신을 일깨운다고 할 수 있다.

11 '서시'에는 부끄러움 없는 순수한 삶에 대항 열망을 드러내고 있다.

MEMO

MEMO

고등
국어

HIGH SCHOOL

실전기출
문제은행